文春文庫

菜の花の沖

(四)

司馬遼太郎

文藝春秋

本書は昭和六十二年に刊行された文庫の新装版です

目次

菜の花の沖（四）

波濤

この未《ひつじ》の年（寛政十一年・一七九九年）の三月、嘉兵衛が箱館の浜に上陸すると、

（なんというにぎやかさだ）

と、去年とは打ってかわっての人の往来《ゆきき》の繁《しげ》さにおどろいてしまった。

（去年はただの荒磯と草のはえた坂道があっただけではなかったか）

ことしは、道路普請《ぶしん》の人夫がおおぜい働き、大工が家々をたて、水溜りの多い道を荷運びのひとびとがゆききし、また坂の上には旅姿の武士がやたらめだった。

この日、嘉兵衛は、三橋《みつはし》藤右衛門と高橋三平にあいさつをしてから、坂の途中にある「高田屋」の店に入った。

むろん、この急造の建物も、去年にはなかった。

また隣接してならぶ海産物の倉庫も、できたばかりのものであった。

すべては、箱館店のぬしである金兵衛がやったものである。

倉庫には、金兵衛が買いあつめた加工鰊《にしん》、鮭《さけ》、昆布などが、ぎっしり詰まっていた。

これらを、やがては箱館に到着する嘉兵衛の船二艘《そう》が、すぐさま積みこんで大坂の靭《うつぼ》の市《いち》にはこぶだけでいい。船一艘の一航海で、あらたに何百石積みかの船が一艘買えるほどの収益があがるはずであった。

「金兵衛、こういうことは、決して金儲けと思うな」

と、嘉兵衛はいった。たかが金儲けで、上方と蝦夷地《えぞち》を往復するという命がけのしごとがつづけられるものではない。蝦夷地を、京のある山城国や江戸のある武蔵国とおなじ暮らしができる土地にするためだ、というのである。

「しかし箱館もにぎやかになったたな」

と、いうと、金兵衛はべつに去年と変わっていない、といった。

武士の姿がやたら目につくのは、幕府が近隣の諸藩に命じ、蝦夷地警備の兵を出させるように命じたためである、とも金兵衛はいった。

「それだけのことです」

金兵衛は、嘉兵衛とはちがい、物事に踊るという性格がなく、若いくせにいつも冷静にしか物を見ず、また語らない。

去る寛政四年（一七九二年）九月三日、ロシアの軍艦が根室湾に入り、次いで箱館に投錨《とうびょう》し、幕府に対して通商を要求した事件などがあって、幕府は北辺警備に神経をとがらすようになった。

松前藩の防備能力が小さすぎるため、奥羽諸藩（南部藩、津軽藩、秋田藩、仙台藩）に人数をわりあてして警備兵を出させていた。

嘉兵衛が見たのは、津軽藩の交代兵が箱館に上陸しただけのことで、とりたてて新規なことではない。

「ただ、噂によりますと、大公儀は来年あたりから、津軽様と南部様に命じ、兵力を倍ちかくになさるそうです」

「それみろ、ご時勢が変わろうとしているのだ」

嘉兵衛が意気ごむと、金兵衛はひややかに、

「南部様、津軽様は、財政《うちむき》が火の車というのに、それぞれ五百人出せということで、よほどおつらいことのようでございますよ」

ただでさえ財政の逼迫《ひっぱく》している両藩はこれを大迷惑とおもっている、と金兵衛はいった。

幕府が、七年を限って松前藩から借りあげた東蝦夷地は、箱館付近から知床《しれとこ》半島までの広大な地域をさす。

嘉兵衛はこの新情勢について、できるだけ多くの情報をあつめたかった。事情を知ら

なければ、身動きひとつできないのである。

　かれが箱館に入ったこの日、金兵衛にすぐたずねたのは、

「松前様の御気色《ごきしょく》は、大変だろう」

ということであった。

「大変です」

　金兵衛は、すこし青味がかった目で、嘉兵衛を見つめている。秀麗な容貌ではあったが、

（こいつが弟でなければ、友達にはならないかもしれんな）

と、おもったりした。金兵衛はべつにわるい人間でないことは嘉兵衛もわかりぬいている。私心も薄く、節義の感覚もある。この二つさえあれば、ほぼ世間は渡れるのだが、ただ利口過ぎ、その利口ぶりが薄い皮膚から透《す》けてみえる。金兵衛は、そういう自分を決して包もうとはしないのである。

「松前様の箱館の沖ノ口役所も立ち腐れです。ときどき御役人衆が、路傍でぼんやり立っているのを見ます。このさきどうなるのか、ご自分でもおわかりにならないのでしょう」

「金兵衛、いい気味だろう」

　嘉兵衛は、金兵衛をからかった。嘉兵衛も、この「島」ともいえぬほどに広大な地を、ひとにぎりの松前藩の人数が自儘《じまま》にし、自藩の利のみを考え、蝦夷びとをけもののよう

に酷使し、また自藩の不利になるという計算からロシアの南下の事実を幕府にひたかくしにしてきたいままでのこの藩のやり方を悪《にく》まないではいられない。

「悪」

というものが、芝居の上ではまじりっけなしのものとして存在するが、浮世にはそういう種類のものはすくないと嘉兵衛はおもっている。しかし蝦夷びとの場から見た松前権力というものは、この世で珍奇なほどに純粋悪であった。

とはいえ、松前藩がこの大州の三分の一強ともいうべき東蝦夷地を取りあげられたことについては、右の筋みちとは矛盾することながら、嘉兵衛は気の毒に思わざるをえないのである。藩士は窮乏し、首都の福山（松前）城下の町人たちも収入がすくなくなり、従って職人や人夫もしごとの口がなくなって憂目《うきめ》を見るにちがいない。

——いい気味だろう。

と、金兵衛をからかったのは、痛快であることはわかる、しかしいい気味そうな顔をするな、ということであった。

金兵衛のいうところでは、幕府は松前藩に対しその財政上の負を補わせるために、武蔵国の南端にある久良岐《くらき》の地を与えることにした。久良岐はいまの川崎や鶴見あたりをさし、海浜のほそながい地で、五千石の収穫があった。

しかし東蝦夷地のゆたかな水産物のあがりからみれば、五千石ばかりの地が松前藩にとってありがたいはずがない。

「私が道を歩いていて、松前様の御家中のお方とゆきあって丁寧に頭をさげても、横をおむきになります。高田屋のやつか、といって地面に唾《つば》を吐きなさるお人もあります」

と、金兵衛はいった。

東蝦夷地に、

「様似《サマニ》」

という海岸地方がある。海岸が、わずかに船の碇泊をゆるす程度に湾入しているために、松前船がそこによく寄港するということは、嘉兵衛もきいていた。また嘉兵衛は、去年、箱館からアッケシ（厚岸）へゆく航海の途次、様似の沖を通ったとき、三橋藤右衛門が、

「嘉兵衛、あれが様似だ」

と、教えてくれた。

様似は、箱館から船をすすめた場合、嘉兵衛たち船乗りが、

「エリモ様」

と、神に対するようによんでいる襟裳岬よりは、十里ばかり手前の海岸にある。

襟裳岬は、この蝦夷地という大きな島州を南北につらぬく脊梁《せきりょう》山脈（日高山脈）の南端が海に落ちこみ、黒い山骨ともいうべき断崖と岩礁が散乱する岬だが、三橋藤右衛門が、

——あれが様似だ。

と教えてくれたのはそのエリモ様を拝む半刻《はんとき》ばかり前であったような記憶がある。

嘉兵衛が、一閑張《いっかんばり》の遠眼鏡《とおめがね》をかざしてみた様似は、背後に日高山脈の嶮峻《けんしゅん》を屛風《びょうぶ》のようにひきまわして、北風をふせいでくれそうな地形だった。

野はわりあい広そうで、付近にホロベツ（幌別）川という、季節になるとゆたかに鮭がさかのぼってくる川がある。

海岸の湾入は、たかが知れている。しかし、その大景観からいえば小指のように可愛く突き出た岬があり、東風からもわずかに碇泊船を守ってくれるにちがいない。また西風が強ければ、その小指のような岬の反対側（東側）に船入れしてもよさそうであった。

三橋藤右衛門が教えてくれたとき、嘉兵衛は、

「箱館湊のように、神様があたえてくださったような綱（船をつなぐ綱）知らずの湊からみれば、とてものこと、くらべものになりませんが、それでも沖が荒れればあの様似には逃げこめそうでございますな」

と、いうと、三橋藤右衛門は、

「ほほう、わしはもっとましな湊かと思っておった」

といった。三橋は嘉兵衛の低い評価が、やや意外なようであった。

「なにか、様似について格別な御見込みでもお持ちなのでございますか」

と、嘉兵衛は、貴人に対して非礼とは思いつつも、自分のほうから質問してみた。

「あった」

と、三橋はいったが、内容はいわなかった。

こんど、嘉兵衛は箱館にやってきて、十日ほどのあいだに、しきりに様似という地名を耳にした。

金兵衛からきいた話では、幕府は東蝦夷地を臨時の天領（直轄領）にするにあたって、一時、様似を治所《ちしょ》にする案を持ったという。箱館は最良の港湾ではあるが、松前藩のにおいがつよすぎる上に、江戸から蝦夷地へ直航する太平洋航路を確立しようとすれば、地理的には様似が近いのである。が、いくつかの理由で廃案になり、箱館が治所になった。


嘉兵衛は箱館に入ってちょうど十一日目に、幕府の仮役所から差紙《さしがみ》（よびだし状）がきて、

――御用がある。

と、いう。すぐゆくと、三橋藤右衛門と高橋三平が、書類をあちこちにつみあげた広い御用部屋にすわっていた。嘉兵衛はむろん身分柄、そこへは入れない。板敷の廊下にすわらされた。

「やあ、嘉兵衛、そちの顔を三日も見ぬと淋しいわい」

と、三橋藤右衛門は、心からの声を出して、うれしいことばをかけてくれた。そのそ

ばで、三橋以上に嘉兵衛好きの高橋三平が、顔をほころばせてじっと見つめてくれている。嘉兵衛は、ばかなことに、涙をあふれさせてしまった。

（自分をそこまで買って、それほどまでに好いてくれている）

という人にめぐりあうほど、人の世でのよろこびはない。むかし、唐土《もろこし》では、こういう感動のために男は命をすてる、という激しい言葉が書かれている書物があるということをきいている。

一面、嘉兵衛は、商人であった。

世に商人ほど、物や人を見る目と姿勢が冷静なものはないと嘉兵衛はおもっていた。

——商人《あきんど》たる者は、欲に迷うな。

とさえ、嘉兵衛は、自分の手育ての者たちに教えてきたのは、一種の極端な表現であった。利と欲とはちがうのだ、ということを教えるための表現で、世間をひろく見渡すに、欲で商いをする者はたとえ成功しても小さくしか成功せず、かりに大きく成功してもすぐほろぶ、ともいった。

この極端な表現は、商いの上で私情を出すな、と嘉兵衛がかれらにいっていることにもつながっている。自分の趣味、嗜好、あるいは商いの相手を私的に好きだというだけで利の潮から外れた舟のうごかし方をするな、ということをも意味していた。

対明《ミン》貿易を中心とした広域商業というものは、室町期において一勃興を見、戦国期、織豊《しよくほう》時代へとつづく。

室町の商人たちは、位階や武力という権威だけがまかりとおる中世末期の世にあって、物や人、それに世間というものを冷静に見、秤《はかり》や枡《ます》ではかるようにその重さやかさを知り、さらには物の背景にある人間のほかに、はるか海外の地理、物産、世情、人情を知った。

そのように冷静な室町の商人たちは、

「好き」

ということを、商人の敵として戒《いまし》めあった。「好き」は、物好みのことなのである。物好みが激しくなると、精神の平衡《へいこう》を欠き、ついには現実に対する目をうしなう。その危険を知りながらも、あるいは十分にわきまえた上で、美的世界に遊ぶという精神現象を、術語として数寄《すき》（数奇）とよんだ。

数寄は、そのような毒をふくんだことばであったが、嘉兵衛は蝦夷地を利の対象としてのみ見ず、さらには三橋や高橋という人物についても、好きを感じてしまっていた。このあたりの嘉兵衛の心の傾斜は、平素、かれが手育ての連中に教えていることとすこしちがうようでもある。

三橋藤右衛門は、

「嘉兵衛」

と、真顔になった。

「いつアッケシへ行く」

港内にあっては、嘉兵衛の辰悦丸は、すでに幕府の官米を積みおろし了《お》えている。さらにかれの商いのための諸商品の大半をおろし、いま、舷《ふなばた》をたかだかと水面から浮きあがらせていた。いつ、どこへでも出帆できる。

ただし嘉兵衛は、辰悦丸のあとの予定については、決めていなかった。このたびの箱館への航海中も、そういう先のことは考えず、

——すべて箱館に着いて、様子を見てからのことだ。

と、ただ冬の日本海の風浪のなかで操船することのみを考えてきた。

ともかくも、こんどの蝦夷地入りは、太古以来、蝦夷地に流れてきた時間のなかで、あたらしい歴史がはじまった元年というべきものであった。

嘉兵衛も、様子が予測できない。

幕吏自身、なにをどうおこなってよいか、よくわからない時期であったにちがいない。嘉兵衛は、三橋や高橋、あるいは最上《もがみ》徳内ら幕臣たちと接触するうちに、かれらの言動から、こんどの新事態の輪廓をほぼつかむことができている。

——東蝦夷地を日本国になさるのだ。

ということであった。

むろん、東蝦夷地をふくめ、松前藩領である松前地（和人居住地）や、西蝦夷地も、法理論的には、日本国であった。徳川将軍家が日本国について所持している主権の一部

を、諸藩同様、松前藩も代行してきたという意味においては「日本の一部」といえるが、しかし蝦夷人を動物同様に追いつかい、病気になっても医師に見せず、和人とは接触させず、また蝦夷人同士の通婚の自由もつよく制限し、また労働させてもわずかに食物を与えるだけでいっさい通貨を与えないというような法は、法思想として本土に存在しない。その意味においては松前も蝦夷地も日本国のなかの異国である、という見方が確乎として成りたつのである。

——臨時の天領である東蝦夷地にあっては、蝦夷人の労働に対しては通貨で払い、かれらの食糧その他の確保について幕府が責任をもつ。蝦夷人についてはその首長たちのもとでの自治をみとめつつも、和人なみにあつかい、できるだけ教化をして和人化させてゆく。

という方針であることを、嘉兵衛は認識していた。

ただ、

——場所制の悪弊を廃し、漁場はすべて大公儀による直捌《じきさば》き（直営）とする。

という点では、それが理想であるにしても、うまくゆくものであるか、多少の不安がないではない。

「嘉兵衛、アッケシには、大河内善兵衛どのがいる」

三橋の同役で、大河内は様似やアッケシなどを担当しているのである。

「そのほうについては、大河内どのによく話してある。アッケシに行って、鰊《にしん》なりとも何なりとも沢山《たんと》買え」

と、三橋がいった。「たんと買え」というのがいかにも、御役人の商売らしく、嘉兵衛は腹の中で噴き出した。

（たんと買え、はよかったな）

嘉兵衛は、あとあとまで、このときの三橋藤右衛門のいかにも殿様らしい言い方をおかしがった。

もっとも、沢山買うには、それだけの漁獲高がなければならない。

以前の松前藩の場所請負制は、たしかに蝦夷人たちにとって悪質きわまりない搾取の上に成立しているとはいえ、それなりの漁獲と加工の生産高はあった。幕府はそれを一挙に廃止した。しかし、廃止したあと、どういう形に持ってゆこうとするのであろうか。

幕府のやり方は、いままで松前城下（福山）に居すわったままで商権と資本を保有してきた場所請負商人からあらゆる権利をうばってしまう。

ただ現地の運上屋で実際のしごとをやってきた支配人、番人、通詞などは、よほど悪評の高かった者をのぞき、ほぼそのまま残置させ、いままでどおりしごとさせる。つまりは、旦那が、松前城下居住の請負商人から幕府にかわっただけである。場所々々には幕吏が常駐する。

「それで、うまくゆくとは思うが」

三橋藤右衛門はいった。

むろんうまく行ってもらわねば、嘉兵衛もいままで応援席で力こぶを入れてきた甲斐がないというものである。

しかし、松前商人が場所々々に投下しつづけた資本を、こんどは幕府が「旦那」としてそれを投下するのだが、いったい御役人衆に金のつかい方がわかるのかどうか、嘉兵衛には不安であった。さらに、幕府は蝦夷人の教化をふくめた蝦夷地開拓をやろうとしているのだが、幕府がそれほどの金を準備しているのかどうか。

「地頭《じとう》」

という古い日本語は、「泣く子と地頭には勝てぬ」などという諺《ことわざ》があるように、嘉兵衛の時代でも生きてつかわれている。諸大名も地頭なら、幕府もその直轄領にあっては地頭であった。地頭というのは本来、とるばかりで、出すということが、例外があるにせよ、基本思想としてあるはずがなかった。

なるほど蝦夷地担当の幕臣たちは、嘉兵衛をして、かれの武士についての見方を修正させたほどの理想を持つひとびとであったが、かれらの背後にある江戸幕府自体が、結局はとる機関で出す機関ではないのである。

そういう幕府が、今後、無制限に金を食ってゆくこの未開地に対し、金を出しつづけるであろうかということの不安もあった。

後年のことになるが、結局は幕府はその理想主義を挫折させてしまう。

幕府はこの時期から八年後、松前藩との約束を破って東蝦夷地を返還せず、西蝦夷地をふくめ、全島を直轄領にし、松前藩を奥州梁川《やながわ》に移すにいたる。その後、直営主義の出費に堪えかね、場所請負制を復活してしまうのである。さらには文政四年（一八二一年）、この金のかかる島を保《も》ちきれず、全島を松前藩に返してしまうということになる。

――御役人衆は、張子《はりこ》に権柄《けんぺい》という絵の具をぬった神農《しんのう》様の虎のようなもので、中身などは何もない。

と、嘉兵衛は思ってきたが、三橋藤右衛門や高橋三平はたしかにそれとはちがった武士であった。

嘉兵衛が、漁や網のはなしをすると、ふたりとも身を乗りだしてきくのである。

「嘉兵衛は、たしか生家は農であったな」

と、高橋三平は、嘉兵衛がなぜ漁業にあかるいのか、ふしぎそうであった。嘉兵衛は、

「農と申しましても極貧の水呑《みずのみ》の家にうまれましたので、十一歳のとき、口減らしのために隣りの在所の親戚の商家に奉公にやられました。その在所が、全戸漁《すなどり》をもって渡世いたしますために、漁のことも網のことも覚えました」

「ああ、そういうことであったか」

と、本来、武家の立場ならば、嘉兵衛の履歴など賤《いや》しいというひとことで済ませてしまうはずであるのに、この本多利明の学派の両人は、感に堪えたように聴いてくれるの

である。

——そういう嘉兵衛の目からみて、アッケシの漁法はどうであったか。

と、三橋藤右衛門はきいた。

嘉兵衛は、松前藩が漁業をもって藩財政を立てているわりには漁法、漁具の研究が不足で、アッケシで見たかぎりにおいては漁具なども本土より遅れているように思う、と言い、図面を描きながらくわしく述べた。

「嘉兵衛、もし、そのほうのやり方ですべて仕切れば、従来よりも鰊や鮭が多く獲《と》れるか」

と、三橋はきいた。

「いえいえ、口惜《くちお》しきことでございますが、左様な広言は申せませぬ。このようなことは、実際に二度、三度、網を建て、しくじったり手直しをしたりしてようやく物を申せることでございます」

「どうだ、ソウヤ（宗谷）でそれをやってみぬか」

と、三橋藤右衛門がいったのは、ソウヤがかれの直接の責任区域だったからである。

嘉兵衛は、ことわった。

どの場所も、やり方や漁具が旧式とはいえ、それなりに事に習熟しているはずであった。そこへ新しい方法や漁具を持ちこまれることには抵抗があるに相違なく、しかももし当初、旧式以下の漁獲高であったりしたら、大公儀の権威が失墜するにちがいない、と嘉兵衛はいう。

「どこか、あらたな土地を得てそこを場所になさいますときに試みさせて頂きとうございます」

この話柄《わへい》は、それでおわった。

最後に三橋藤右衛門が、

「辰悦丸がアッケシに行くときに、様似に寄ってもらえまいか」

様似では、嘉兵衛が去年、福山から箱館まで送ってやった最上徳内が、道路の開鑿《かいさく》工事の指揮をしているという。

以下は信じがたいことだが、松前藩は豊臣秀吉の時代から蝦夷地を統治していながら、一筋の道路も造ったことがないのである。たまに場所にいく松前役人は海路を用いるために道路は必要なかった。蝦夷島の内陸は太古以来の状態にあり、幕府の開拓事業は、道路をつくるという、もっとも初歩的段階から手をつけざるをえなかった。

——様似へゆけば、最上徳内様にお会いできる。

というのが、嘉兵衛のこの航海での張りになった。

嘉兵衛には、人好きという病いといっていいほどの性格があり、とくに、無欲人か、あるいは物に熱中している人が好きであった。かれが、帆布《はんぷ》を発明した兵庫の松右衛門旦那が大好きであるというのは、松右衛門が、商人のくせに無欲で、いろんな工夫に熱中している姿に、なんともいえぬおかしみを感じてしまうためであった。この場合のおかしみとは、むろん敬愛の一変形といっていい。

「夷人《いじん》」

と、幕臣たちは蝦夷人《びと》のことをいう。嘉兵衛が蝦夷人を好きなのは、かれらに欲が薄く、どこか、山川草木が人の姿を藉《か》りて物を言っているようなところがあるからであった。たとえば、かつてアッケシの野で、嘉兵衛が、そこに自生している稗《ひえ》について蝦夷人に質問したとき、その人は背をまるくして稗のそばにかがみ、稗と対話するようにぶつぶつ言いながら、

「この草の実が食べられることを、父は知らなかった。母も知らなかった。父の父も、母の母も知らなかった。もし父や母が知っていれば、私はうまれたときからこの草の実を食べていただろう」

と、いった。通詞を通してそのことばをきいたとき、嘉兵衛は、そのことばが、当人の人柄と密着して、透きとおった美しいぎやまんを見るような感動をおぼえた。

そういう嘉兵衛の好みにたれよりも適合した人物が、あの小柄で無愛想な最上徳内であった。

(最上様が、様似で道普請をなさっているのか)

あれほどの学者で蝦夷通の人を、他の者でもやれる一地方の道普請の監督につかうと

いうのは、船でいえば、遠いむかしの河村瑞賢《かわむらずいけん》を舵子《かじこ》に使っているようなものだ、と思うのである。おそらく農民あがりの徳内の場合、幕臣として卑《ひく》い身分にあるため、かつて探検時代にこそ偉功をたてたものの、いざ幕府の直轄領になり、東蝦夷支配の役人組織ができると、徳内などは道普請にまわされてしまうということであろうか。

箱館の幕臣たちが嘉兵衛に頼んだのは、様似の道普請のための人夫の補充員を運ぶことと、工具の不足分を運ぶというだけであった。

様似までの間は、辰悦丸は官船なみの御雇《おやとい》になった。

このため、御城米を運んで酒田から箱館まできたときと同様、船尾《とも》に、朱の日ノ丸の幟《のぼり》と吹貫《ふきぬき》をひるがえした。

五月、嘉兵衛は様似へむかった。

津軽海峡を東へ抜け出るときの目標は、道南の亀田半島の先端にある恵山様《えさんさま》である。ときに瓢簞《ひょうたん》型の箸置《はしおき》のようにもみえるこの岬の小さな山を左舷に見つつ、そこを過ぎれば、一路、襟裳様を前方にみるべく、東に船磁石の針を定めて、大海を突っ切ってゆく。

嘉兵衛の好きな航路であった。

船を、嘉兵衛にとって未知な様似のような陸《おか》に近づけてゆくときのふるえるような感激は、浮世でせせこましく世をおわるひとびとのわからぬところであろう。

「仙吉よ、様似ぞ」

と、嘉兵衛は遠眼鏡で陸地のあちこちをみながら、炊《かしき》の少年をよびとめて言った。

「仙吉よ、遠眼鏡で見るか」

といったが、仙吉はかぶりを振って泣きだしそうに駈けて行った。炊の仙吉にとっては、陸にちかづくと用事がふえる上に、べつなこともしなければならない。

海水をまぜて大釜いっぱいにめしを炊き、それで握りめしをつくってたくさんのもろぶたにならべておくのである。着船すると、湊の子供たちがあつまってくるが、海水まじりの握り飯はかれらにふるまう。いつごろから、どういういわれでできた慣習なのであろう。

要するに、ぶじに湊に着いたという船のよろこびを、神仏に感謝する一方、土地の子供たちに、施餓鬼《せがき》するように白米をふるまう。

江戸期は、常時、白米が食えるという土地や身分は限られていた。この時代、女の売買をする女衒《ぜげん》が、娘や娘の親を口説くときのきまり文句として、

——きれいな着物《べべ》を着て、三度々々、白い飯《まま》が食べられるのじゃ。

ということがあったが、船乗りも白いめしが食えるという点では、女郎と同じであった。

海水をまぜて炊いた握りめしはとくにうまい。

湊の子供たちはそれが楽しみで、廻船が入ってくるのをまちかね、夏ならば泳いで舷《ふな》側《ばた》まできて握りめしをせがむのである。

握りめしは、熱くなければならない。炊としては、船がいつ碇《いかり》を投げこむかという頃合を測って火を入れ、準備をしなければならない。握るとなると、大変であった。めしを掌にたたきつけるうちに、皮がやけどをしたように赤くなってしまう。

——しかし、様似には子供は居ますまい。

と、当初、この件を嘉兵衛が親司《おやじ》に命じたとき、親司はくびをかしげた。

「蝦夷人の子がいる」

と嘉兵衛がいうと、親司は、蝦夷人の子は船に寄って来ますまい、といった。親司のいうことのほうが、むろん正しい。

蝦夷人そのものが和人に近づくことは、松前藩が厳禁してきたところであり、その子が、本土の湊々の子供のように廻船の入津《にゅうしん》をよろこんで近づくということはありえなかった。

「東蝦夷地はもう大公儀の御領《ごりょう》になったのだ。すべて本土なみにとりあつかわれ、蝦夷人も和人もひとしくなさるということが、あらたな御大法《ごたいほう》になった」

「かといって、蝦夷人の子がすぐ船にあつまってくるでしょうか」

「あつまるようにするのだ」

辰悦丸によってそういう習慣を土地に植えつけるのだ、と嘉兵衛はいったが、肚《はら》の中では、それほど多くの蝦夷人の子がいるだろうか、という疑問もあった。蝦夷人の人口が、松前藩の苛政によって激減してしまっているということは、幕吏たちの常識的な知識になっていた。

「蝦夷人の大人にも、和人の人夫にもふるまえ」

と、言いつけを言いかえた。

このため、飯の量をふやした。

そのしわよせが、炊の仙吉の一身にかかってきて、かれにとっては遠眼鏡どころではなかったのである。


海岸にちかづくと、嘉兵衛は慎重に操船しはじめた。

様似鼻とよばれる小さな半島が突出して、一見、小島に見える。その「鼻」の西湾に入るか、東湾に碇をおろすか、嘉兵衛は風むきを見つつ考えていたが、やがて東湾に進入して、西風から船をまもることにした。

この判断は、よかった。

あとでわかったことだが、西湾は中どころに浅瀬があるだけでなく、海底が岩質で碇掻きがわるかった。

すぐ船からはしけをおろし、嘉兵衛は乗った。北東の空にピネシリ山というぬきん出た高峰があり、海岸からその山麓までが平地である。原生林が点在し、川や泥が、銀の象嵌《ぞうがん》のように冷たくかがやいている。

(神々の国だ)

と、嘉兵衛はおもった。

海岸に、幾棟かの簡単な蔵や小屋があるのは、この地の物産の積み出しにつかう施設であろう。この様似は、松前藩当時、蠣崎《かきざき》某という重臣の知行地《ちぎょうち》としての場所であった。松前藩が場所々々に置いてきた徴税機関である「運上屋」の建物は見あたらないが、おそらくそれは様似湊の西方のホロベツ（幌別）川にあるのかと思われた。

海岸に近い野に、ひとびとがむらがっていた。働いている者もいれば、ぼんやり突っ立って辰悦丸をながめている者もいる。ひと目で五十人ほどかと思えるが、この広い景観のなかでは、いかにもわびしげな人数であった。

嘉兵衛が上陸すると、それらのひとびとがあつまってきた。見ると、和人ばかりで、蝦夷人がいない。

「私は大公儀の御雇船頭で、高田屋嘉兵衛という者です。最上徳内様はどちらにいらっしゃいます」

といったが、すぐには返事がかえって来ず、みな、嘉兵衛の口もとを見つめ、やがて口々に物を言いはじめた。おどろいたことに、嘉兵衛には、何を言われているのか、まったくわからなかった。

（ああ、このひとびとは、蝦夷人なのだ）

と、とっさに思った。

和人の風《ふう》のもっともつよい特徴は、月代《さかやき》を剃ることである。箱館できいた話では、

——蝦夷人を和人化する。

と、意気ごんでいる幕吏のなかには、片っぱしから蝦夷人に月代を剃らせようとし、かえって反感を買っているものもいるということであった。

(様似では、もう剃らせたのか)

と思いつつ、よく一同の顔を見ると、蝦夷人の顔の特徴であるくぼんだ眼窩《がんか》、濃い眉、灰色にちかい白い皮膚といったようなものをそなえていない。

やがてむこうから口利き役が駈けてきて、やっと話が通じた。

ここにいる人夫たちは、南部や津軽の農村や山村からやってきた出稼人で、蝦夷人ではない、という。

「最上様なら、ここからもうすこし奥の普請場におられます。案内しましょう」

と、その小頭《こがしら》めいた中年男はいってくれた。

松前藩が、蝦夷地に一筋の道路もつけなかったということは、すでにふれた。

嘉兵衛はこれをきいたとき、

(この世で、そういうことがありうるのか)

と、疑わしかった。

が、やがてわかった。

漁業収入だけで藩を成立させている松前藩にとって必要なのは内陸ではなく、河川と河口の海岸だけだった。そこにのみ鰊や鮭などが、漁師がいうところの「群来《くき》」をなしてやってくるのである。蝦夷人や旅稼ぎの和人を督励してそれを獲らせるだけしか考えていない藩としては、内陸部などどうでもよかった。かつては海岸に近い内陸で金がとれたことがあったが、それも昔話で、いまはなんの益ももたらさない。極端な言い方をすれば、松前藩がほしいのは北海道（明治二年以後の呼称）のわくともいうべき海岸線だけだったのである。

——道をつけても、蝦夷人がよろこぶだけだ。

という頭がこの藩にあり、また、秀吉、家康の朱印状によって蝦夷人の保護者として性格づけられていながら、かれらを人以下と見ているために、かれらの便宜《べんぎ》をはかるなど、藩の思想として片鱗も存在しなかった。

——だから道がないのだ。

と、嘉兵衛は幕臣高橋三平からきいたことがあり、本州から津軽海峡一つで隔てられていながら、松前権力というものが、古代形態そのものであることに驚かされた。

最上徳内は、幕命によって、

「様似山道」

というものを開鑿しつつあった。

すでに触れたように、日高山脈が、北海道の脊梁をなして北から南へのび、南へさがるにつれて大地をするどく鋭角化しつつ、襟裳岬で海に没している。

もし様似からホロイズミ（幌泉）をへて、日高山脈が低くなってゆく最南端（襟裳岬付近）の山地に道をひらけば、陸路、襟裳岬のつけ根を越えて、やがて十勝平野の海岸であるトヨニ（豊似）付近に出ることができるのである。

いま松前藩は、蝦夷地については海上を船でゆくしか交通手段をもっていない。海上は冬季には閉ざされてしまう。

冬もなお荷を運ぶには、陸路が必要であった。とくにこの「様似山道」さえ開通させれば、あとは河川を利用したり、蝦夷人の足跡でできた道をたどりうるし、またそれらの地では道をつけることも容易なのである。

——東蝦夷地を経営してゆく基礎こそ、様似山道である。

という考え方が幕臣のあいだで高まり、その費用については江戸の勘定奉行も承知していた。

とはいえ、様似山道は長大である。

徳内は、そのトバロともいうべき様似とホロイズミ間の山道のほんの一部をまず切りひらきつつあった。

嘉兵衛は、すでに出来あがっている道路を歩いていた。

（これならば、少々の大雨でも崩れまい）

と思うほどに堅牢な普請で、大小の石礫《せきれき》をぶあつく敷き、十分に固められているあたり、いかにも徳内の性格をよくあらわしていた。しかし、こういう本格的な道なら、何年の歳月とどれだけの人数を必要とするか、という点になると、気が遠くなる思いがせぬでもなかった。

嘉兵衛は、道をいそいだ。

途中、むこうからやってくるひとりの老いた蝦夷人に出会った。嘉兵衛は、アッケシでならった蝦夷語のあいさつ言葉を使おうとして、とっさのことのために胴忘れした。やむなく、

「トクナイサマ」

といって、指をあげて、彼方をさした。

「トクナイサマ」

と、老蝦夷はうなずいて、同じく指でかなたをさした。この老蝦夷は、月代を剃っていなかった。

ゆくにつれて、道普請をしている人数が多くなった。作業をしている者のほとんどが和人で、徳内は蝦夷人を連絡員として使っているようであった。わずかに出会う蝦夷人のすべてが、月代を剃っておらず、その風俗は以前に変わらなかった。

(徳内様のやりかただろう)

と、嘉兵衛はおもった。たとえ幕府の善意から出た和人化のやり方の一つであっても、伝来の髪形《かみかたち》や風俗を変えさせられるというのはいやなものであり、蝦夷人に深い同情

をもつ徳内は、そういう子供じみた政治的正義を自分の友人たちに強《し》いたくないのにちがいない。

作業をしている和人のある一群は、つぎのあたっためくら縞の古びた単衣《ひとえ》を着ているあたりは蝦夷人とは異なるが、月代は伸びたままであり、表情が鈍く、嘉兵衛があいさつしても、応じようとはしない。未知の者がはじめて出遭うとき、たがいにあいさつをかわすのがふつうの文化であり、蝦夷人もまたそういう文化を大切にしている。

「あの人達も、南部や津軽からあつまってきた出稼人ですか」

と、道案内の和人にきいた。

「とんでもない。あの連中はこのへんの昆布とりです」

という。

「天明飢饉のときに奥州から蝦夷地へ逃げてきた連中です」

と、言い継いだ。

嘉兵衛が、十三歳で新在家の親戚和田屋喜十郎方に奉公していた天明元年（一七八一年）から、夏が寒いという気候異変が七、八年つづき、冷害による凶作が全国におよんだ。なかでも天明二年から三年の奥羽の凶作が甚だしく、大飢饉の様相を呈し、死人の肉まで食うという凄惨な情景もあったといわれる。

そのときに南部藩や津軽藩から逃散《ちょうさん》して蝦夷地に密入国する者が多かった。

そういうひとびとは、松前藩を憚《はばか》りながら、孤立して海岸に住んだ。蝦夷人同様、笹で小屋をつくり、「場所」の番人の「お目こぼし」をうけつつ、昆布をとってそれを番人に売り、米と代えているうちに、蝦夷人とも和人ともつかぬふんいきを持つにいたったという。

（人間というのは、大変なものだ）

と、嘉兵衛は、まとまりのつかぬ感慨ながら、一種の荘厳さまで感じつつ、そのひとびとのなかを通りぬけた。

嘉兵衛が、最上徳内に会ったのは、路上においてだった。

徳内はこのとし四十五歳で、この時代の日本人として当然なことながら、こけた頰に老いの鬚《かげ》がふかい。

徳内の椎茸《しいたけ》びらきにひらいた大きな頭には、月代がなく、髪を町儒者ふうに総髪にたばね、よく梳《くしけず》って、後頭部に細いまげを結んでいる。月代を剃らないのは永年、未開の地を踏査する上でそのほうが便利であったためである。

かつて徳内は、嘉兵衛に、

――宮仕えの身でありながら、こういう容儀はおそれげもなくてよくないのだが、私でも江戸に戻ればちゃんと月代は剃るのだ。

と、いったことがある。

月代という、蘭人や唐人からみれば異風な俗は、おそらくこの国のひとびとが「倭《わ》」

とよばれていたころからの古俗なのであろう。

アジア人の多くは、頭の一部を剃るのである。インドのドラヴィダ族も頭の一部を剃って辮髪《べんぱつ》にしていたというし、北アジアや東北アジアの騎馬民族のすべてが、民族ごとに剃り方がちがうとはいえ、一種の月代をし、髪は辮髪にして編んでいる。

古来、漢民族のみが、それをしなかった。嘉兵衛や徳内の時代の中国大陸は、満州にいた半農半牧の非漢民族によって征服王朝（清朝）を樹《た》てられているために、その俗に倣《なら》わせられて、頭の鉢のぐるりを剃りこぼって一部をのこし、長い辮髪を垂らすという、歴史はじまって以来のふしぎな風俗を強制されている。

清朝の場合は、わずか六十万の満州民族が、数億の漢民族を征服したために、すべての人民に対し、服従のしるしとして頭髪を変えさせた。

幕府が蝦夷人に対して月代をすすめたのは、動機としてそれとはちがい、やや滑稽なことながら、

――お前たちも、和人になるのだ。

と、親切が動機であったということは、いくつかの証拠がある。もっとも蝦夷人に月代を剃らせて、もし、とくがあるとすれば、他国の者が上陸してきた場合、これは日本か、と気づくかもしれないということは想像できる。ただしそれが動機であったとは、事が瑣末《さまつ》すぎて考えられず、げんに、蝦夷地の各地を担当したたいていの幕吏は、執拗《しつよう》にそれを勧めたわけではなかった。

「嘉兵衛、わしは船が来るのを待っていた。そなたが来てくれるとは思わなかった」

と、徳内は、目もとだけで微笑《わら》って、よろこんでくれた。

徳内は現場を離れるにあたって下僚に多少のことを命じ、あとは気さくに嘉兵衛と連れ立って歩きだした。

「この道をどう思ったか」

と、徳内は批評を求めた。

「これだけ入念に道固めなさるとは、存じませなんだ。礫《いし》の入れ方は、東海道なみでございましょう」

「蝦夷地は、まず道だ、と多年思ってきた。その一部でもわしの手でできるようになって、これほどありがたいことはない」

といったのは、むろん顔つきから推して、本気だった。

最上徳内は、だまっていても香気を感じさせる人物であった。みちみち徳内が嘉兵衛に質問することといえば、箱館から様似までの航海のことだけである。

「航海とはなにか」

というとりとめもない概念的な主題は、徳内のきくところではない。嘉兵衛という一個の航海者が、このかぎられた季節に、かぎられた航路をやってくるについて、途中、風はどうであったか、どこで風むきが変わったか、そのときどういう操帆をしたか、ということだけが、徳内の関心事である。

すべて、一分《いちぶ》のむだもなかった。嘉兵衛は徳内と対話していると、徳内自身が風であり波であるように思ってしまう。風や波が、あらためて嘉兵衛に質問しているようでもあった。このことは徳内という人の学問の方法や人柄と深く結びついているように思われた。

「恵山様から襟裳様をめざしたのでございます。はじめはゆく手はるかに波がうねるのみで、沖に見えるものは雲ばかりでございました。時を経て、沖はるかに日高の山なみが糸くずのように見え、その南の端に襟裳様が見えましたときは、濁りたるはからい心がなくなり、心がたちまちに澄んで、いつのまにか、我も人も、ごく自然に掌《て》を合わせておりました」

と、嘉兵衛がいったことぐらいが、徳内の質問外のいわば余計なことであったろう。

徳内は、蝦夷地よりもさらに北の、ゆくえもさだめぬ海へ行ってその体験は無数にしている。嘉兵衛ごとき町船（諸国廻船）の乗り手よりも、海における危険、おそろしさ、陸《おか》や島を見たときのよろこびなどということについては、精神に刻まれた詩ははるかに深いはずであった。

もっとも嘉兵衛も、船乗りとしてはごく些々《ささ》とした日常体験を、ことごとしく徳内というような人を相手に語っているつもりはない。第一、嘉兵衛は、恵山岬から襟裳岬をめざす航海は、二度目であった。嘉兵衛のいおうとするところは、船乗りにとっては、岬は神である。本州のまわりを、嘉兵衛は魚が回游するようにして経巡ってきたが、蝦夷地にきて、蝦夷地の岬もまた神であることを知った、ということを言いたかったのである。

というより、それ以上に、襟裳様というのは、沖にあってきらきらと光背を輝かせているようで、本州のいかなる岬よりも神性において卓越している、ということを言いたかったのである。

徳内には、嘉兵衛のことばの真意がすぐわかった。

「蝦夷人も、そう思っている。蝦夷人は、山を神と見、谷を神と見、川を神とみるが、海でいえば襟裳の岬などはことさらにそうだ。洗ってしまえば、蝦夷人も和人もすこしも、変わらない。蝦夷人はただ太古の心を多く残し、嬰児《えいじ》のような素直さでそれらの神々にひれ伏す。和人は人数《ひとかず》の沢山《さわ》な世間にもまれて、かつて先祖が持ったそういう心を置き去りにしているだけだ」

と、いった。

嘉兵衛がふたたび辰悦丸に乗って、襟裳岬の沖を乗りきり、針路を東北にとったのは、五月の陽光が波の色を濃くしている午後であった。

アッケシをめざすのである。

（大変なことだ）

と、嘉兵衛は、様似の原野でわかれた最上徳内のことばかり考えていた。

嘉兵衛は、様似の景色を見たとき、神が造ったままの山であり、野ではないか、とおもったりした。そういうあらあらしい自然のなかで、わずかな人数がうごいて山道を切りひらいている姿は、はかなさを通り越して悲しいばかりであった。

（いったい、道は出来るのか）

とさえ思った。

徳内は、平然としていた。

「何年かかろうとも、造る。それも、石をうずめ、土をたたき、磯からの風浪や山からの洪水に浸されないものをつくりたい」

と、徳内はいった。徳内は科学者であるとともに経綸家《けいりんか》でもあったが、かれの目下の念頭には、様似山道以外になかった。

ところが、この年の七月、嘉兵衛が箱館にもどって驚かされたのは、

――徳内が罷免《ひめん》された。

という、信じがたい事実だった。

様似の道路普請の現場で、ただちに馘《くび》を切られたという。この時代の言葉でいえば、

「取放《とりはな》し」

という処分であった。

下級旗本である身分・家禄までとりあげられる取潰《とりつぶ》しの処分は、幕府の慣習によって

それなりの刑法的な手続きが必要であったが、取放しは、上司が一存で配下に対して行いうる処分で、現在の職をとりあげてしまうことである。

やったのは、松平信濃守忠明である。

仮天領の東蝦夷地に関する行政上の最高官は老中の戸田氏教《うじのり》で、その下に若年寄の立花種周《たねかね》がおり、現地の総督としては、御書院御番頭松平信濃守忠明がいた。

忠明の松平家は、代々、西久保の天徳寺を菩提寺とする五千石の大旗本である。

かれは天明五年（一七八五年）、二十一歳で家督をついだというから、いまは三十半ばで、幕府官僚としては職歴、年齢に不足はなかった。

幕府にあっては、閣老以下、蝦夷地については、一国の安危にかかわる大仕事であるため、決して一身の出世の踏み台にするなどという料簡はまかりならぬ、と、たがいに合言葉のように言いかわしてきた。この種のことばが出るだけでも、幕府官僚史の上での大きなできごとであった。

ところが、松平忠明には、その臭気があった。

忠明は養子であった。その実家は豊後岡（竹田城）七万石の中川家で、大名の奥で育ったことによる世間知らずの面もあった。が、そのわりには官界游泳術が巧みで、上司の前では、借りものの蝦夷地知識をふりまわしながら、悲憤して開拓の急務を説くところがあり、上司はかれを一個の熱血漢とみて抜擢《ばってき》したらしい。

嘉兵衛が様似を去ったあと、ほどなく蝦夷地における現地総督である松平信濃守忠明が、属僚をつれて様似の現地視察にやってきた。

属僚は、寄合席という高位の旗本である村上常福《つねとみ》、西丸御小姓役の遠山金四郎、それに西丸御書院番の長坂高景《たかかげ》といった綺羅星《きらぼし》のようなお歴々で、農民あがりの下級幕臣にすぎぬ最上徳内にとっては、忠明の属僚そのものが雲の上の人たちだったといえる。

ただ徳内自身、

(この人達に、道路のことがわかるだろうか)

と、不安だった。徳内がいままでつきあってきたのは幕府の勘定所(財務局)の役人たちで、かれらなら十分理解できるのである。

しかし忠明もその属僚も、御書院番および御小姓役であった。このふたつの職をあわせて両御番といい、将軍の身辺を警固する職務であった。この仕事ばかりは、職務を通じて世間のことがわかることなど、何一つない。

ついでながら、西丸御小姓役の遠山金四郎は、名は景晋《かげくに》で、江戸末期の名町奉行といわれた遠山金四郎景元《かげもと》の父である。景晋は学問がよくできたが、もっぱら西丸にあって将軍の若君に近侍《きんじ》するのみがしごとであった。御書院番や御小姓組は将軍やその世子に近侍するため、幕吏としては出世の機会にめぐまれている。しかし複雑な近世社会に通《つう》暁《ぎょう》するなどということから、およそ遠い職務であった。

「なにごとであるか」

と、松平忠明は、最上徳内をよびつけて、たかだかと叱った。

「道造りを致しおると聞きおりしに、いまだこの程度しかできておらぬのか」

徳内は、抗弁した。

こういう場合、畏れ入りましてござりまする、と叩頭《こうとう》して従うのが幕府における下僚の伝統であった。が、徳内は、そうはしなかった。かれはその著『蝦夷草紙』後編で、以下のことを言っている。


蝦夷地は、是迄《これまで》道らしき道路なし。御用地となり、新道切開の有るは千歳以来の御徳化にて、誠に恐れ奉るべき御事なり。……十五ケ年前より蝦夷地に肺肝を砕きて従ふ事七年に及び、一命を覚悟したるも両三度ならざれども、大業の新道懸りに当りたるは有難《ありがた》しと思ひ、粉骨を尽して新道を開らき……


そういう意気ごみだったために、忠明に対し、交通上の道路論を説き、かつ工学的な道路論も説いた。

が、徳内は、相手を見誤った。幕臣のなかの開明派ともいうべき蝦夷地グループならばともかく、忠明以下は単に官僚であった。

忠明も、おどろいたであろう。下僚が上司に対し、満座の前で恥をかかせる——物を教える——などということは、ありうべからざることと思っていた。そういう男が出現

した以上、即座に、

「取放し」

という処分にせねば、面目が立たなかった。取放しの理由は、

「念を入れたるは、よろしからぬ」

ということであった。徳内は即座に退去させられた。かれは歩いて箱館までゆき、江戸へ帰った。

重蔵

アッケシの小さな湾の目印は、なんといっても湾頭にある三角錐《すい》のような大黒島であった。

「きたぞ」

沖で嘉兵衛は船を回頭させ、北にむかって進ませた。

袋のようにまるい湾内を、左右から岬と島がかこんで、わずかな入口をあけている。右が末広岬《まびろ》と大黒島で、左が尻羽岬《しりばさき》であった。

「なるべく大黒島のほうに寄せろ。ただし、寄せすぎるな」

嘉兵衛は、命じた。

左の尻羽岬の東方への延長線があぶない。わずかに海水をのせただけの礁脈《しょうみゃく》がつづいていて、干潮時にそれへ乗ると、船底を食いやぶられてしまう。湾口へ進入してゆく水路の選定がむずかしかった。

嘉兵衛は、前方の海の色をたえず見つめていて、やがて湾口の東西線を突破すると、ほっとして景色を見るゆとりができた。

遠景も近景も、盛りあがったように緑が繁茂していて、北国とはおもえないゆたかさであった。

上陸すると、嘉兵衛は運上屋へゆき、支配人（手代）に会った。支配人は去年の男で、ことしから東蝦夷地が幕領になったものの、ひきつづき使ってもらっているらしい。ただし、松前藩時代のやり方をすて、幕府の新方針に忠実に従うということを誓わせられたようであったが。

嘉兵衛は、この男から在庫の各種見本を見せてもらった。在庫は、すくなかった。嘉兵衛は各品目とも、蔵ざらえしてぜんぶ買うことにした。行政のきりかえによる混乱のせいか、漁獲高はよほど少量だったことを物語っていた。

（松前様から大公儀へと潮目が変わったとはいえ、いまの在庫が辰悦丸一パイでおしまいというのは、いくら何でもひどすぎる）

かれらは意識的に怠けているのではないか、とさえおもった。

アッケシは、鰊、鮭、昆布の宝庫といわれたところだけに、こういう調子ではやがて大公儀が音《ね》をあげるにちがいない。

大公儀は東蝦夷地の開拓のために、江戸城に積まれていた金銀と、大坂城に半ば死蔵されていた豊臣家の遺産である銅を売りはらって注《つ》ぎこむという意気込みを示している。しかし、松前藩時代より生産高が減るようでは、いずれはせっかくのこの新直轄領も保持できなくなるのではないか。

(東蝦夷地をお捨てあそばすようになっては、大変だ)

と、おもった。三橋藤右衛門、高橋三平、最上徳内たちが、いくら理想に燃えていても、幕府が経済的に蝦夷地を保持できなくなれば、すべては水の泡である。

嘉兵衛は、去年と同様、漁場や加工場へ行ってやり方を見たり、漁具を見たりした。

(やり方一つではないか)

と思うのだが、町人の身でそういうことは発言の仕様もない。

嘉兵衛は、浜と運上屋とを何度も往復した。

運上屋の二階が、幕臣などの宿泊所として当てられている。

そこから、浜や路上での嘉兵衛のうごきを半日見ていた若い武士がいて、夕飯が済んだころ、中間《ちゆうげん》が差紙《さしがみ》のようなものを持ってきた。見ると、

「高田屋嘉兵衛、予に顔を見せよ。近藤重蔵」

と、達者な筆で書かれていた。

幕臣近藤重蔵、名は守重《もりしげ》、号は正斎、またの号は昇天道人《しようてんどうじん》、明和八年(一七七一年)、

江戸のうまれである。

　嘉兵衛が、アッケシの運上屋の座敷で、床柱を背にして昂然とすわっているこの長身の武士に会ったときは、嘉兵衛が三十一歳、重蔵は二つ下の二十九歳であった。

（これは、ちがった人だ）

と、嘉兵衛がおもったのは、重蔵が傑《すぐ》れているという意味ではなかった。嘉兵衛はこれまで三橋藤右衛門や高橋三平といった幕臣と出会って、かれの武士ぎらいが修正されたが、初対面の近藤重蔵からは、三橋や高橋に共通する滋味のようなものは感じられなかった。

（洲本《すもと》の侍どものように、ただ空威張りにいばっているのか）

　と思ったが、そうでもないらしい。

「三橋、高橋の御両所からそのほうの名はきいていた。ただし右の御両所とわしとは、人《にん》がちがうぞ」

　というふうに、重蔵がいう。人がちがうというのは、かれらは蝦夷地という怪物を飼いならすべく、座してその毛を撫でて機嫌をとっているだけだ、という。

「わしは、ちがう。この怪物の内臓に入り、肝脾《かんぴ》をさぐり、腸《はらわた》の糞にまみれようとしている。そのために力を貸してほしい」

　というのである。

　重蔵の相貌は、どこか不安定な印象をあたえる。

色白で面長であり、眉がふとく、大きな目が思いきってつりあがっているあたり、いかにも英才だろうという印象をあたえるが、しかし眼光が強すぎるあたり、聡明さよりもむしろ異常につよい競争心か、動物的精気のようなものを感じさせてしまう。

（この人は、満足に世をわたれるだろうか）

と、嘉兵衛があとでそのように心配したのは、すでに重蔵に好意をもった証拠ともいえる。

嘉兵衛は、蝦夷地を担当する幕臣たちと一口でいっても、さまざまな人柄、思想、あるいは素姓をもっているのだと思ったのは、あとで重蔵の生いたちを知ったときである。重蔵は、江戸町奉行所の与力《よりき》の家にうまれた。いっそ最上徳内のように百姓の子であるほうが素姓の底がはっきりしていいが、奉行所の与力というのは、幕臣からみれば、

――与力か。

と、さげすまれかねず、すくなくとも当の重蔵のほうがそれをたえず意識し、それがかれの努力のばねにもなっていた。

与力は、幕臣ではない。幕府の官僚名簿ともいうべき『寛政重修《ちょうしゅう》諸家譜』にも与力の家は載らないのである。

当時の社会では、罪人は不浄とされ、与力・同心のように、罪人をとらえる職の者を不浄役人とし、正規の幕臣の列から外し、いわば臨時雇（実際は世襲であったが）としてその組織がつくられた。また、「地役人《じやくにん》」という言い方でもって、正規の幕臣の外に

置かれた。ただその長官である町奉行職だけが、幕臣なのである。

江戸後期の代表的政治家である松平定信は、老中首座をつとめること六年で退隠したが、その業績のめだったものとして人材登用がある。

幕臣（旗本・御家人）や地役人のなかから受験者をつのって、湯島の聖堂で学力試験をし、その成績によっては家格以上の役職への道をひらくというものであった。

むろん、この考試は、中国でおこなわれてきた高等文官登用のための科挙の試験というほどに大げさなものではない。第一、科挙の試験は原則として人民のすべてに門戸がひらかれていたが、定信がやったそれは、封建身分制の維持に大きな支障をきたさぬよう、受験資格は幕臣かそれに準ずる者（町奉行与力や、地方の代官所の地役人など）にかぎられていた。

すでに諸藩の士のあいだでは学問がさかんになっていたが、幕臣で学問をする者はめずらしかった。定信自身、大名（奥州白河城主）でありながら稀代の読書家といわれた。それだけに、幕臣の無学が腹立たしかったのであろう。

最初の考試（正称は学問吟味《ぎんみ》）は、天明七年（一七八七年）におこなわれたが、応募者はわずか十四人でしかなかった。

——奇妙なことをなさる。

という反応しか、幕臣のあいだでなかったのである。

ところが、それから五年後の寛政四年におこなわれた二度目の学問吟味には、応募者が飛躍的にふえ、二百三十人であった。

この翌々年の学問吟味に近藤重蔵は応募し、経書、史書、策問、文章ともに抜群の成績をとって、

――学問心掛け、一段に付《つき》、尚《なお》出精すべきこと。

という褒辞《ほうじ》をうけた。

重蔵は、十八歳で父の職の見習となり、十九歳で職を継ぎ、江戸市中を巡回して防犯と追捕《ついぶ》のしごとをしていたが、右の学問吟味の好成績によって二十五歳で勘定所の役人に抜きんでられた。勘定奉行の支配下にある長崎奉行出役になり、ついで江戸の本庁にもどり、勘定方に入った。さらに勘定奉行の管轄にある関東郡代附の出役になるなど、財務および地方行政の査察という吏務に習熟した。

が、この知力と精気に満ちた男にとっては、生涯、勘定方の小吏であることをつづけるには、自己表現の場として小さすぎたといえるであろう。といって門閥主義の体制であるため、重蔵の前途はほぼ小吏でおわることはわかりきっていた。

この種の男のために、江戸期には門閥を問わない分野として学問の師匠になるということがあったが、重蔵の場合、吏務のおもしろさを知りすぎていたために、官を辞する気にもなれなかった。

そこへ東蝦夷地という新天地の経営が、幕政の分野につけ加えられた。

重蔵は志願して、去年（寛政十年）、蝦夷地巡察の幕臣団に加わった。かれは三橋藤右衛門の同役の大河内善兵衛の配下に入り、みずから山野を跋渉《ばっしょう》し、ついにクナシリ（国後）島に足をのばし、さらにエトロフ（択捉）島にわたった。

――自分は、三橋様のようなお歴々とはちがい、命を賭して未開の島嶼《とうしょ》まで探査した。

という自信が、重蔵の態度をたかだかとさせていることはたしかであった。

近藤重蔵は、たしかに去年、クナシリ島およびエトロフ島に渡海し、そのとき、エトロフ島に、

大日本恵登呂府

という大きな標柱をたてている。エトロフ島に一時期ロシア人が住みついていたために、とくに領土標識をたてる必要を重蔵は感じたのである。

「クナシリ島まではゆける。しかし、クナシリ島からエトロフ島にゆくには急潮でしかも風浪、かつは霧のすさまじい海峡があって、とてもゆけるものではない。最初、エトロフへゆく、といったとき、土地の夷人（アイヌ人）も、顔色を変えた。そこを一葉《いちよう》の夷人舟で行ったのだが、いま思っても身の毛がよだつようだ」

と、重蔵はいった。

嘉兵衛は、ひたすらに聴き手になっている。ただときどき、

（この人は、自分をよんで、何の目的でこういう話をするのか）

ということが、脳裏をかすめた。また重蔵自身の人柄についても、

（この人を動かしているのは功名心だけではないか）

と、思ったり、ある瞬間、雲間から光りがさすように美しい表情を見せたりするとき、そうではなく、純粋に自分の可能性に殉じようとする人だ、と思いなおしたりした。

嘉兵衛が気をよくしたのは、重蔵が幕臣として自分より身分のひくい最上徳内のことを、

「徳内先生」

とよんでいることであった。かれは下僚の徳内の学識や人柄、あるいは蝦夷地や千島についての踏査の入念さに対して尊敬しきっていた。

（この一事で、近藤重蔵という侍は信用できるのではないか）

と思ったりしつつ、話をきいている。

探検家近藤重蔵にとって、クナシリ島からエトロフ島に渡ったことは、たしかに生涯の一大事蹟であったろう。

しかし最上徳内にとっては、かれのぼう大な足跡のなかのほんの一部であるにすぎない。近藤重蔵がエトロフ渡海をしたとき、徳内にとって同島上陸はすでに三度目で、千島ぜんたいからいえば、四度目というめずらしくもない渡海であった。

ただ徳内は、幕臣としては卑職にすぎず、近藤重蔵の発言権のほうがずっと大きい。さらにこの寛政十年のエトロフ島ゆきの場合は、近藤重蔵が隊長で、その功を独占することができた。徳内は随員として道案内したにすぎない。

徳内は途中で近藤隊に追いついて参加した。このとき、重蔵は功をいそぐ性格を忌まれ、下僚から下僕にいたるまで迷惑がられ、とくに下僚の二名は重蔵を忌避し、クナシリ島から動かず、エトロフ島へは行かなかった。

徳内は、そういう上下の不和の調査までし、さらには尻ごみする蝦夷人を説き、みずから天候を見、潮流を測るなどして、かれにとって三度目のエトロフ渡海を遂げたのである。

「嘉兵衛、どうであろう」

重蔵は、ひざを正した。かれにとって嘉兵衛をよんだのは、以下についてこの船頭の決意を問うためであった。

近藤重蔵が嘉兵衛に依嘱しようとしている「探検」は、クナシリ島とエトロフ島のあいだの水路を開拓することであった。

両島は、自然薯《じねんじょ》を東北一線に置きならべたようにしてならんでいる。クナシリ島の東北端のアトイヤ（安渡移矢）岬からエトロフ島西南端のベルタルベ岬までのあいだ、海上わずか三里ほどの距離である。

両島の間に、幅五里の水道（国後水道）が流れており、北はオホーツク海、南は北太平洋がひろがっている。

この狭隘《きょうあい》な水道に濃霧がしばしば湧き、さらには両洋から落ちてくる潮流は速く、風浪相せめぎあい、なんともすさまじい難所であった。

「魔の海だ」

と、近藤重蔵は言い、そのあたりの海に馴《な》れた蝦夷人もここばかりはおそれて近づきたがらない、ともいった。

もっとも、最上徳内はすでに三度、この両島のあいだを往来している。

十四年前の天明五年（一七八五年）、徳内は幕府の蝦夷地巡検使の一員の青島俊蔵の従者という資格で四月、蝦夷地の東海岸を調査しつつ北行し、八月半ばクナシリ島に上陸し、その北端に達した。ただしこの年は、エトロフ島へは渡らなかった。

最上徳内がエトロフ島にわたるのは、翌年（一七八六年）四月十八日である。そこに仮住していたロシア人三人に会い、かれらからロシア事情などを聴いたのが、徳内の半生のなかでももっとも重要な事項のひとつになった。

徳内の二度目のエトロフ渡海は、寛政三年（一七九一年）で、そのときすでにロシア人は退去しており、そのあとウルップ（得撫）島に渡った。

三度目は、去年、近藤重蔵の下僚として七月にクナシリ島にわたり、さらにこの水道を突ききってエトロフ島に上陸した。

いつも最上徳内はアイヌ舟をつかったが、このときも、三艘のアイヌ舟に、徳内、重蔵、その他従者および蝦夷人の操船者たち三十人ほどが分乗してわたった。

「すると、近藤様も、一度はわたられたわけでございますな」

「わたった」

おそろしい海だ、とは重蔵はいわなかったが、かすかに表情にあらわれた。

この水道では、満潮のときは潮流が南下し、落潮のときは北上し、その速さは五ノットを越える。潮は激流をなして流れ、波の高さは五メートルにも達し、小さな蝦夷舟は、たえず大山から谷へ逆落《さかお》としにされることをかさねてゆかねばならない。

近藤重蔵のいうところでは、幕府はすでにこの水路につき、どの状態のときにどのように舟をやればよいか、ということを試乗させるべく、篤志の船頭を募集しているという。

「そのおふれを存じておるか」

重蔵が、いった。

「存じあげておりませぬ」

嘉兵衛は、きいたこともない。が、重蔵のいうところでは応募者は一人もないという。

「嘉兵衛、やってくれぬか」

と、重蔵は、このときばかりは、必要もないのに声をひそめた。

近藤重蔵は、嘉兵衛を見つめた。

重蔵がおどろいたのは、目の前の船頭が、何の反問をするところもなく、近所へでもゆくように、

「手前が、参りましょう」

と、いったことであった。

嘉兵衛にとってこの然諾《ぜんだく》は、商人としてではなかった。

もし、物事を水のような冷静さで計算しぬいて商いをする第四弟の金兵衛がこれをきけば、袖をひいてとめるにちがいない。

その点、嘉兵衛は、本質的には探検的な航海者であったといえる。

「もう一度、そのクナシリとエトロフのさかいの瀬戸（水道）のことをお話しくださ い」

と、嘉兵衛はいった。

近藤重蔵は、自分の体験を語りはじめた。

まず、用いた蝦夷舟について説明した。嘉兵衛も蝦夷地にくる蝦夷舟を丹念に見てきたために、その様子はほぼわかっている。

蝦夷人は、河川と海辺の民であるために、そのくらしのなかで舟の占める位置は大きい。

舟は、大別して三種類ある。

チプ（丸木舟）
ヤラチプ（樹皮舟）
イタオマチプ（板付けの舟。有帆）

重蔵が渡海に用いたのは、イタオマチプである。構造の上の原理は和船に似ているから、あるいは古い時代、影響をうけたのであろうか。ただ道具類がすくないために、複雑な操船ができる仕組みではない。

かつらの木を斧《おの》で切りたおし、それを縦半分に割る。割る道具はクサビと木槌である。縦半分に割れた一方を、広く浅くくりぬいて丸木舟のようなものをつくる。これが舟底になる。

そのあとは、ふなばたを高くするために、舟底の両側に板をつける。そのつなぎ目から水が入らぬよう、山ぶどうのつるをさしこむ。ふなばたと舟底の丸木とを接着するものは、縄である。焼け火箸で必要な数だけ穴をあけ、そこへ縄をとおしてしっかりしばりつける。縄は、蔓梅《つるうめ》もどきという野生のつるの皮を裂いてなったもので、じつにつよい。

さらに板を締めつけて水密性をよくするため、桜の皮を巻きつけ、その上でたいまつの火をあてると、水分が減っていやが上にも締まりがよくなる。

最後に、横波からの強度をつよくするため、二本の横木をつける。これをウクニッ(肋《あばら》)という。

舟の中央には、帆柱を支えるために横板をとりつける。帆はふつう、草で編まれている。

この舟でつかわれる推進用の道具は、櫓《ろ》でなく、櫂《かい》である。蝦夷のことばでアッサプといい、櫂の柄に穴をあけ、舟ばたに突起している芯棒にさしこんで漕ぐ。

国後水道を渡海したあと、近藤重蔵が江戸の知人に書き送った手紙の文章によると、

草根木皮を以て綴り合わせたる夷舟《いしゅう》にて掻き渡る……

と、ある。重蔵はいい文章の書き手だが、このくだりはじつに簡単に実態とその行動を書きあらわしている。

クナシリ島までは、古くから松前藩が管理して、その行政と漁業の「場所」としてきた。

それも藩主の直轄領であり、請負人は飛驒屋《ひだや》久兵衛という者で、飛驒屋がクナシリ場所から水揚げする収益のうち、年に百二十両の運上金（税金）が藩主の手もとに入る。運上金が百両を越える場所といえば東蝦夷地ではアブタ（虻田・藩士酒井伊左衛門知行

地）と、アッケシ（厚岸・直轄領）がある程度で、重要な場所といっていい。

ところが、そのとなりのエトロフ島のほうがそれ以上に海産物が多いというのに、その間を逆巻いている国後水道の激浪にさえぎられ、両島の交通がうまくゆかず、藩政時代から場所になっていなかった。

「いわば、捨てられた宝庫だ」

と、近藤重蔵はいった。もしここで安全な水路と航法を発見すれば、大公儀の蝦夷地開発が、資金面でそれなりの潤いを得ることができるというのである。

重蔵に課せられた任務は、とりあえずはそのことであった。もっとも去年、かれと最上徳内がクナシリからエトロフに渡ったとき、できればカムチャツカ半島にまでゆきたいという抱負があったが、季節がそれをゆるさなかった。むろん、幕府の調査隊員は近藤重蔵や最上徳内だけでなく、松田伝十郎や間宮林蔵といったかれらの同時代人がはるか北方世界まで足跡を印《しる》すことになるのだが、こんどの水路調査は、そういう探検ではなく、とりあえず幕府の開発行政が要求している焦眉《しょうび》の急なのである。

「大船を持ってゆけば、わけはありませんが」

と、嘉兵衛は辰悦丸のことを思いつつ言ったが、重蔵はかぶりを振った。

「小さな漁《いさ》り舟《ぶね》ぐらいでも渡れる方法を考えてもらいたい」

でなければ、操業のたすけにはならない、というのである。クナシリ場所で働いているのは、小さな漁り舟か、蝦夷舟、もしくは五、六十石程度の運び船で、今後、それらがクナシリを基地にエトロフ稼ぎをする、というふうになるため、大船で渡ってしまっても、あとあと何の役にもたたないのである。

「要は、嘉兵衛」

重蔵は、いった。

「図合船《ずあいぶね》程度でわたれるかどうかということだ」

図合船とは、南部藩の野辺地湊《のへじみなと》と、松前・江差・箱館とのあいだの海（津軽海峡）を往来して物資を運んでいる運送船のことである。北前船とはちがい、三十石ぐらいの小船がざらで、大きくても百石を越えない。松前や蝦夷地の沿岸をもっとも多く往来しているのは、この図合船なのである。

「すでに蝦夷の舟でも渡っておりますから、図合船でわたれぬことはありませぬ」

「ああ」

重蔵は、嘉兵衛の顔に、潮が満ちるように血の色があざやかにさしているのを見てよろこんだ。

「船は、ございますか」

「ある。このアッケシに繋いである。津軽の図合船だったものを大公儀がお買いあげになったものだ。宜温《ぎおん》丸と言い、七十石積み（十トン程度）の小船だ」

と、重蔵はいった。

嘉兵衛は、血が沸いてしまった。

翌朝、このアッケシの泊《とまり》に碇をおろしている幕府の官船宜温丸をたずね、改造の設計をした。

このアッケシ場所にも、何人か船大工がいる。

近藤重蔵にたのんでかれらを集めてもらい、宜温丸をみせ、

「荒海に耐えるためだ」

と、目的地をいわず、ともかくもいそぎのしごとを命じた。

当然、船は陸《おか》へひきあげられた。そのためにコロを敷く作業、またそのあたりの手待ちの者をかりだしての船をひっぱる作業、あるいは露天の作業場で板を割る者、削る者、槌音《つちおと》もやかましくのみを打ち込む者、一時は戦場のようなさわぎになった。

作業場には、蝦夷人もまじっていた。かれらは和船の大工仕事はできなかったが、雑用はいくらでもあった。

「蝦夷人を使ってやれば、やがては仕事を覚えるだろう」

というのが、近藤重蔵の考えだった。というより、幕府の方針であった。極端な隔離政策をとってきた去年までの松前時代では、考えられぬ異風景といえる。

嘉兵衛は、

「和人と蝦夷人の差は、ただ一つしかない。しごとだけだ」

と思っていた。和人の仕事の正統の座にあるものは水田耕作である。和人とは何か、

ということを端的に規定すれば、水田耕作をする人、ということだけであろう。

水田耕作のほかに、家屋をたてる大工、壁を塗る左官、屋根をふく屋根師、また和船に乗って和式の漁具をあやつる漁師、あるいは算用と記帳を基礎とする商人などがいる。みな仕事を中心に人間関係の結び方、儀礼その他が付随しているが、それだけのことであって、それ以外はさほどのことはない。

「蝦夷人も、和人のしごとを学べば、同じになる」

と、嘉兵衛はごく単純に、しかし石のようなかたさで信じこんでいた。蝦夷人が和人化するということは、蝦夷人にとって果たして幸福かどうかなどという瑣末で晦渋《かいじゅう》な課題は、嘉兵衛やこの時代の人々の意識水準ではむずかしすぎた。

余談だが、アイヌとは人種論的にどういうひとびとであるかということが論議されるのは、幕末から明治後のことである。頭蓋骨の頭長の大きさなどからみてヨーロッパ人に類似するという説がもっとも古い。ほかにモンゴル人種説、南方人種説、あるいは孤立説などがあり、決定的なものはない。研究が進むにつれて、出土人骨の比較から石器時代の日本人と重なりあうという説が、多くの疑義をもたれつつも、常識的な場では支持されることが多い。

日本列島にひろく住んでいた石器時代人の一部が、弥生式水田農耕をもたらした渡来人と混血するなかで、その同化から外れたひとびとがしだいに北へ移動して、蝦夷地で太古以来の生産様式をまもってきたとする考えが、自然であるかもしれない。

嘉兵衛は高踏な学問的思考とは無縁の男であった。それだけに、ただの人間としてアイヌを見ることができたために、偶然、右の考えと似た考えでもってかれらを見ていた。つまりは「蝦夷地という大田舎にいたために遅れているのだ」というだけが、嘉兵衛のアイヌ観であった。

蝦夷人は、その儀礼感覚として、目上の者の実名をよぶことを避ける。実名をよぶことは、相手の着衣を脱してその身を露《あらわ》させてしまうような失礼さを感じるのにちがいない。むろん、こういう感覚と習慣は、和人にもある。

たとえば、あのアッケシの酋長のイコトイという人物に対し、蝦夷人たちはふつう、

「アッケシ・の《ウヌ》・人《クル》」

とよんでいた。

去年、嘉兵衛がこのアッケシにきたとき、

「アチャポ」

と、若い蝦夷たちからよばれて敬愛されている初老の蝦夷と親しくなった。アチャポは愛称で、小父ちゃんというほどの意味である。

嘉兵衛も、

「アチャポ」

とよんだ。かれよりは十二歳《ひとまわり》は齢上とおもわれたから、小父ちゃんとよんでもおかし

くはないが、よぶ側からすれば子供っぽすぎるかもしれない。

アチャポはいわゆる深目隆鼻《しんもくりゆうび》で、眉は房が垂れたようにふとく長かった。いつも笑いじわを寄せていて、子供たちにはとくに優しかったから、アチャポとよばれるにふさわしい人柄といっていい。

このアチャポは、ネモロ（根室）の人だった。

ネモロには松前藩時代から「場所」があるが、ノサップ（納沙布）岬をこえてゆく航海が厄介であったために、ネモロの蝦夷人たちは交易その他の用があると、蝦夷舟をあやつってかれらのほうからアッケシまでやってくることが多かった。

アチャポは、去年もアッケシにきた。

ことしもやってきていたときに、ちょうど嘉兵衛が辰悦丸に乗って入津したのである。去年、アチャポは、松前藩の支配人や番人に遠慮して嘉兵衛と話をするときは、人目をはばかっていた。話をするといっても、むろん、双方、会話が通じるわけではなかった。嘉兵衛が帳面を出して、目に入る物についてその蝦夷語を問うて書きとめるだけであった。

ことしは、アチャポのほうから、顔が崩れるほどの笑顔で嘉兵衛を見つけてくれ、しきりにつきまとった。アチャポは嘉兵衛のことを、

「大将《タイショウ》」

と、和語でよんだ。アチャポくらいの齢になると、和語の二十語や三十語は覚えてい

るのだが、松前藩時代の隔離政策のために使えなかったのである。

「わしは、大将ではない」

大将というのは侍の親方のことをいうために、嘉兵衛は武士たちを憚《はばか》って、それだけは言うな、といったがアチャポはきかず、沖の辰悦丸を指して、

「大将」

と、嘉兵衛の顔を指さすのである。

嘉兵衛もこのため、かれをアチャポとは言いにくくなり、

「ネモロ・ウヌ・クル（根室の人）」

とよびかえたが、これにはアチャポは顔色を変えてかぶりを振った。根室の人とは、広大な根室場所一円の蝦夷人をとりしきっている酋長という意味になるため、アチャポは僭称のそしりをおそれたらしい。


官船である宜温丸には、陸奥湾の野辺地の水主《かこ》たちが乗っていたが、嘉兵衛はかれらにだけは航海の目的を明かさざるをえなかった。

「クナシリじまとエトロフじまのあいだを、切れこむようにして流れている瀬戸へゆく」

といったとき、一同の顔が凍ったようになった。やがてそのうちの一人が、

「おら、降りる」

というと、どの顔もざくろが割れたような赤味をうかべて、

「おらも」

と、くちぐちに叫んだ。

かれらはもともと津軽海峡を往来するだけの図合船の水主で、アッケシまで来たことだけでも不服だったらしい。

さらには、かれらは、国後水道の海濤のはげしさや、クナシリ蝦夷やエトロフ蝦夷でさえこの水道をわたることを恐れる、ということをきいていたから、ある者などは、

「とんでもねえこった」

と、そこへ連れてゆこうとする上方者の嘉兵衛に唾でも吐きかねまじい勢いでわめいた。

「この高田屋嘉兵衛がゆくのだ」

嘉兵衛は、ついみえを切らざるをえなかった。といっても、野辺地の水主たちが、嘉兵衛の航海の実績を知っているわけではなかった。

「かならず乗り通して帰る」

といったが、ついに一人もついて来なかった。

嘉兵衛はめずらしく憤り、つい淡路の無法者時代にもどって、

「おのれらは、それでも船乗りか」

と、怒鳴ってしまったが、嘉兵衛と船を共にしたことのないかれらに、嘉兵衛の腕を

信ぜよ、というほうがむりかもしれなかった。

このとき、蝦夷人のアチャポが、嘉兵衛の背後にいた。

このあと、嘉兵衛を蝦夷通詞山村久兵衛のもとにつれてゆき、

「私を乗せて行ってほしい」

と、いった。

アチャポはネモロ蝦夷とはいえ、若いころ、クナシリにもエトロフにも行ったことがあるという。

「山の形、岩の姿、岬のたたずまい、入江の場所などを知っている」

と、いう。

嘉兵衛はこのアチャポが純粋に友情から志願してくれたことがわかり、思わず手をにぎってしまった。アチャポはすかさず、

「オロシア人のようだ」

と、冗談をいって、握りかえした。

嘉兵衛は、兵庫へ帰る辰悦丸の乗組員をつかうわけにゆかず、結局、アッケシに住んでいる元水主や、碇泊中の船から冗員になっている者を高給で雇った。

——商いにもならぬことを。

と、金兵衛が嗤《わら》うだろうと思った。

宜温丸の補強の大工仕事がおわると、コロの上をすべらせて海にうかべ、食糧と水の

積みこみをはじめた。

万一の漂流の場合を考え、食糧と水はたっぷり積んだ。水主は、十人である。七十石の船に多すぎる人数だが、櫓の数をふやしたためにそのくらいは必要だった。それに、近藤重蔵とその下僚が一人、それぞれの従者が一人ずつ乗ることになった。


アッケシの沖は、北太平洋である。

波のおだやかな朝、嘉兵衛を船頭とする宜温丸は湾口をすべり出た。

宜温丸は嘉兵衛がかつて淡路島から大坂まで瓦を積んで運んだ瓦船よりやや大きいというにすぎない。


「嘉兵衛さん」

と、かれに敬称をつけてよぶのは、近藤重蔵の下僚で宮本源次郎孝郷《たかさと》という御家人(下級の直参)であった。

ついでながら、幕臣で宮本姓というのはじつにすくない。この時期、江戸城の御広敷《おひろしき》にあって番頭をつとめる宮本三次郎俊郷《としさと》の家ぐらいではないか。

どうでもよいことだが、この俊郷は幕臣松崎三右衛門家から宮本家に養子に入った。その実家の松崎家に源次郎(あるいは左衛門)という者がおり、おそらく旗本宮本家の分家の御家人の家でも継いで宮本姓になったのであろう。

むろん、この場の嘉兵衛にとって、そういうことは無縁のことである。ただこの宮本源次郎孝郷という者が、しきりに嘉兵衛を慕ったということで、筆者としては無関心でいられない。

「嘉兵衛さんは大船《おおぶね》ばかりに乗っていたから、こういう図合船のような小船は乗りづらかろう」

と、宮本がいった。

「私は瓦船の炊《かしき》あがりでございますよ、宮本様」

と、嘉兵衛はいった。

「瓦船とは、いかなる船か」

「淡路に産しますところの瓦を、舷《ふなばた》が沈むほどに積んで大坂に売りにゆくというだけがしごとのけちな船でございます」

「左様な船が、いまもあるか」

「ございますとも」

瓦船は、淡路島の大坂湾に面した浦々に風待ちしていて、西風が吹くとなると、いっせいに帆をあげて摂津の海をすべってゆく。大坂湾という水溜りが狭いために、複雑な操船法や航海法などは不要の船であった。

「蝦夷人たちのほうが、よほどむずかしい海に馴れております」

蝦夷人のアチャポは、ひげにも眉にも、白いものがまじっている。近藤重蔵は、嘉兵衛のそばにつねに蝦夷通詞をつけておいてくれた。

むささびが滑空しているような形の蝦夷本島にあって、根室半島はその北の知床半島とともに、短い両の脚のかたちをなしている。

嘉兵衛の小さな船が根室半島の根もとにさしかかったとき、アチャポが、

「あの岬」

と、指さした。

「岬の名はオチイシ」

アイヌ語の断崖《オチルシ》からきた地名である。のち落石と表記される岬だが、両側が湾をなし、避難港になりうる、とアチャポは教えてくれた。

ほどなく半島南部の小さな湾であるハナサキ（花咲）の湊に入り、夜をむかえた。アチャポのいうところでは、ネモロの湊は冬に結氷するが、このハナサキは結氷しない、とても大切な湊だ、と教えた。

根室半島の東端を北にまわるときは、嘉兵衛はよほど緊張した。

この狭い海峡に入るとき、アチャポが、左前方にながながとよこたわる根室半島の東端を指さし、

「あれが、ノサップ（納沙布）岬」

と、いった。半島はノサップ岬で海に落ちこんでもなお余勢があり、おそろしいばかりに礁脈がつづいている。やがてその延長線上に、ふたたび勢いを得て水晶島として隆

起しているのである。さらに勢いは水晶島にとどまらず、歯舞《ハボマイ》諸島が東北一線にならび、色丹《シコタン》島にいたる。

海峡（珸瑶瑁《ごようまい》海峡）は半島東端のノサップ岬と水晶島とのあいだに横たわっている。

「私のふるさとの海」

と、アチャポは目を細めながらいったが、ただかれはこの海峡の潮流については十分な説明力をもっていなかった。ともかくも岬と水晶島のあいだには顕礁や暗礁が多く、そのあたりに白波が翻騰《ほんとう》して、一線の白布を延べたようにも見えた。その白布の中央だけは、切れていた。

（あのあたりが、安全だろう）

嘉兵衛は思いつつ、闇夜にあぜ道を歩くような用心ぶかさで、すすんだ。

やがて半島を西へまわって広い海に出たとき、瞼の裏が乾いて、眼もからだも疲れきった。

ノサップ岬をまわって西走すると、根室半島は左舷に見ることになる。この間、半島の形象は板のように平たく横たわっているだけで、高山も湾入もなく、目に変化をあたえるようなものは見なかった。沿岸航法をとる航海者にとってもっとも退屈でしかも一種の焦りを感ずる地形である。

その単調さを最初にやぶったのは、暗黒色の岩を盛りあげて将棋の駒のような尖角をつくっている岬（ともいえぬほどに短い突出部だが）であった。

「ノッカマップ」

と、アチャポは、神の名をとなえるようにその岬の名をよんだ。アイヌ語でおそらくノカン（小さな）岬《プ》ということであろう。この岩を積みあげたような奇妙な岬が、ネモロ湊へいたる船にとっての唯一の目標《しるし》であった。

ネモロに上陸したときは、すでに陽が暮れかけていた。

「嘉兵衛、みごとにやった」

と、近藤重蔵は、ノサップ岬の海峡乗りきり以来の嘉兵衛の腕をほめてくれた。

なにしろノサップ岬の前の珸瑤瑁海峡は、松前藩が、三、四十年前に水路開拓をしただけで、その後、この藩は大船をめったに送っていない。

そのくせネモロがもっとも豊かな場所なのである。松前藩はネモロの海の幸を、蝦夷舟によって蝦夷人たちにアッケシまで運ばせることが多かった。この点からみても、松前藩は海の幸で食っているくせに海洋藩とはいえず、むしろ海洋を怖れる藩でもあった。

嘉兵衛はネモロで、数日碇泊して、天候を見た。

「あすの朝、艫綱《ともづな》を解きましょう」

と、嘉兵衛は、近藤重蔵と宮本源次郎にいったのは、寛政十一年（一七九九年）六月十二日である。

その翌朝、嘉兵衛が見さだめたとおり、よく晴れ、風が北東に吹いていた。

宜温丸は、北方をめざした。この根室の海は、変化に富んでいた。遠景としては北の水平線上に知床《しれとこ》半島の山々が霞み、中景としては蝦夷本島という陸地の陸屑《おかくず》ともいうべき長大な砂嘴《さし》が海に突き出ている。その尖端が野付《のつけ》崎である。のっけとはアイヌ語の岬《ノッケ》の訛《なま》ったものであろう。アイヌの地名は、山河、海浜の形象をあらわす地理用語が多く、元来が普通名詞としてつかわれてきた。それらをいちいち固有名詞にしたのは、土地に固有名詞をつけねば落ちつかない和人のせいであった。

近景に、クナシリ島が浮かんでいる。

この千島列島最南西端の一大島嶼《とうしょ》は、根室の海の長大な海岸線に抱かれるようにして横たわっており、しかもケラムイ岬という細長い岬が南へ垂れさがっていて、ネモロからの北航船にとって絶好の目じるしになっていた。

「クナシリ島やネモロの蝦夷人は、女だけで櫂を漕いで往来《ゆきき》しています」

と、アチャポがいった。それほど、近いのである。

やがて、まだ陽が高いうちに、クナシリ島南端のケラムイ岬に達し、岬の西岸に沿いつつ奥に入り、泊《とまり》とよばれる湾入部に入った。

泊の湊は、港口を南にむけ、東風をケラムイ岬で防ぎ、北風を湊の背後の高山でふせいでいるために、好錨地とされていた。

ただし、冬から春にかけて港内が一面に堅氷におおわれてしまうため使用はできない。

泊は、クナシリ島の首都というべき集落で、巨大な運上屋があり、松前藩時代から勤番の人数も多かった。

　入港すると、ほどなく霧が出た。翌朝は濃霧で、目の前のケラムイ岬さえ見えず、正午前には、道を歩いていても目の前の人が見えなくなった。

（やはり、容易ならぬ海だ）

と、おもった。嘉兵衛は土地の蝦夷から気象のことをきき、それらを整理して、霧は六、七月のもっともいい季節に出ることを知った。とくに偏南風が吹くと霧が出てきて、西風に変わると吹きとばされ、青天を見るという。ただし、この地に西風が吹くのはまれである、ともきいた。

三筋の潮

クナシリは千島火山帯に属し、全島が火山岩でできている。

千島列島で三番目に大きく、その南東岸の沖を航海している嘉兵衛も、ざっとした印象ながら、

（わが故郷の淡路国よりも大きい）

と、おもった。

たしかに淡路島より大きく、その二倍半はあるであろう。

火山活動が造った島だけに、淡路島の山とはちがい、どちらかといえば北関東あたりにありそうな山々が、火口を天にもちあげて聳《そび》え、あとは低くゆるやかな裾野を曳いている。

海面からせりあがった海岸は、陰鬱な暗色でできあがっていた。しかし遠目でみると、島内の森林の相は貧弱ではなかった。噴火口のあとがところどころ湖になっているということは、嘉兵衛は近藤重蔵からきいた。

「うつくしい山ですな」

と、嘉兵衛がその山を指さしつつ近藤重蔵をかえりみて、山の名をきいた。

「ラウシ（羅臼）山だ」

と、近藤はいった。山の高さは、大坂の町から見える生駒山《いこまやま》よりすこしは高そうだったが、低い裾野がながながとつづいているために山容に優しさがあった。山の前面が岬になっている。岬の名も、

「ラウシ」

である。蝦夷地にはラウシ（羅臼、羅牛）などという地名が多いが、それも蝦夷語の通例で、地理的な普通名詞であろう。意味は諸説あってよくわからない。

クナシリ島には、錨地が多かった。

最良の錨地は、なんといっても嘉兵衛たちが出発した泊《とまり》であったが、羅臼崎を過ぎると、フルカマップ（古釜布）というみごとな湾入部があることに驚かされた。

嘉兵衛は、そこへ船を入れ、一泊した。

翌日、さらに島に沿って船をすすめた。

進むにつれて、いくつも錨地があった。良好な錨地としては、チノミジ（乳吞路）に

小さな湾入部があり、また島の東北端にちかいシラヌカ（白糠）には大きな湾入部があった。まだ陽が高かったが、そこに碇泊すべく船を入れたときは、景色のうつくしさに息をのむ思いがした。

とくに湾にむかってそびえているのがチャチャ（爺爺）岳であり、その裾野がそのまま低い台地になってひろがっていた。台地が海岸に接する線は熔岩をむき出しにしたような黒い崖であり、崖の線のなかで唯一の突出部が、イカバノツ鼻とよばれる小さな岬だった。その東側に格好の澗《ま》（小さな入江）がくぼんでおり、嘉兵衛はそれへ碇を入れさせた。海底は砂で、碇掻きもよかった。

その翌日は湾のふちをすすんで、湾の東端で泊まった。

上陸すると、ひろびろとした草原になっており、ときに湿原になって、その湿原がさらに水気を溜めこんでいくつかの湖が点在していた。ところどころに盛りあがっている森林のみごとさは、遠望するだけでも、精霊たちが住んでいそうなほどに美しかった。

「神のお国でございますなあ」

嘉兵衛はいった。

このシラヌカの草原を見はるかす錨地で、嘉兵衛は近藤重蔵と別れることになった。

「あすは、いよいよ島の端のアトイヤ（安渡移矢）岬に行きつくことになりますのに、惜しいことでございますな」

と嘉兵衛は心から残念がった。

「私は、去年、アトイヤ岬も見たし、エトロフ島へも行ったのだ。私がいまさらアトイヤ岬に立っても仕方があるまい」

近藤重蔵はそう言いながら、ここで「按検《あんけん》」ということばをつかった。按検とは本来、吟味《ぎんみ》とか、とりしらべとかいった意味だが、航海術の場合、水路を探索するということにつかわれた。

按針《あんじん》ということばがある。船磁石の針に従って航路をきめてゆく航海者、あるいは航海法のことをいうのだが、按検はそれよりも探検的な意味が濃い。

「按検するのは嘉兵衛であって、私ではない。私がいても邪魔になるだけだろう」

このあたり、近藤重蔵のよさというべきかもしれない。かれが上司から課せられている責任は、ネモロを基地にクナシリ島を把握し、さらにエトロフ島を検分し、その開発計画をたてることであるから、水路の「按検」にも立ち会って、場合によっては嘉兵衛の功をうばうこともできるのである。嘉兵衛が一介の船頭にすぎない以上、重蔵自身、おれがあの水路を見つけたのだといっても、嘉兵衛としては苦情の持ちこみようもないはずであった。

「按検は嘉兵衛にまかせた」

と、重蔵はいった。

もっとも、重蔵には基地のネモロでやるべきことが山積している上に、蝦夷地における現地の総指揮官である松平信濃守忠明がネモロの視察にやってくるといううわさもあった。むろん、ネモロへひきかえすという理由の最大のものは後者であった。ネモロに重蔵がいなければ、様似で最上徳内が江戸へ追いかえされた例もあり、信濃守の不興を買うおそれがあったのである。

「かならず、アトイヤにもどってくる」

と、重蔵はいった。

ここまでやってくるについて、船は、宜温丸だけではなく、ネモロに繋いであったいま一隻の官船も同行してきている。重蔵は、その船で帰る。

その官船には、嘉兵衛の郷里、淡路の属島である沼島《ぬしま》の水主《かこ》が数人乗っていた。

瀬戸内海の塩飽《しあく》の島々の水主と、淡路のそばの沼島の水主が日本一の船乗りであることは、世に知られていた。幕府はのちのち官船による蝦夷地への航海を確立するために、塩飽や沼島から人を雇い入れていたが、重蔵としては、この際、沼島衆を嘉兵衛の宜温丸に乗組ませることに決めた。それによって官船が手不足になるため、宜温丸の乗組員の一部と交替させる。

「沼島の者どもは、今後もこのあたりで官船を漕運する。そのため嘉兵衛が見つける潮路を覚えさせておきたいのだ」

と、いった。まことにもっともなことではあったが、潮と船の知識と、操船の練度の高さでは日本一ともいえる沼島衆を、一時的であるにせよ、嘉兵衛にゆずったのは、重蔵の美挙といえなくもない。

嘉兵衛は、うれしかった。

かれはすでにネモロにおいてこの沼島のひとびとと顔をあわせ、たがいにあいさつはかわしている。

ネモロでかれらに会ったときのうれしさは、嘉兵衛の生涯でわすれがたいものになった。

「かかる北涯の地にて同国の人に会はむこと、さぞ嘉兵衛、うれしかろう」

と、幕臣宮本源次郎が節入りでからかったほどであった。

沼島衆のうち、

「船頭」

とよばれているのは、源兵衛というえびす顔の三十男であった。源兵衛はよほどのひょうきん者らしく、近松浄瑠璃《じょうるり》の「山崎与次兵衛寿《ねびき》の門松《かどまつ》」の一節をうなった。

春に育つも花誘ふ。
蝶は菜種の味知らず。
菜種の蝶は、花知らず。
知られず知らぬ中ならば。

浮かれそめまい。
狂ふまいもの、味気《あじき》なや。
吾妻《あずま》立寄り、オオ嬉しや……

嘉兵衛は大笑いして、おなじく近松の「夕霧阿波鳴渡《ゆうぎりあわのなると》」の冒頭の一節をうろおぼえのままうなったのは、古来、沼島衆が名にしおう鳴門の渦潮をわが家の庭のようにして漕ぎまわってきたことに、縁起《えんぎ》を掛けたつもりであろう。

年の内に春は来にけり一臼《ひとうす》に。
餅花《もちばな》開く餅搗《つき》の
賑々《にぎにぎ》はしや、九軒町《くけんまち》。
嘉例《かれい》の日取、吉田屋の
庭のかまどは難波津《なにわず》の。
歌の心よ蒸籠《せいろう》の
湯気の大杵《おおぎね》。
おろせの長兵衛が大汗で。
やあえい。
中居の万《まん》が、臼取《うすとり》のさっ。

やあえい。さっやあえいさっ。

と、威勢よく餅をつくまねをした。

沼島という島と人については、かつてこの稿でふれたことがある。淡路国三原郡《みはらごおり》に属し、淡路島の南東端から、一里とすこしの海上にうかんでいる曲《まが》玉《たま》の形の小島である。小島のまわりはわずか二里しかないが、二百戸の家がある。

「沼島のひとにばかはない」

と、淡路の本島のひとびとはいうが、とくに漁師や船乗り、あるいは大坂、兵庫の海商でさえ、

「沼島衆」

というとき、語感に畏敬をこめることが多い。

沼島は、小さい。

ほとんど岩礁の大いなるものという程度の小さな島の住人ながら、船や船具、操船、航海に独自の開発をするところが多く、しかも豊臣期からはるか対馬沖にまで行って操業するという気概をもっていた。島の近くには鳴門の瀬戸があり、あるいは由良《ゆら》ノ瀬戸（紀淡海峡）があって、潮と風と波という地球の機嫌のなかでもっともやっかいなものについては、卓越した知識をもっていた。世界中で小島の住人は多いが、沼島衆ほどに気概と高い能力をもっていた海の民は、まれなのではないか。

筆者はその文書《もんじょ》の現物を見たことがないが、沼島壮年会編の『沼島物語』(昭和四十五年刊)のなかに、この島の唯一の大きな集落である宮ノ下に中之丁《なかのちょう》という町内があり、そこに住んできた海原源次郎という家に、幕府の役人からもらったらしい一通の書面がのこっている。

淡州沼島
　金三両　船頭　源兵衛
　金二両ヅツ水主　源之助
　　　　　　　　　源左ヱ門
　　　　　　　　　勘右ヱ門
　　　　　　　　　定吉
　　　　　　　　　八郎右ヱ門
右者　ウルップ嶋へ渡海の節　格別骨折に付　書面の通り　別段に被下《くだされ》候也
　酉《とり》　七月

酉年だから、嘉兵衛が水路按検のためにクナシリのシラヌカ湾を出たこの時期(寛政十一年夏)ではなく、その翌々年の享和《きょうわ》元年(一八〇一年)のときのことであろう。

ともかくも、かれらはシラヌカ湾を出て、湾の東端に突き出ている赤石鼻をまわって北東をめざした。

ここからの海岸線は、いままでとは景観を一変する。たえず激しい風にさらされているため島の黒い内臓が剝《む》き出てしまったように断崖が海面からそそりたち、遠望するところ、蘚苔《せんたい》すら生えていないような印象がある。

嘉兵衛は前方を見わたしてみて、どうやら島の尖端のアトイヤ岬までこの黒い断崖がつづいてゆくようであった。

その断崖の長い壁のなかで、岩がせりあがって高所をなしている地形がある。

「あれをまあ、御覧《ごろう》じろ」

沼島衆の頭の源兵衛がいった。

「気味のわるい山でございましょう」

かれら沼島衆は、このクナシリの水域にはくわしいのである。

「しかし、格好の目印にはなる」

嘉兵衛は、その低い岩山の形を記憶すべく凝視した。

「地獄山というそうでございます。このクナシリ島は松前様のころから千石場所といわれるほどに魚の多い島でございます。場所の者が、舟を出してうかうかと風に吹き流され、この黒屛風《くろびょうぶ》のような海に参りますと、命のかぎり櫓をこいでシラヌカの湾《いりえ》へ逃げもどるということでございます」

「地獄山などとは、つけもつけたものだな」

このながい断崖の海岸には、風むきがかわっても船が逃げこむべき澗《ま》はなく、その恐怖から名づけたものであろうかと嘉兵衛はおもった。

「地獄というものは、見えさえすればこわさはまだしもでございますが、霧がひとたび湧き出れば、あの地獄山も崖も見えず、もし船のむきを誤れば、人も船もこなごなになります」

「源兵衛さんよ」

嘉兵衛はとりあわず、子供のようにあかるい顔でいった。

「おたがい淡路の島でうまれた者同士が、このように人も見ぬ北の島の海で出会い、ともに航海《ふなゆき》するというのは、なんとうれしいことだ」

どうやら、船はめざす瀬戸（国後水道）に近づきつつある。

左舷になおクナシリ島の北東海岸の断崖がつづいている。断崖は、よほど低くなりつつあった。

（不動明王の剣《つるぎ》の尖《さき》のようになっているのだ）

と、嘉兵衛はおもった。尖へゆくほど刃さきがするどく、刃の厚さ——クナシリ島の断崖の高さ——が薄くなっているかと思える。

するどくとがった尖端については、嘉兵衛はすでに地元の夷人や和人からきいて十分に頭のなかで絵をえがいていた。どうやら実際の景観もそのとおりになっているようだった。

この水域の名物ともいうべき霧が、出はじめている。

「霧。――」

と、たれかが不安そうな声を出した。沼島衆の頭の源兵衛はさすがに動揺の色は見せなかったが、嘉兵衛にむかい、

「この霧の性《しょう》は、悪性でしょうか」

と、問うともなくきいた。

嘉兵衛はすでにアッケシにおいてもネモロでも、和夷を問わず、クナシリ島にあかるいひとびとに問いつづけてきて、濃霧の発生についていくつか自分なりの法則のようなものを仮説として持っていた。

「性は、わるくありません」

と、嘉兵衛が、わざわざ丁寧なことばでゆっくり言ったのは、自分の頭のなかの法則とつきあわせつつ、判定しようとしたためである。

「もうこのあたりまでくれば、瀬戸ごしにエトロフ島が見えてもよいはずだが」

と、通詞を通し、アチャポにきいた。

「むろん、見えます。大きな鼻のような山が見えるはずです。しかし、いまは霧がかくしています」

と、アチャポはいった。

「すぐこのまま瀬戸をわたるのですか」

源兵衛は、きいた。

「とんでもない」

嘉兵衛は、かぶりをふった。

「いま渡ったところで、仕方がない。私が近藤様から言われているのは、渡り方を見つけるということだ」

そのためには、国後水道の潮というものをたんねんに見てその正体を明かさねばならない。

「クナシリの尖で、程のよい高所を見つけ、何日か小屋掛けして潮を見たい」

「さすがに」

と、源兵衛は安心するとともに、嘉兵衛の慎重さをほめた。いま渡ったところで、たとえ成功しても、嘉兵衛が渡ったというだけで、万人が渡れる方法を確立することにはならないのである。

「しかし、源兵衛さん、このあたりには船泊まりするための澗がありませんな」

嘉兵衛が、きいた。

「このクナシリの尖をむこうへまわれば、小さな澗があります」

と、源兵衛はいった。

つまりは国後水道の西端を突っきって、クナシリのむこう側（北岸）に出るのである。これも、小さな図合船程度では、あるいは多少の困難をともなうかもしれなかった。

「源兵衛さん、このあたりには、反流《さかしお》がありますか」

と、嘉兵衛はきいた。潮流が勢いよく、たとえば南下しているとき、陸地のそばでは、あおられてそこだけ潮が逆に北へ流れるという場合が多い。源兵衛は、時間《とき》によってはあるようです、といった。


このクナシリ島という黒っぽい島は、火山活動でつくられたせいか、形に勢いがあった。その地勢が、やがて北東でおわり、海中に落ちこんで尽きるあたり、砂嘴《さし》になっている。


怪鳥の嘴《くちばし》のように、細長くひくい陸地がつづき、海になる。

この島のまわりを、激しい沿岸流が、太古以来、島の土砂を運んで海底に堆積し、ついには海面にあらわれ、陸地をなしたのであろう。

「おもしろい長浜だ」

と、嘉兵衛はつぶやいた。嘉兵衛の時代、そういう地形が沿岸流という潮の働きによってできるということはわかっていないが、かれは日本国のいたるところで砂嘴を見てきているために、この単純でながながと伸びている砂浜の一線を同種のものとして見た。

「アトイヤだ」

と、アチャポが、指さした。嘉兵衛が通詞に、アトイヤとはどういう意味です、ときいてみたが、よくわからない。アトイウということならひものことだが、と通詞はいった。

(そういえば、ひものような陸《おか》だ)

と、嘉兵衛はおもった。そのひも状の陸地に、楡《にれ》に似た木が、並木のようにならんでいて、浅い緑が、霧のなかでけむっていた。

「あの木で、これを作る」

と、アチャポは、自分の着ている厚司《あつし》の袖をひっぱった。樹皮を剝いで繊維をとって織るのである。

「ひょっとすると、アトイというのは海という意味だから、アトイヤとは、ここからむこうは海だ、という意味かもしれんな」

と、通詞はいった。

蝦夷通詞というのは、場所請負の商人から雇われてきた者で、いわば商家の番頭・手代のたぐいだが、幕府の直轄領になってから、そのうちの人柄のすぐれた者を「足軽」の身分にした。

すでにかれは大小を帯び、武士の姿になっている。嘉兵衛に対しても、多少、威張ったふうな口をきくのはそのためであった。嘉兵衛は、これがかなわなかったが、しかし通詞に頼らねば物事がうごきにくく、鄭重に扱わざるをえなかった。

砂嘴のさきが波に没したあたりに、いまひとつ、重要なものが海面にうかんでいた。

黒い岩肌の小さな島が、断崖の下に白波を沸かせて盛りあがっている。

（なんと、気味のわるい島だろう）

嘉兵衛はおもった。

宜温丸は、その島へ近づいてゆく。ゆくにつれて、巨大ないもむしが無数にむらがって抱きあっているようにも見えた。

「弁天島」

という名なのである。

そういえば、相模の江ノ島の地形に似ている。江ノ島の場合も、陸から細長い砂の洲が海へ突き出ていて、そのさきに島があり、弁天がまつられている。和人一般に流布している弁天信仰によれば、陸と海がつくるそういう地形を、弁財天というインドから渡来した神が好むと信じられているのである。それにしても、クナシリの東北端にきてこの島に弁天島という優しい名をつけた船乗りは、この島のさき（東方）を流れる急湍《きゅうたん》と潮をおそれるあまり、せめてもの救いを、優しい神の名によって得たいと思ったのであろうか。

「いよいよ、難所だ」

と、嘉兵衛はいった。

「さて切所《せっしょ》ぞ、何刻《なんとき》かは、命のかぎり漕げ」

と、嘉兵衛は、風のなかでどなった。

すでに宜温丸の帆をおろさせている。水主たちは、いっせいに櫓にとりついた。

困難なことは、クナシリ島の東北端は、弁天島でおわるのではないことであった。その延長線上に、暗岩《あんがん》が海面下にかくれているのである。そのことはアチャポも言っていたし、また嘉兵衛の目でみれば、海面の色合いや波だちなどでわかるのである。

つまりは、クナシリ島の東北端に対し、大きく半弧をえがいてこの島のむこう側（北側）へまわらねばならない。

ところが、半弧を大きくしすぎれば、揉《も》みあって流れている水道の急潮に捲きこまれてしまう。

どの線で半弧をえがくかが、船頭としてのむずかしいところであった。

宜温丸は、どんどんクナシリ島を離れ、薄い霧のむこうのエトロフ島のほうに近づきはじめた。すくなくとも、そういう勢いに見えた。

「嘉兵衛、何をするのだ」

と、通詞は、あらたに得た幕府の足軽という身分柄、どなりつけた。

「瀬戸へ入る気か」

いまは、急潮のときで、しかも南下している。もしそこへまぎれこみ、その上舵でも折られたりすればはるか海の涯《はて》に流されてしまう。

「嘉兵衛、もっとクナシリの弁天島に近づけ」

と、叫んだ。

「海に隠れた礁《はえ》があるのです」

嘉兵衛が、さとすようにいった。

「ばかな。これほどに小さな図合船で、なにを怖れることがあろう。海の下に礁がかくれていようと、岩がひそんでいようと、船の底が浅いのだ。嚙まれる気づかいなどはないぞ。そういう懸念よりも、沖へ出ることのほうのおそろしさがわからぬか」

「お通詞様」

と、なだめた。

「私が船頭なのです」

「何をいうか。わしは近藤重蔵様のお供をしてクナシリの海は何度もまわり、エトロフにも渡海したぞ。この海では、わしのほうが先達《せんだつ》ぞ」

「たしかに。――」

と、嘉兵衛は、敬意をこめて点頭したが、しかし通詞のいうことはきかない。

「嘉兵衛、わしをただの武士と思うか」

（なにを言やがる）

おのれはこのあいだまで場所請負商人の下で働いていた支配人の手下だったではない

か。

通詞にすれば、じつは江差のうまれで、若いころ漁師をしていたから海に素人ではないぞ、というつもりだったのだが、嘉兵衛はこの男が権柄ずくで「武士」といったために、感情の自制をうしなってしまった。

「なにを言やがる。ぐずぐず言うなら、この潮のなかにたたきこむぞ」

もっとも、他のひとにはきこえぬよう、通詞をひきよせ、その耳もとでいった。そのあと、言葉をあらため、

「海上では、船頭に従って頂きます」

と、丁寧にいった。

霧は、依然として淡い。

その水蒸気の膜は、水道の対岸に盛りあがるエトロフ島をかくしている程度であったが、しだいにそれが霽《は》れて、エトロフ島の西南端の巨峰が右舷に姿をあらわしはじめた。

(これは、ばけものだ)

と、嘉兵衛のような海好きの男でさえ思ったのは、頭の皮が硬くなるほどに緊張していたせいであったかもしれない。

ひとつには、同乗の蝦夷人たちが、恐怖の声をあげたからでもあった。アチャポでさえ、

「カムイ（神）、カムイ」

と、その神をなだめるように、敬虔《けいけん》な表情でつぶやいた。嘉兵衛は、蝦夷たちのそのようなふんいきに、ついおびえさせられたということもあったかもしれない。

が、赤黒く、ところどころ青いその巨大なものを凝視するうちに、

（なんだ、ただの山ではないか）

と、あたりまえのことを、自分に言いきかせた。

エトロフ島の最南端は、標高一二二一メートルという火山によって構成されている。おそらくこの山の急峻な側である南方からみれば、その形状はどこか富士山に似ているといえなくもないが、山の西方のアトイヤ岬をまわりつつある嘉兵衛たちの角度からは、多少、山頂が不整形で、頂上がごく短いながら、屋根のかたちを示していた。

襞《ひだ》の線は、山の南斜面がことごとくするどく、それにくらべ、西から北の斜面は、ややゆるやかに海に入っている。いずれにしても最初の印象は、巨《おお》いなるものが海面から湧出《ゆうしゅつ》しているような感じで、じつにぶきみであった。

「あれは、なんという者かね」

と、嘉兵衛は、アチャポにきいた。嘉兵衛は、蝦夷たちが、山や川を決して自然と考えず、人やけものと同様、生きている者と思っているということに気づいていたから、ことさらに者といったのである。

「ベルタルベ」

と、アチャポが答えた。

「あの岬の名は？」

嘉兵衛は、遠眼鏡でうかがいつつ、さらにきいた。めがねでのぞいてみると、この海中から湧出している無愛想な高山は、その西の裾《すそ》に、舟人たちに対し、わずかに愛嬌を示すごとく、岬のようなものをせり出しているのである。

「岬も、ベルタルベ」

と、アチャポは答えた。

流れが逆になっているために、宜温丸は遅々として進まない。幸い、風むきが追風にかわった。嘉兵衛は、すばやく帆をあげさせたが、いつまたむきがかわるか、知れたものではなかった。

沼島衆の漕ぎ方は、頼もしかった。

かれらは、宜温丸に転乗するにあたって、その独特な櫓を持ちこんできた。

「沼島の三角櫓《さんかくろ》」

とよばれるもので、諸国でもこういう櫓はなく、海を家の庭のように考えてきた沼島衆の先祖の発明になるものであろう。

櫓のうち、水中に没している部分はふつうの形状だが、宙でもって押し引きする部分が、重い材でつくられた三角の長屋根状をなしている。沼島衆は、これを外海《そとうみ》の荒浪をゆくときにつかうのである。

風むきが変わると、嘉兵衛は間切《まぎ》りをせず、すばやく帆をおろし、櫓だけで船を推進させた。

十挺の櫓のなかで、五人の沼島水主の漕ぐ櫓が、きわだって力強かった。

沼島衆の頭の源兵衛は、嘉兵衛のそばにひかえ、帆や舵のさしずをしている。

沼島の連中は、唄が好きだった。かれらには、北涯の高浪を上下しながら漕いでいるという悲愴感など、まったくなさそうであった。漕ぎながら、さまざまな唄をつぎつぎとうたった。

嘉兵衛は、可笑《おか》しかった。あの小さな島に、どうしてこれほどたくさんの唄が詰まっているのだろう。

櫓を漕ぎながら、ながい口説節《くどきぶし》をやるというかれらの習慣も、おもしろかった。口説節のほとんどが、男女の情事を叙事詩としてうたうのである。「沼島くどき」は、他の地方より節まわしが軽快で、心中物をうたいつつも、陽気であった。

「黒津地《くろっち》門兵衛」

というのがある。

阿波の国（現・徳島県）の船頭の話である。沼島と阿波のあいだは海上二十キロほどもない上に、沼島は、阿波・淡路両国の国主である蜂須賀侯の領地でもあった。このため沼島衆は、阿波人に格別な親しみをもっていた。

阿波で、第二番目の川が那賀《なか》川である。その河口に黒津地という在所（というより河港）があり、くどきでうたわれる門兵衛は、その在所でうまれた。

成人して船頭になり、主として伊勢や熊野への航路を往来していた。この程度の近海をゆききする船を廻船とはいわず「渡海船」という。

伊勢にも熊野にも遊女がいる。しかし門兵衛はどの廓《くるわ》へ行ってもかれの目を奪うほどの遊女はいなかった。

ところが、伊勢の安濃津《あのつ》（現在、三重県の津市）の廓へあがったとき、名取のおせんと一夜をすごし、以後、相思の仲になった。

門兵衛は通うが金がなくなり、廓の嫌うところながら、おせんのほうが自分の揚《あ》げ代を自分で持った。

ついにおせんは、駈け落ちを持ちかけた。しかし門兵衛には国許に妻子があり、老いた両親もいる。

連れて退《の》かんせ　門兵衛さん
連れて退くのは　いとやすけれど
国にゃ妻ある　親もある
妻にゃさだめの　子もござる

歌詞は、まことに鄙《ひな》びたものである。

門兵衛が、せめて来春三月まで待ってくれ、といって、安濃津の湊につないである船に乗る。

花咲く春を　待ちなされ
来る三月にゃ　乗せにくる

と言って去ったが、その夜、おせんは白無垢《しろむく》の着物に緞子《どんす》の帯を締め、死装束《しにしょうぞく》をして船へ忍んでくる。門兵衛はそれを見て自分も白い装束に着かえ、心中するのである。沼島衆が、波のさかまくアトイヤ岬の沖を、「おせん・門兵衛」のくどきをうたいつつ漕いでゆく姿は、奇妙なほどにのどかなものであった。

嘉兵衛は、艫《とも》にいた。

かれは、いわば船の将であるため、この小さな宜温丸が、高浪のむこう勾配《こうばい》にすべり落ち、あわや波の底に突き沈むかと思われるときも、平然とした態度をうしなわなかった。

「やあ、嘉兵衛さん」

と、沼島衆の源兵衛が、陽気に話しかけてくれることが、いかにもありがたかった。源兵衛も、そのあたり、心得ていた。船中の者を動揺させないことが、いまの嘉兵衛にとって大切であることを知りぬいた上で、源兵衛は冗談をいったり、わざと明るい話をしかけてくるのである。

「嘉兵衛さんは、大したものじゃ。元亀・天正（戦国の頃という意）のじぶんなら、沼島水軍の船大将がつとまろう」

といったのは、源兵衛にとって格別なほめことばといっていい。

沼島衆は、南北朝の争乱から豊臣政権の天下統一までのあいだ、水軍としてきこえていた。豊臣期から純然たる漁師の島になったが、水軍時代の名残りなのか、日本中の他の浦とはちがい、大船団を組んで遠洋航海するのが得意なのである。

江戸中期の八代将軍吉宗のころ、すでに沼島から対馬沖へゆく船団というのは、百五十艘ぐらいが一組織であったという。その小単位は三十組ぐらいにわかれていた。一単位は、九十石ぐらいの大船を母船とし、それに三、四艘の小船がつく。この小単位のかしらを、

「漁師頭」

といった。船団ぜんぶの頭を総代といった。大小百五十艘の船団がゆく姿は、この当時としては海を圧するほどに壮観であった。対馬だけでなく東シナ海の五島列島の沖へも行った。

「わしも五島に二度、対馬に三度行ったことがあります。対馬へゆくと、晴れた日には朝鮮の山が見えます」

と、源兵衛がいう。

「すると、五島からなら、清国《から》が見えるか」

嘉兵衛が、からかった。

「まさか」

源兵衛は、大揺れの艫で、声をあげて笑うのである。

沼島の漁師の気位の高さは、阿波の蜂須賀侯が参覲交代のとき、御召船とその先導船（通称くじら船）の漕ぎ手にえらばれることであった。阿波藩ではそれを「加子《かこ》」といった。

毎回、屈強の者がえらばれるのだが、百人を越える人数だから、大層なものであった。みな御家から拝領した白地のはっぴを着た。白地のはっぴには、蜂須賀の紋の卍字《まんじ》が藍で染め出されており、大小こそ差さないが、加子づとめの間は侍に準ずる待遇を受けた。

御召船が大坂の河口に入ると、そのあと、沼島の水主衆は町の銭湯へゆくのだが、そのときは、入浴中の町人どもをぜんぶ出させ、卍はっぴの威光をきかせて沼島衆だけが入るのだ、と源兵衛はいった。

洲本城下の侍がきらいだった嘉兵衛はその種の威張り話をきくことなど本来好まなかったが、このときばかりは大笑いした。

場所が、北海の荒浪の上なのである。それだけに、浪華《なにわ》の銭湯の話は、変に滑稽だった。

嘉兵衛たちの宜温丸は、ついにアトイヤ岬を大きくまわって、その北岸で錨地をさぐった。

霧が、深くなっている。

北岸にくると、波も荒かった。

「隠れ岩に、嚙まれるな」

と、嘉兵衛は自分に対して何度もどなった。岬をまわったあたりよりも、しばらく往ってこぶのように大きく断崖が突き出たあたりのほうが、あぶなかった。

「あれは、岬だ」

嘉兵衛は、そのこぶのような断崖を指さした。岬というからには、手、腕、肘《ひじ》のように地形がながながと突き出ていてくれねばならないのだが、その地形はさほどに張り出してもいなかった。岬は、船乗りにとって神であった。ここでは、仮りの神として、あのこぶのような地形を、嘉兵衛は祈るような気持で「岬」とよんだ。

このアトイヤ岬を形成する地形は、九寸五分の匕首《あいくち》のきっさきのように鋭く三角状をなしている。

ただ、この平坦な陸《おか》に、孤立といってよいかたちで、低い山が盛りあがっていた。

この時代すでに、

「稲荷山」

とよばれていたかどうか。ともかくものちに稲荷山として知られるこの山は、標高一五一メートルの小さな休火山で、茶碗をふせたようにすずしげな姿をもっていた。風が荒いために樹木がそだたないらしく、地肌は越前のやきもののように黒く、ところどころに、草木がまだらに釉薬《うわぐすり》を散らしている。

その稲荷山がかつて噴火したとき、熔岩が大きく海面へ押しだしてせりだしてしまったのであろう。嘉兵衛が、岬だ、といったのは、そういうこぶであった。

こぶのまわりの海面は、花をつけたそば畑のように白かった。当然、多くの岩礁が隠れたり顕《あらわ》れたりしているに相違なく、うかつに近づけば宜温丸は底をひきさかれてしまうにちがいない。

「あの岬のむこうが、澗（錨地）だ」

と、嘉兵衛は予言し、漕ぎ手たちをはげました。

なるほど、こぶをまわってみると、その西側が入江になっていて、青くしずかな水をたたえていた。こぶが、東風だけをふせいでくれるのである。

嘉兵衛たちは船を入れ、上陸した。

「寝小屋をつくろう」

と、嘉兵衛はまず、いった。

「アチャポの指図に従うのだ」

ともいった。流木や草をあつめて仮りの小屋をつくるのは、アチャポのほうが馴れている。

「和人《シャモ》には指図できない」

と、アチャポが尻ごみしたために、嘉兵衛は自分がかぶっていた菅笠《すげがさ》をぬいで、アチャポの蓬髪《ほうはつ》の上にのせ、あごのひもを結んでやった。船頭の指揮権を代行せよ、という意味がアチャポにもわかったのか、そのあと、いきいきと場所をきめ、草や木さがしを命じた。嘉兵衛も浜へ行って柱になりそうな長い流木を幾本かひろった。

翌朝、太陽が昇るとともに嘉兵衛は山へのぼってみた。

（こんな小山。——）

一気に駈けあがってやれ、とおもい、はじめは、岩角をつかんではとびあがり、とびあがっては熔岩の赤い緩斜面を走ったりしたが、やがてくたびれてしまった。

（これは、たいへんな山だ）

と、途中、わが姿がおかしく、独り笑いした。船頭がたまに山にのぼると、がさがさと犬が山に登るようにしてのぼってしまう。

途中から、嘉兵衛は海をゆく船頭のやり方でのぼった。つぎに登るときの足がかりなどを確かに記憶しつつ登り、息がきれると、まわりを見まわしたりした。

嘉兵衛は、このアトイヤ岬の北側の錨地に滞留中、得心のゆくまで山にのぼり、山頂から国後水道の潮を見るつもりであった。そのために、簡単に山にのぼれるよう、山肌の凹凸のぐあいをよく見さだめておかねばならない。

（船とおなじだ）

あたらしい航路をゆく場合、つぎにくるときのために陸《おか》や潮の様子をすべて記憶しておくのと同じことである。

嘉兵衛は、山頂に至った。

山頂の東側は急斜面になって東海岸へ落ちこんでいる。山の西側の斜面はゆるやかで、海岸線にこぶ（小さな岬）をつくりつつ、宜温丸を抱いてくれている。

山頂に立つと、ぜんたいの地形がおもしろかった。岬という突角とその根元である嘉兵衛の足もとの地形をふくめ、荷のヤマに立って前方の舳《へさき》を見たときの船のかたちによく似ているのである。

（これは、おもしろい）

と、嘉兵衛は、とほうもなく巨大な船に乗っているような気分になった。

この日、めずらしく晴れていた。

国後水道を揉みにもんで流れている潮のかなたに、エトロフ島のベルタルベ山がそそり立っていた。

その山の左の背後に、いまひとつ奇妙な地形がある。山脈が岬になって海に伸びているのだが、どこか、鱶《ふか》のひれに似ていた。

（淡路の島とは、ちがうわい）

嘉兵衛は、あたりまえのことをおもった。

景色を見るかぎりにおいては、人間の暮らしをあたたかく包んでくれるような感じではなく、自然が人間に対し、瞬時でも油断すれば跳ねかえしてくるような印象であった。

嘉兵衛は、全身を目玉にするようにして潮を見つづけた。

根気が、要った。

早朝から日没ちかくまで見つづけたのである。そのあいだに、小さな海峡の潮目が幾度か変わった。

風が、つよかった。

嘉兵衛は、疲れると岩の上に腰をおろした。しかし目だけは休ませるわけにいかなかった。吹きつづける風のために、ともすれば目玉が乾いた。目をしばたたくと涙が出るのだが、涙とはなるほどこういう有難いものであったかと思ったりした。ときに、竹筒の水筒の水をのんだ。涙の補給をしているようなものだった。

嘉兵衛は、毎日、この山にのぼった。

日ごと、時刻ごとに、クナシリ島とエトロフ島とのあいだを上下する潮流について観察し、帳面に図をかいて記録した。

はじめは単に、ひとつの潮が上下しているのかとおもっていたが、数日して、ついに、

——見えた。

と、頓悟する瞬間があった。

信じがたいほどのことだが、この二つの島のあいだを上下しているのは、一筋の潮ではなかった。三筋の潮流が、相せめぎあって落ちあっているのである。

（まことに、三筋か）

と、ほとんど仮説ともいっていい自分の瞬間のひらめきを事実としてかためてゆくのに、さらに数日の観察を要した。

（——まぎれもない）

と確信したとき、それまで立っていた嘉兵衛が、落ちるようにして岩の上に腰をたたきつけ、両脚をなげ出した。気づいてみると、二刻《よじかん》ほどのあいだ風のなかで立ったままであった。

「親潮」

と、日本の漁師や船乗りがよんできた海流があることを、むろん嘉兵衛は知っている。

後世、千島海流とよばれる。

オホーツク海およびベーリング海から興《おこ》る大きな寒流で、北太平洋のなかでは唯一の本格的な寒流とされ、その運動は南下である。

いうまでもなく水温は低い。

この「親潮」に対し、日本列島を北上する黒潮（上《のぼ》り潮《じお》、桔梗水《ききようみず》、真潮《ましお》、黒瀬川《くろせがわ》。近代に入って日本海流）は典型的な暖流であるために、その水温は夏で摂氏三〇度ちかく、冬でも一八度前後というふうに、じつにあたたかい。

親潮は千島列島の中部あたりでもっともつめたく、夏でも七度か八度程度しかなく、冬はむろん無数の氷塊をうかべて南下する。

この典型的な寒流と、代表的な暖流とがその岸を洗うというところに、日本列島という自然の大きな特徴のひとつがあるといっていい。

「親潮」

は、塩分が淡い。しかし栄養分に富み、プランクトンが豊かで、さまざまな魚を育てる。この潮への感謝をこめて、ひとびとは「親潮」と名づけたといわれる。

南下する親潮と北上する黒潮がぶつかりあうのは、均《なら》していえば、仙台湾の北にある金華山（島）の沖においてである。

冬は、親潮のほうが勢いがつよい。北上する黒潮をおさえこんで南下し、関東平野の東の尖角である銚子沖でぶつかりあい、一応の終末線をつくる。ただし、勢いは消えず、黒潮の下をくぐってつめたい「潜流」となり、沖縄南端にまで達する。

嘉兵衛がこのクナシリ島北端の高地から見たのは、まず親潮の運動であった。

もっとも嘉兵衛は親潮ということばをつかっておらず、べつな表現を用いている。

嘉兵衛がつかった三つの潮の名は、のちに幕臣の宮本源次郎孝郷が嘉兵衛から話をきき、そのまま文語体の文章にしているため、よくわかる。

一筋はカラフトの汐《しお》
一筋は西蝦夷の汐
一筋は北海の汐

と、かれは呼称した。

カラフト（樺太。サハリン）という地名は、北蝦夷とよばれることもまれにあったが、嘉兵衛のこの時代にはほぼ一定している。

幕府はカラフトについては松前藩の植民地としてあつかってきた。ただしこの藩はカラフト経営に消極的であった。

赤蝦夷（赤人）の南下についての危機感が幕閣をゆさぶりはじめてから、幕府は松前藩の頭ごしに調査をはじめた。嘉兵衛のこの時期を去る十三年前（天明六年・一七八六年）、幕吏大石逸平が探検し、寛政二年（一七九〇年）には松前藩士高橋清左衛門が藩命によって探検した。その二年後（寛政四年）、嘉兵衛もその人を知っている最上徳内が、この当時としては精密に調査した。

それらによって嘉兵衛の頭のなかの地図にも、カラフトという地が実態とはちがった形ながら、位置だけはほぼまちがいなく横たわっている。

そこから海流がながれてくる、というのは、この当時の船頭としては高度の地理知識といっていい。

ベーリング海のあたりから「親潮」が南にむかって流れている。千島列島に入ってから枝わかれしてゆき、ネモロのノサップ岬沖あたりでさらに枝流の数が多くなる。

嘉兵衛が、

「カラフトの汐」

といったのは、この親潮のことである。

「北海の汐」

とよんだのは、カラフト東岸をかすめて南流する寒流のことであった。

西蝦夷というのは、蝦夷地という島を東北の斜線で二つに分けた北半分についての呼称である。その西蝦夷の沖を北にむかって流れているのが、黒潮の支流である対馬暖流である。

ところが北へゆくべき対馬暖流が、蝦夷地の北端のソウヤ沖で枝が一つでき、宗谷海峡（カラフト南端と宗谷岬とのあいだの海峡）を南へ走りぬけて、知床半島に達し、一部は千島列島に入る。

これらの海流の運動は、前記嘉兵衛の観察談の表現をかりると、

此三筋の汐走り来りて二島（註・クナシリ島とエトロフ島）の間に奔合し、共に一

筋となりてヱトロフ島のヘルタルヘ（註・ベルタルベ、歴足部）の鼻に当突す。

ということになる。

要するに、北、あるいは北西、もしくは北東からやってくる三筋の海流が、このせまい海峡に落ちこんで、激《たぎ》つ瀬《せ》をなしているのである。

その三筋の流れが一筋になってぶつかって砕けるところが、エトロフ島のベルタルベ岬であった。

（あの岬のすさまじさよ）

と、嘉兵衛は、毎日、おもった。激流が岩を噛み、崖の根を削り、本来、長かったかもしれない岩の鼻が、まるくなっている。

嘉兵衛の観察談の表現では、

其奔合する処、水闘ひ、波をこり（起り）、蟠《ばん》虬《きう》盤《ばん》蝸《かつ》危難いふべからず。

と、まことに怪奇な修辞をつかっている。

古来、蝦夷たちはこの海峡を生死の切所とし、事実、多くの蝦夷舟が流され、あるいは沈没し、あるいは岩角にぶちあてられて舟も人も砕かれ、または行方も知れぬ運命に持ち去られたりした。

「そういうことは、両島の間が近いということを貪《むさぼ》ったからだ」

と、嘉兵衛は山を降りて一同にいった。

このクナシリ島東北端からみれば、エトロフ島西南端は目の前にある。いままで蝦夷たちはその近さにあまえ、一直線にわたって接岸しようとしたために失敗したのだ、という。

「潮というものがある」

嘉兵衛は、小石の砕片をもって地図に両島を描き、そのあいだを流れる三筋の海流をかいて、

「これを知らずに直航すればどうなる」

大浪にまきこまれ、急流に舟をうばわれるのみだ、といった。

「あす、風を見て乗りだそう」

と、いった。

翌朝、夜が明けるとともに、五尺むこうが見えぬほどの濃霧になった。

「この霧では、とても。――」

と、アチャポまでが、尻込みした。

「霧だからこそ渡れるのだ」

嘉兵衛が、意外なことをいう。

沼島衆の頭の源兵衛までが、この霧がはれるのを待つか、べつの日を選ぶわけにはいかないか、と嘉兵衛にいった。

「私にまかせよ」

嘉兵衛は、それ以上はいわなかった。

このあたりでは、南風が吹くとき、霧が出る。嘉兵衛は、まず北方へ、南下潮流にさからいつつ船をやろうとしているのである。北航には、南風を必要とする。南風が霧をよぶとすれば、霧こそ渡海のためのよきしるしというべきであった。

宜温丸は、碇をあげた。

「ゆくぞ」

と、嘉兵衛は帆をあげさせた。

針路は、真北（子《ね》）であった。

風は、南南西から吹いてくる。ほぼ真艫にうけた追風といっていい。

櫓は、六挺漕がせた。潮は、むこうからやってきて、船足にさからった。それでも、追風と櫓の力で、十分前進することができた。

「これは、なんじゃ、何をするのじゃ」

と、船のなかの三人の蝦夷人はみなエトロフ島のある卯《う》（東）の方角をさし、なぜ卯へ船首をむけぬか、とさわいだが、嘉兵衛は聞こえぬ顔でだまっていた。

霧はいよいよ深くなった。

嘉兵衛は、船尾《とも》に立ちつづけている。掌《てのひら》に船磁石をにぎり、針路は最初から不動のままであった。

「子《ね》だ」

と、最初にいってから、何度、

「子」

ということばを出したことだろう。真北へゆくなど、蝦夷たちからみれば正気とは思えなかった。

そこは、オホーツク海であった。北涯にもし陸地があったとしても、魔界にちがいないと蝦夷たちはおもっている。

「カラフトへでも行きなさるか」

と、沼島衆の源兵衛は、からかった。ただしカラフトへゆくには、針路を北西にとらねばならない。

乳の中にほうりこまれたような濃霧の中で、漕ぎ手たちは、自分の漕ぐ櫓のさきすら見えなくなっている。

南下する流れにさからっているために、船の速度は依然として遅い。この海流にさからって北航するには、霧をもたらす南風を帆にうけるしかなく、しかも風速はさほどもないのである。

嘉兵衛の頭には、かれなりの海図がある。

クナシリ島から北へ四里（十六キロ）は離れたかった。

かれのもくろみでは、その北方の一点から、東へ針路を転じ、東進をつづければ、潮流のために南へ流されつつも、エトロフ島西南部の最良の湾であるナイホ（内保）湾にとびこむことができるはずであった。

が、思ったより船足がにぶいために時間がかかった。三時間ほども漕ぎつづけたころ、

（このあたりか）

と、嘉兵衛は、判断した。まぎれもなく四里はきていた。

「おもぅかじ（面舵）」

と、嘉兵衛が右転を命じたとき、舵子が、解き放たれた小鳥のような勢いで復唱し、舵柄《かじつか》を押した。

「卯へむかいなさる？」

と、源兵衛は自分の船磁石を見ながらいった。嘉兵衛は、

「卯へむかいます。しかし潮はそれを許さず、結局は巳《み》（南南東）へゆくことになるでしょう」

卯をめざして南南東へ流されることも、嘉兵衛がたてた航海上の計算の一部にすぎなかった。

ただ計算外のことは、よほどながく卯の針路がたもてるとおもっていたのに、奔流の

ように南下する海流の幅が、嘉兵衛があらかじめ考えていたよりも、広く、つよかった。

船は、嘉兵衛の予想より早く南南東へ流されはじめた。

嘉兵衛は、櫓の数をふやした。

（やれる）

と、思った。ナイホ湾に入れなくとも、それよりも手前のタンネモイ（丹根萌）の小さな錨地に入れるのではないか。

流れは、いよいよ速くなった。が、嘉兵衛は一度も大きな声をあげることなく、ときどき風のなかでしゃがんで、煙管《きせる》に火をつけた。

火山島

このあたりの海底のさらに深い場所には、岩の熔《と》けたもの（岩漿《がんしよう》・マグマ）が、たえず海をつきぬけたがっているにちがいない。海面まで噴出して、冷えて島になったのが、これらの島々であろう。

千島火山帯がそれである。

この火山帯は、はるか北のカムチャツカ半島から、かつて島々を噴きあげ、いまもところどころに火山活動をつづけつつ、北海道《えぞち》の東岸にいたる。

北東にむかって弧をなしつつ大小の島々を横たわらせているこの火山列島は、大きな島だけで三十余ある。

そのうちの最大のものが、嘉兵衛がいま接岸しようとしているエトロフ島であった。

地球は、ここに熔岩を噴きあげて円錐《えんすい》状の火山をいくつもつくり、それらがたがいに裾野をつらね、あるいはかさねあわせて一大島嶼《とうしょ》を形成したのである。

島の西南端の海面に、すり鉢のばけもののようなかたちの高山を隆起させているベルタルベ山のごときは、なお造島活動の余勢をうしなっていないらしく、わずかながら煙をあげている。

クナシリ島東北端から、霧の海を〈というかたちで航走した嘉兵衛の宜温丸は、乗組むひとびとが気づいたときは、エトロフ島西南端のベルタルベ山が海に脚をおとしこんでいる断崖に近づいていた。

近づいているどころではなかった。

「山が、ひっくりかえってきそうだ」

とたれかが叫んだ。

霧の中の可視距離十間《じっけん》というところに、くろぐろとした岩の壁が迫っていたのである。

(ぶちあたるぞ)

嘉兵衛のほうが内心あわて、帆をおろさせ、船首を北に変えさせた。そのあと岩壁に沿って櫓の力でゆるゆると北にすすんだ。

海峡の潮流は南下しているが、沿岸では当然、反流ができている。反流はいうまでもなく北をめざしている。宜温丸はその流れに乗り、岩壁のそばをすすんだ。この漕航は、じつに容易であった。

宮本源次郎の文章では、

船の山ぎわをはなるる事、僅《わずか》に十間ばかりなり。蝦夷人、皆喜躍欣躍《きやくきんやく》して、すでにエトロフ島に着したりとよぶ。

とある。

船中三人の蝦夷人たちのよろこぶありさまが目に見えるようである。

かれらは、この海峡をわたるときつねに激浪に舟をさいなまれたが、嘉兵衛によって導かれた宜温丸は、せっかくとりつけた両舷の波よけも無用で、じつに畳の上を歩いてやってきたほどの安気《あんき》さであった。

所要時間は、六時間であった。船を入れた入江は、タンネモイ（丹根萌）である。結果としてN字型の足どりになった。

噴火と、流れ出た熔岩がつくった島であるエトロフ島は、独鈷《どっこ》のように細長く、かつ湾入に富んでいる。

島の面積は、嘉兵衛がうまれた淡路島より五倍以上大きい。

この東北にむかって横たわる島の北太平洋岸の地形は、嶮峻な断崖が多く、船を近づけがたい。

島のオホーツク海側の海岸は山々の裾野がゆるやかで、平坦地が多く、島人のほとんどが、この西海岸に住んでいる。

島の気候は、まことにきびしい。

冬季は海も凍り、海上の交通はまったく杜絶するといっていい。陽暦でいえば四月になってようやく解け、蝦夷人たちの漁《いさ》り舟がうごきはじめる。

五月になると風浪がやわらぎ、無数の流氷が潮のまにまにながれてゆく。六月になってはじめて他の島からの舟がやってくる。

いい季節は、一年のうち、五、六、七の三カ月しかないといえる。

八月は、暴風が多く、海は怒濤で沸きつづけ、とても小さな舟では航海しがたい。霧はネモロよりやや薄いが、風のはげしさはネモロなどの比ではない。

領土権は、どうなのであろう。

地球は、本来、地球の住人が平等に所有すべきものであり、事実、十五世紀までは、ひとびとはほぼその生誕した地において狭域社会をつくり、鋭くいえば割拠し、なだらかにいえば住みわけていた。

十五世紀、スペイン人たちが、遠洋航海用の多檣多帆《たしようたはん》の大船をつくり、さらには中国からもたらされた磁針《じしん》と、アラビア人から継承した航海術でもってはるかな海へ押し出してから、非ヨーロッパ世界の原始領有権のようなものの歴史が、一変した。

かれらは新領土を発見するたびに、その地の住民が原始的な狭域社会に甘んじているのにつけ入り、スペイン領とし、スペイン風俗とカトリックを強制した。

やがて他のヨーロッパ人たちがこれにならった。

ロシアは十六世紀の大航海時代のはじめごろは、まだ「モスクワ国家」として、ユーラシア大陸の小さな部分を占めるにすぎなかった。

やがて十六世紀のある時期からシベリアへの領土膨脹を開始し、ロシア人の往くところ、ことごとく皇帝《ツァーリ》の新領土になった。

十七世紀末にはついにカムチャツカ半島を領有し、次いで、ほとんど物理学的現象のように、右の大半島からつらなっている千島列島に南下しつつあった。

十八世紀初頭に、日本からの漂流民を教師に、国立日本語学校が置かれたのは、当然の勢いであったといっていい。

嘉兵衛の前半生が所属した十八世紀には、ロシアにおいて遠洋用の艦船と航海術がそれなりに充実した。かれらは、世界史から二、三百年遅れて、ロシア式の大航海時代を推進しはじめたともいえる。

千島列島を北からつたってきて、エトロフ島の東北となりの島であるウルップ（得撫）島にロシア人がきて定住の態勢を示すのは、最上徳内らが踏査したところによると、一七九五年（寛政七年）で、嘉兵衛がエトロフ島に立つ時点からいえば、四年前のことである。

——広域社会は、未開の状態のまま自然のなかに孤立している狭域社会にともすれば侵入して「領土」とする。あるいは、してもかまわない。

という思想が、十六世紀のスペインの非ヨーロッパ世界への膨脹以来、その文明のなかの強国群のあいだで、何の思想的抵抗もなく（ときにはそれがキリスト教の使命であるかのような正義意識のもとで）できあがった。

日本は、戦国期から徳川初期にかけての南蛮船の出没によってそのことを知った。しかし「南蛮時代」が遠い記憶になった徳川時代のひとびとにとっては、長崎出島に隔離されているオランダ人からきくことによって、いわば資料的に知ったにすぎなかった。

もっとも、

——日本が、かれらの「領土」にされるかもしれない。

という危惧は、もたなかった。中国でおこったいわゆる阿片《あへん》戦争（一八四〇～四二）の情報がつたわってくる以後（いわゆる幕末）をのぞき、徳川期には対外恐怖心はすくなかった。日本はヨーロッパとは文明の系列を異にするとはいえ、精密に制度化された社会であり、そういう社会に対しては、かれらはただやってきて足跡を印するだけでそこを「領土」にするということはない、と信じていたかと思える。

徳川日本人が知ったことは、

——ヨーロッパ人は、そこが「無主《むしゅ》」の地であると知れば、道で物を拾うように「領土」にしてしまう。

ということであった。ヨーロッパにおいてそういう国家的通癖があるということを知るのは、長崎《くにさき》を通じてである。

豊後《ぶんご》の国東半島の山中に終始住んで、天文学を学び、江戸期きっての独創的な哲学を築いた三浦梅園（一七二三〜八九）が、長崎に遊んだのは、安永七年（一七七八年）で、嘉兵衛の年譜でいえば十歳のころである。

かれは長崎通詞として著名な吉雄耕牛《よしおこうぎゅう》（幸作）をたずねた。そのとき、吉雄耕牛からおどろくべきことをきき、その著『帰山録』に書きとめた。

吉雄耕牛の談話を『帰山録』から直訳すると、

私（耕牛）は、ひそかに国家のために東北（註・現在の奥羽地方ではなく、北海道・千島列島）のことを心配している。西域（ヨーロッパ）の人は、他人の国を奪うとき、ほとんど兵力らしいものを動かさない（註・ただそこへやってくるのみだ、という意味）。ところで、蝦夷の北辺（註・カムチャツカ半島か）はすでに西洋（註・この場合、ロシア）に得られてしまっている。もしかれらが蚕食《さんしょく》して蝦夷（註・北海道と千島）を有せば、わが国はつねに北顧《ほっこ》の憂《うれい》をもつことになろう。

というものであった。

その意味からいえば、嘉兵衛が三十一歳のこの年、すでに「赤人」は、エトロフ島のとなりまできているのである。

千島列島の調査について、なんといっても精密だったのは、嘉兵衛がかつて接した幕臣最上徳内であった。

さらにかれは——鎖国時代の日本人にしてはめずらしいことであったが——領土論を論ずる能力と見識をもっていた。

「千島は、日本国の属島である」

と、かれはいう。当否はともかく、牢固としたかれの持説であった。

クナシリ島よりカムサスカ（カムチャツカ）国に到り大小島都而《すべて》二拾壱島、皆蝦夷地二而《て》日本国に相続《あひつづき》して属島也。（最上徳内『蝦夷草紙』）

その論拠は、「日本人」が住んでいるから日本国の「境内《きょうない》」であるという。ただしこの場合、徳内は蝦夷人を日本人とする。表現として「日本人種類の蝦夷人」という。蝦夷通の徳内は、蝦夷びとというものを、日本列島の本州で発達した日本文化に浴することの薄かった僻遠《へきえん》の田舎びととして見ていたのであろうか。

さらに、カムチャツカ半島についても、

カムサスカと云国はヲロシヤ国の地続にて東方の大端也。然りといへども元来日本国の蝦夷地也。

その理由は、蝦夷びとと同じ族がその半島に住んでいるからだ、という。

カムチャツカについては、松前藩の認識はないにひとしい。ただ千島とカラフトについては、この藩は茫漠としたかたちながら、その版図に入れていた。

この徳内の領土論は、近代以前の中国の領土論に似ている。

中国の場合、たとえばモンゴル民族が中国を征服して元帝国を興し、やがて帝国の滅亡とともにその故郷のモンゴル高原に去った。つまりはモンゴル人は中国を制することによって、言語・習俗を異にするとはいえ、「中国のぬし」になり、すなわち「中国人」になった。これによってモンゴル高原は中国の版図になった。むろん西洋的概念における「領土」でなく、中国式の版図になったといっていい。

より多弁にいえば、中国皇帝は宇内《うだい》の唯一のぬしとされる。モンゴル人の代表者が一時期、中国皇帝になり、宇内を統轄したため、それが皇帝として滅亡したとはいえ、その故郷のモンゴル高原は中国の版図である――とごく大らかに考える。

また十七世紀になって清朝が興った。

清朝は、満州ツングース語族に属する異民族であった。言語の系列、風俗は本来、漢民族とはまったく異なっており、満州とよばれた地を故郷としていたが、わずか六十万の人口で中国の四億を制し、その代表者が宇内の唯一人――皇帝――になったために、満州・沿海州は中国になった。

またさきにモンゴル高原の場合、満州朝廷（清朝）がこれを征服、隷属させたためにより鮮明に中国の版図になった。

もし最上徳内の説を正しいとすれば、中国はすべてのシベリアをも版図であるということができる。なぜなら、その地は「中国人種類のモンゴル語族やツングース語族」の居住地であったからである。

徳内は鋭敏な領土論をうちたてたが、しかしその基礎思想は、世界史的には、田舎意見たらざるをえなかった。

ロシアの勢力がカムチャツカ半島に達し、その地を武力征服するのは、日本では江戸文化が最初の爛熟期をむかえた時期で、日本の元禄十年（一六九七年）のことである。

「あれは、なんという島だ」

と、カムチャツカ半島の南端に立ったひとびとは、はるかにうかぶ千島列島の最北端の島を望んで土地のアイヌ人にきいたであろう。

十五世紀から十七世紀にかけての世界史は、ヨーロッパ人が他の「世界」を発見しつづけた時代でもある。この当時、ロシアはまだ世界史の舞台のはしの暗がりに存在した。

　ロシア人もこの地理的発見時代という思潮の影響をうけ、さらには毛皮獲得という欲望をエネルギーとしてシベリアを東にすすみ、ついにオホーツク海・ベーリング海を見るにいたってその大領土を完成するのだが、この間、西ヨーロッパ世界の大航海の華やかさにくらべ、シベリアの原住民を武器でおどして毛皮税《ヤサク》をとりあげつつ版図をふやしてゆくというこのやり方は劇的要素にとぼしく、世界史の照明をうけることがすくなかった。

　ロシア人が北千島にはじめて進出するのは、カムチャツカ半島を略取してから十六年後（一七一三年）である。

　北千島のシュムシュ（占守）島、ホロムシリ（幌筵）島、オンネコタン（温根古丹）島に上陸し、シベリアの場合と同様、住民から毛皮税を納めることを約束させた。

　これらの島々をおのが天地としてきた千島アイヌにとって、おどろくべき事態であったろう。このことは、アイヌたちには松前藩の存在とすこしも変わらなかった。ただし、松前藩はこれら北千島まで人を派遣しておらず、自然、アイヌたちから租税もとっていなかった。

「千島列島」

　は、地理的発見時代の最後の段階になって、ロシアをふくむヨーロッパ世界が〝発見〟した地球の最後の部分であった。この北千島に最初に上陸したロシア人の部隊は、ざっとした列島の地図をつくり、その南端に松前島、日本本州北部までの想像図を入れ、ピョートル大帝（一六七二〜一七二五）に献上した。〝発見〟した土地については地図を皇帝に贈るのが慣例になっていた。

ピョートルは、この〝発見〟にはげしい関心をもった。関心の核は千島列島をつたって南下すれば日本に至ることができるという一点であった。むろん、日本は古くから長崎のオランダ商館の手でヨーロッパに紹介されているために、発見や征服の対象としてではなかった。交易の対象として考えた。

ほどなくピョートルが死に、日本への航路発見についての遺言をのこした。これによって、当時ロシアに仕えていたデンマーク人海軍軍人が二度の大航海を試み、宮城県（陸前）沖にまで至り、一隻は千葉県（安房国）、さらには下田湊にまで至って帰国した。

さらに、千島の国際政治地理についてふれたい。

といったところで、外界の力関係の課題は、当時の千島アイヌ（蝦夷人）にとってはかばかしくも腹立たしいかぎりのことであったろう。

人類は狩猟採集のくらしから出発して農耕をおぼえた。農業は大地を占有して営む生産であるために、土地の常時占有の思想が農耕とともに成長したかと思える。

歴史は、農耕社会とともに発展した。

その社会に属することなく、頑固にも太古以来の狩猟生活をつづけてきたひとびとは、みずからの記録をもたないことを特徴の一つとした。従ってそのグループの歴史もほとんどわからない。

特徴の第二は、農耕社会にくらべ、土地への執着が稀薄なことであった。

かれらが目標とするものは、自然のなかに棲む哺乳類や魚類であって、地面ではなかった。目標が移動すると、人間も移動した。

アイヌが、古代、日本列島全円に住んでいたという説があり、たとえ全円でなくても東日本一帯に住んでいたであろうことは、ほぼ納得しうる。いわゆる弥生式農耕（稲作）の移入と展開とともにほぼ農耕民族化したであろうが、他は山野に拡大されてゆく稲作社会に追われ、狩猟の適地をもとめて移動した。

アイヌが千島列島に鮭やラッコなどを獲るべく島々に展開したのは、いつの時代であったか、よくわからない。ただ島々の名が、ことごとくアイヌ語であることだけはたしかである。

つまりは、和人やロシア人が千島にやってきたときは、この島々やその沿海で狩猟・漁業を営む者がアイヌであったことだけはまぎれもない。

かれらは、領土権を主張しなかった。

シベリアの原住民と同様、狩猟・採集の生活者として領土権の思想を稀薄にしかもたなかったことと、たとえ持っていても、太古のひとびとのように小集団にわかれ、広域社会をつくっていなかったため、主張するだけの力をもたなかったということが理由の大きな部分であろう。

「千島は、わが藩のものだ」

と、松前藩はふるくから考えていた。その「領有」とは、後世、ロシア人たちがやったように、上陸してきて租税をとりたてる権利のことであった。

松前藩は、自分の版図である蝦夷地と樺太、千島をふくめた地図を持ち、極秘に保存していた。三代将軍家光のころの正保四年（一六四七年）に幕府に提出し、それによって元禄十三年（一七〇〇年）の『松前蝦夷図』が描かれた。これには千島の三十五島が描かれ、同時期の『松前郷帳』には三十四島の名があげられている。千島については、

「まだ一部でしか徴税していないが、他の島々についてはその権利を留保している」

というつもりであったのであろうか。

この当時のロシア帝国は、皇帝による完全な独裁制であった。

皇帝ピョートルが、その在位四十三年のあいだ、全ロシアにおける唯一の教師のようになり、遅れたロシアをひきあげようとつとめた。ピョートルの在位は、日本でいえば五代将軍綱吉が将軍になった翌々年にはじまり、八代将軍吉宗の時代でおわる。

その社会の重要な基本構造は、地主と農奴《のうど》でできあがっていた。大地主というのはロマノフ家をふくめた大小の貴族群であり、じかに土地と農奴を支配し、土地を売るべき必要がおこったときは、地面に載っている農奴ごと売った。農奴つきでない場合は、土地の売値は安くなった。

一方、同時代の日本は、いわゆる問屋制による商業や工場制手工業がおこり、酒や綿その他の商品生産と、それを運ぶしごとがさかんになって、嘉兵衛の時代になると、いっそう精密なものになった。このため、庶民のあいだで読み書きの必要がおこった。庶民の次男坊以下が読み書きと算用を知らなければ、商家に奉公しても手代にはなれず、船に乗っても船頭にはなれなかった。おそらく嘉兵衛の当時、庶民の識字率は世界一だったのではあるまいか。

地球上の社会は、歴史的・地理的条件によってさまざまな形態をとり、それなりに発達する。ロシア社会が日本社会と異なるとはいえ、よりすぐれていた面も多かった。

「唖《ああ》強なる赤人」

とかつて最上徳内が千島の一島で六カ年、蝦夷とともに定住していた「漁夫」と称するロシア人のねばり強さに心から畏敬したように、ロシア農民の精神と肉体は、地に生きる人間の模範のようなところがあった。

さらにはピョートル以来、西欧文明を吸収しようとするロシア宮廷の努力と好奇心は、この時代、たとえばスペイン人がすでにうしなった精神でもあり、日本の場合でいえば、政治原理としてそれを抑圧していた。

また建築や工芸においては、日本のそれらとは系統を異にするとはいえ、西欧世界に対しても、多分に独自ともいうべき堅牢さと美しさを生みだしていた。

遠洋航海と造船術は、ピョートルのときにはじまった。ピョートルが、一六九七年から二年間、皇帝でありながら「ザンダムのピーテル」と自称し、オランダで一介の船大工として働いたという話はよく知られている。

造船と航海の訓練所は、シベリアのイルクーツクにも置かれていた。シベリアの代表的な大湖であるバイカル湖が、この帝国の航海訓練と研究のゆりかごになったということは、世界の航海発達史の上からみてもおもしろい。

ロシアの地政学的本能というべきものは、冬季に凍らない海岸へ進出してゆくというものであったことは、しばしば指摘される。このロシアの外交・軍事の固有運動ともいうべき運動は間断もないものであったし、そのためしばしば他国とのあいだに摩擦がおこった。

江戸期の日本を震撼《しんかん》させたカムチャツカからの南下運動も、大きく見ればこの帝国の固有運動の一つとみていい。

この稿は、嘉兵衛が、エトロフ島のタンネモイに上陸したくだりで、ながながと足ぶみしている。

千島に足跡を印した嘉兵衛をとりまく歴史状況について、多少ともふれておきたいためである。

嘉兵衛自身、箱館やアッケシで親しくなった北方派遣の幕臣たちから、ロシアの南下についてのことは十分きかされていた。

耳学問ながら、嘉兵衛がもつロシアの南下事情の知識はほぼこの当時の日本の高い水準に達していた。このため、エトロフ上陸にあたって、かれに多少の危惧がなくもなかった。

ひょっとすると、赤人《あかひと》（カムチャツカのロシア人）に出くわすのではないか。

げんにこの時期から十三年前（天明六年・一七八六年）、最上徳内が、エトロフ島で出くわしているのである。

徳内にとって、このことは偶然ではなかった。

かれは蝦夷人たちから、

——私は赤人を見た。

とか、

——かれらは、どこそこにいる。

といった風説をききつつ北上したのである。かれは島々にまだ堅氷《けんぴょう》の残るなかを陸行し、また水行した。クナシリ島の北端のアトイヤ岬についたのは三月末で、渡海してエトロフ島にいたり、五月はじめその北東端に達した。

五月五日、モシリハ（茂世路）地域において三人のロシア人と対面するのである。

徳内は浜にむしろを敷かせ、対面の儀式をおこない、夜、蝦夷人をまじえ、大いに酒宴をひらいた。和人といえば、徳内ひとりであった。

その夜は、三種類の民族は徳内がもたらした酒肴《しゅこう》を前にして、歓をつくした。

蝦夷びとは蝦夷唄をうたった。ロシア人も唄い、かつリズミカルな踊りをおどった。徳内がもし武士の出であったならろくに唄も知らなかったろうが、幸い出羽の農民の出だけに多くの民謡を記憶していた。かれは馬子唄などをうたった。

徳内の耳にとらえたこのロシア人の名は、頭分《かしらぶん》の者をイジュヨという。三十二歳である。

徳内は、イジュヨの容姿を後年、絵に描いている。その絵に、

「顔色至ツテ白ク　髪赤ク　丈高ク眼色茶色髭ヲ剃ル」

と、説明を入れている。

次の役の者が二十八歳で、サスノスコイといい、他は下僕で、ニケタといった。三人ともいい男で、とくにイジュヨと徳内はのちのちまで友情を結ぶことになる。

徳内はイジュヨたちをクナシリ島につれて行って他の幕臣に会わせた。かれはこのロシア人に日本の国禁を説明し、退去させたが、両者とも別れをつらく思った。このあと徳内はウルップ島にゆき、赤人を見ようとしたが、すでに退去したあとで、定住した住居跡を見ただけであった。

「ヲロシヤ人の南下」

ということは、嘉兵衛はとくに徳内の話のおかげで、色彩に富んだ情景として想像し

うるようになっていた。

千島列島の地名と地図についてふれたい。

旧幕臣で明治政府にも出仕した榎本武揚《えのもとたけあき》（一八三六〜一九〇八）に『千島誌《クリル》』という訳著がある。榎本の序文の日付は、かれが駐露公使だった時期の明治八年十二月二十一日になっている。

『千島誌』の原著者は、ロシア人A・S・ポロンスキーであり、一八七一年（明治四年）ロシア地誌会社から発行された。

むろん原著書では、千島ということばはつかわれていない。

「クリル」

である。『クリル諸島記』というべきところを、榎本以下この翻訳にあたった公使館員たちによって、日本風に『千島誌』とされた。

こんにちでも、江戸期でも、千島ということばは、世界公認の地名ではない。ロシア人が命名したクリルが正式の地名になっており、KURIL　ISLANDSとなっている。

A・S・ポロンスキーは右の著の冒頭において千島列島の位置をのべ、当初、カムチャツカ半島南端からこの島々を望見したロシア人が、

——諸島の多くが煙を吐いている。

というところから、クリルとよんだという。

煙、噴煙ということでは、クリルに似たロシア語はない。

ただ、クリーリニィという形容詞が、「煙らせている状態」「香を炷《た》くさま」という場合につかわれる。『千島誌』の註には、

クーリイチと云《いふ》は烟《けむ》らすの意也。「クリル」とは此転じたるなり。

とあるが、この転訛《てんか》説はなにやらむりなような気がしないでもない。

日本では、ふるくから千島、蝦夷千島、あるいは「くるみせ島」とよんだ。

その用語例として、正徳元年（一七一一年）、松前藩より幕府に上申した書に、

クルミセ島の方《かた》、地はなれの処（註・北海道からの離島群という意）、蝦夷地の内にて御座候。（『蝦夷物語』）

とある。

吉田東伍博士の『大日本地名辞書』（明治四十二年刊）の「久留味世島《くるみせ》」の項には、クルミセとはこの千島列島の「土夷」の族称で、クルミセ族の居住地という意味だという。べつにアイヌ語には、千島の総称（あるいは千島の住民のことか？）としてチュプ

カということばがある。

此《この》諸島、各箇別段の名あれども総称はなかりしなり。

と『千島誌《クリル》』のなかで、ポロンスキーはいう。

これに対し、榎本武揚も似た意見をその著『千島疆界考《きようかいこう》』に書いている。

――日本で古来、「蝦夷之千島」などといってきたが、はたしてこの列島のみをさしたかどうか疑問である。

とする。これには当時から反論は多かったが、右の『千島疆界考』における榎本の態度には感情的偏向がすくなく、実証的と見ていいのではないか。

千島列島が、牢固としてアイヌたちが根をおろしつづけた母なる国であったかどうかについても、疑わしい。

ざっとしたことでいえば、北千島はカムチャツカ原住民の出稼ぎ場であり、南千島は北海道《えぞち》のアイヌの出稼ぎ場であったということがいえそうである。しかしながら北海道アイヌの北上の勢いのほうがつよく、北千島のアイヌの場合、おなじアイヌ語でも、北海道においてすでにほろんだ古語というべき単語をのこしていた。

アイヌは、狩猟・採集の熟練者であった。最上徳内が目撃したところでも（『蝦夷草紙』)、かれらは敏捷な海の狩猟者であった。北海より流れてくる流氷のかたまりにひょいと跳び乗り、あるいは跳び移っては、アシカ、アザラシのたぐいを獲った。

　蝦夷ども、氷より氷に飛移りて、遥か沖迄出て、海鹿《あしか》、あざらし等を捕る事夥《おびただ》し。

と、『蝦夷草紙』にいう。

　アシカ、アザラシなどの群れの移動にともない、獲り手も移動する。ほかに和人が交易用の商品として好む鷲《わし》の羽、あるいはロシア人との交易のためにラッコを獲る。またアイヌ自身の食用として、またはかれらがそれを衣料として着るために、熊もとった。

「この社会は、民族のすべてを統轄する首領をもっていない」

という旨《むね》、一七三八年から二年間、ロシア帝室アカデミーから派遣されて千島列島を調査したクラシェニニコフが書いている。

　千島蝦夷たちがもつ小さな社会は、老子が理想とした「小国寡民《かみん》」の国に似ている。国というのは小さいほどよく、民というのはすくないほどよい、と老子はいう。

　隣国が、鶏や犬の鳴く声が聞こえるほど近くにあっても、人民は老いて死ぬまで他国人とたがいに往来することもない。

老子の理想とする国家形態であったらしい。

その小国寡民の国においては、たとえ武器があっても使わせないようにし、人民には生命を大切にさせ、その上、国を離れて遠くへゆくようなことがないようにする。太古、文字がなかったころ、縄を結んで契約のしるしにしたが、そういう未開がのぞましい、と老子がいう。

まずい食物もうまいと思わせ、粗末な衣服も上等なものだと思わせ、その住居に安んじさせる。そのような素朴な生活文化を楽しいものと思わせるようにする。

いわば、この点、この当時の千島アイヌの社会やくらしがそうであった。

北海道や南千島ではすでに地上の家屋に住んでいたが、北千島のアイヌの多くはまだ穴居していた。縄で契約するどころか、数の概念すら乏しかった。

しかし小域社会なりにその社会同士の争闘が絶えなかった。この点、老子は「船や車を持たせてはいけない」とする。アイヌは舟の民でもあった。舟があるために千島の猟場へゆき、猟場を同族で独占したいために争闘があった。しかし舟すらアイヌが持たなかったとすれば、かれらは食物を得ることができたろうか。

松前氏の古い記録をみると、徳川家康にラッコの毛皮を贈ったりしている。

大坂ノ役が終わって徳川政権が不動のものになった一六一八年にイエズス会の宣教師ジロラモ・デ・アンジェリスが松前へ渡った。その報告書のなかに、

毎年、メナシ（註・アイヌ語で東方）から百隻ちかい舟（註・アイヌ舟であろう）が松前へやってきて、ラッコの皮をもたらし、非常に高価に売却する。

とある。

江戸期の蝦夷風俗の絵に、ラッコが石を抱いて海面にねそべるようにして浮かんでいる図がある。

このイタチ科の利口な動物は、たえず海上にうかんで群棲している。ときに海底にもぐってアワビ、ウニなどを手で捕り、海面にあおむけにうかびながら食べる。アワビやウニの殻が固いため、海底から石をひろってきて腹の上にのせ、それへぶちつけて殻を割ったりするのだが、手や道具をつかうあたり、わずかながらヒトに似ていなくもない。頭が小さく、頸と胴の境いがなく、しかも体にくらべて毛皮がだぶついていて、大きすぎる外套を着ているようでもある。この毛皮は、あらゆる毛皮動物のなかでも商品として最高のものとされていた。

千島列島のなかでも、とくにラッコは、エトロフ島のむこう隣り（北東）のウルップ島に群棲していたから、この島は一名ラッコ島とよばれたりした。

老子は、思想として商業に反対した。さらにその理想とする「小国寡民」の国は、人民が遠くへゆかぬことであった。

が、「小国寡民」ながら、アイヌたちはちがっていた。かれらは貨幣経済こそもたなかったが、物々交換による商業の徒であった。

また「遠くへゆく」航海者でもあった。

北の海に木ノ葉のような舟をうかべ、樺太アイヌは沿海州とのあいだに商業関係を持って、中国の官服（錦で織られたもの）の古着と日本の鉄器などと交換した。樺太アイヌはソウヤなどにやってきて、北海道アイヌと商品を交換するのである。千島アイヌはラッコの毛皮などを持って北海道のアッケシにやってきて日本製品と交換した。

ピョートル大帝がカムチャツカ半島の占領を内外に公布するのは、一七〇七年（宝永四年）である。ここに長官を置いた。

が、この長官は実際の開拓者であるコサックに殺された。そのコサックの首領株二人が、その罪をつぐなうだけの大功をたてるべく、漂流の日本人漁師を道案内にし、子分五十人をつれ、北千島の三島を探検した。一七一三年夏、オンネコタン島に上陸し、土地のアイヌから絹、日本刀などを没収し、ひきあげ、地図とともに政府に送ったが、このことは北千島のアイヌが、交易者であったことを証拠だてている。

ロシアが、ラッコが群棲するウルップ島を占領したのは、一七六八年（明和五年）である。

このころになると、千島アイヌはロシア商品をたずさえてクナシリ島や北海道本土のアッケシなどで交易しているのである。

工藤平助とその著『赤蝦夷風説考』についてはすでにのべた。紀州うまれでありながら、仙台藩に、最初は藩医として仕え、次いで政務に参与し、晩年は日本橋のあたりに住んで藩の籍をもちつつも自由に世を送った。

この時代、むらがり出た国際通のなかでも、工藤平助は出色の人であったであろう。嘉兵衛がエトロフ島に上陸した寛政十一年の翌年に死ぬ。六十七歳。

「仙台の江戸藩邸では『平助料理』ということばがある」

と、かつて最上徳内が嘉兵衛に教えてくれたことがある。その達者さは、料理にまでおよんでいた。何度か調理して藩公に献じたが、その旨さはおそらく江戸中の料理人が寄ってたかっても及ばなかったのではないか。

平助の文章は簡単平易で、つねに実質を述べ、うわついた表現をつかわなかった。機械にあかるく、西洋渡来の機械なども、見るだけで同じものをつくった。篆刻《てんこく》の名人でもあった。ぎっちょであったため、篆刻や、またこまかい製図なども、左手でやった。

平助はたしかに多芸であった。しかし、かれの特徴とするところは、さまざまの知識、情報、物事を総合して鮮明な世界像を組みたてるところにあった。

海外情報といえば、長崎に駐在するオランダ人が、幕府に定期的に提出する『風説書』やまた長崎通詞に語るところ以外にない。その針の穴を通してくるようなほそぼそとした、あるいは切れぎれの知識や情報でも、平助のような男の選択と分析と総合を通せば、同時代のヨーロッパの水準で見てもさほどの誤差のない世界像になりえた。

平助の人と思考力と見識を知るには、文章を見るのがてっとり早い。いかに簡潔で的確かということは、以下の文章でわかる。

赤蝦夷の本国はヲロシヤなり。リユス国といふも同事也《おなじことなり》。城下はモスコウビヤといふ故、おしなべてムスコウビヤともいふ。カムサスカと云は赤蝦夷の本名也。カムシカトカといふも同断也。

数行のなかに言いつくして、むだというものがなく、しかも本来索漠とした地理的叙述ながら、文体のなかに生理的なリズムが内蔵されていて、一読して読み手の呼吸のなかに入りこんでしまう。

平助がその『赤蝦夷風説考』でいうのは、長崎のオランダ人が、しきりにロシア国が日本に陰謀あり、と警告しつづけていることを傾聴すべきだと言いつつも、オランダ人の真意も指摘している。かれらは対日貿易の独占が崩れるのをおそれ、日本に対露警戒心をあおろうとしている、という意味のことをいっているのである。卓見といっていい。徳川日本は、長崎における警備をひき締め、蚤《のみ》とり眼《まなこ》で密輸（抜荷）を取り締まっていた。

ところが、北方については裾がひらきっぱなしであった。ロシア人↕蝦夷人という関係で内外商品が自由に出入りしているが、いっそ日本国そのものが「国力を厚くする」ために北方貿易をやってはどうか、と工藤平助は前記の『風説考』でのべているのである。それほど、北方からの外国商品が、嘉兵衛の時代、大坂あたりの唐物屋に大量に入荷していた。長崎限定貿易という幕府の大法が、現実には「北」から崩れてしまっているのである。

ほとんどの場合そうだが、領土論による国家間の紛争ほど愚劣なものはない。十八、十九世紀以来、この争いが、測り知れぬほど多量に、無用の血を流させてきた。

ロシア社会の場合、元来が農業を基盤としている。牧畜がそれに付属していた。農業も牧畜も、凍土の多いシベリアを必要としなかった。その森林に黒貂《くろてん》が棲んでいたために、かれらは東をめざした。黒貂の皮を西方に輸出し、ヨーロッパの富裕階級の襟をかざるために、ただそれだけの目的でありながら、結果としてはシベリアそのものを得た。

日本社会は、紀元前後から水稲農業で人を養い、歴史の変遷もあるいは文化も、稲をつくることを基盤にしてできあがった。

このもともと熱帯か亜熱帯を故郷とした植物は、明治以前、多少の改良を見たとはいえ、松前・蝦夷地には適《む》かなかった。

松前・蝦夷地を領土とする松前藩は、純粋に漁業だけで一藩を成立させてきた。魚を獲り、昆布を採る。

それを大坂に送るだけで、本土で作られる白い米を得ることができた。

そういうことでは、松前人は、本土の下級武士や農民よりもはるかに贅沢で、本土の多くの地方の農民が、米をつくりながらも、かれら自身は稗《ひえ》、粟《あわ》、麦、ときにそば、あるいは薩摩芋を食っていたにもかかわらず、米のとれない松前藩は、士人も庶民も、白米を食ってきた。

松前・蝦夷地の魚は、食糧としての価値ではなかった。魚肥、魚油になって、本土で膨脹しつつある商品生産をささえてきた。

繰りかえしのべてきたように、その魚肥が木綿に化《な》った。それまで麻など植物の繊維で織った衣類でようやく寒さをふせいできた日本人が、木綿の普及により、生命をまもる上でどれほどたすけられたか測りしれない。

嘉兵衛のころでもなお木綿を持たず、麻や紙衣《かみこ》で暮らしている人もいたが、社会のすみずみにまで木綿を着せるには、いよいよ北海で魚をとらねばならない。

当初、内海の魚で木綿を養った。それが蝦夷地にまで及び、さらには南千島にまでおよんだ。

要するに、稲作社会にとって元来、直接必要のなかった——水田にならなかった——蝦夷地や南千島に出かけるようになったのは、魚と木綿のためであった。それをもって「領土」であるという。

この点、農牧社会であるロシアが、その社会の基本的な生産とかかわりのないシベリアへゆき、カムチャツカまで及んだのは、黒貂の毛皮をパリの貴婦人のくびに巻かせるためであった。日本人における木綿の必要性にくらべれば黒貂は奢侈《しゃし》品にすぎないが、このふたつの品物の必要度の比較は、さほどの意味をなさない。

要するに、ロシアと日本の社会は、広大な山海に棲む多くの動物のうちのほんの一種類かせいぜい数種類を追いもとめ、その結果、土地そのものを領土にした。

さらにはその動物を、みずから手をくだして獲るのではなく、威力の優越した武器をもって原住民をおどし、原住民から、ロシアの場合は税として無料でまきあげ、日本の場合はわずかな手当を出して奴隷労働させた点、似ている。

この時期、シベリアでの黒貂は乱獲によってすくなくなっていた。ロシア人はあらたな高級毛皮としてラッコを発見し、千島列島を南下し、ついに「領土」をめぐって日本と衝突したのである。ラッコも魚も乱獲すれば居なくなり、「領土」の生産的価値はなくなるが、むしろそのあとでおこる「国家の威信」の象徴としての「領土」の課題のほうが、無形のものだけに深刻であるといっていい。

ロシア帝国がおこなった千島列島をふくむ北太平洋の地理的調査は、執拗なぐらいのものであった。

あわせて、ラッコの毛皮が珍重されるとともに、この千島についてロシアの商人からみた価値が高くなり、在来の方式である「原住民に獲らせる」やりかたでは追いつかなくなってきた。

海獣は、千島アイヌが持っている素朴な弓矢では、膨脹した需要に見合うほどには獲れないのである。

イルクーツクやヤクーツクの毛皮商人たちはみずから船を仕立て、銃器をもった練達のロシア人猟師団をのせて、千島列島のラッコを狩らせたりした。

嘉兵衛は、クナシリ島からエトロフ島に上陸したが、この島と、その南西隣りのクナシリ島およびその北東隣りのウルップ島の三島に限っていうと、まずクナシリ島に松前藩が「場所」を設定し、運上屋というこの藩独特の役所を置いたのは、一七五四年（宝暦四年）であったにすぎない。

しかし、

――役所を置く。

というのが、領有という実質に深くかかわるものとすれば、まだロシア人はここに役所を置く段階には至っていなかったし、第一、クナシリ島には、ロシア人がめあてとするラッコが、ほとんど居なかった。

ロシアの徴税官（コサックの百人長・チェルヌイ）が、三個の島のうちで真中にうかぶエトロフ島までやってきたのは、松前藩がクナシリ島に運上屋を置いてから十三年後の一七六七年（明和四年）である。

――よいか、毛皮税《ヤサク》を出すのだぞ。

と、名だたる乱暴者だったチェルヌイが、銃をひねくりながら繰りかえし言ったであろう。原住民は、約束せざるをえなかった。

それから十七年後（一七八四年）に老中田沼意次《おきつぐ》が北方巡検を幕閣で決め、十九年後に、巡検団の下僚の最上徳内がエトロフ島およびウルップ島に上陸するのである。双方の政府役人が足跡を印したということでの先取権（あらあらしい用語ではあるが）からいえば、ロシアのほうが早かった。ただし、松前藩が、

――千島はわが領土である。

と、主観的に考えていたことについては、べつである。

この時期、日本が鎖国であったということが、この種の問題においては、不利であったであろう。松前藩が、自分の「封土」を幕府を通じて国際的に公示しておくという考え方をするなど、むろん思いもよらぬことであった。

最上徳内がウルップ島に上陸するよりも十七年前に、ロシアの探検隊が、皇帝に対し、二十二島の列島の地理的状況を報告し、しかも北海道本島を第二十二島としているのである。ただし、探検とその自国皇帝への報告では「領有」につながりにくいが、すくな

くともロシアのほうにも「領有」についての主観が成立したといえるであろう。

ロシアが、三島のうちのいちばん北のウルップ島にその占有を確実にすべく植民団を送りこんだのは、徳内の同島上陸より九年後の一七九五年（寛政七年）である。このときウルップ島がロシアのものになったという主張も、十分になりたつ。

千島にきたロシア人は、千島蝦夷に対し、ロシアの国教（ギリシア正教）に入ることをすすめた。

洗礼をさずけるべき神父がきたかどうか、よくわからないが、あるいは来たとしてもすこしのふしぎもなかった。

ロシア政府とギリシア正教は不離のものであった。ロシア国籍をとるということはギリシア正教の洗礼を受けるということであり、異教徒のままロシア人になるということは、ありえなかった。逆にいえば、新領土の原住民に洗礼を授けさえすればすなわち受洗者はロシア国民であるということになるかもしれない。洗礼を受けたといっても、アイヌ語の聖書があるわけでもなく、キリストの教えをさほどに伝えるわけでもなかった。

在来、松前藩は、藩の伝統的な方針として蝦夷人を非和人であるとし、かれらが自由に和人と接触することも許さなかった。

が、この寛政十一年（一七九九年）正月に幕府が東蝦夷地を直轄としてからは、事情が一変した。蝦夷人と和人を積極的に交流させる一方、蝦夷人を教化し、和人にしようとした。つまりは、日本国の人間たらしめようとしたが、日本国には、ロシア国におけるギリシア正教のような国教がない。このため洗礼のかわりに、月代を剃らせ、まげを結わせることにした。幕府直轄領の東蝦夷地は千島をもふくんでいるから、クナシリ島などの島蝦夷にも強制された。

ロシアといい日本といい、いずれも滑稽というほかないが、ふつう大勢力が「威信」というえたいの知れぬものをもって原住民に臨むとき、やることといえばすべて滑稽で子供じみて、平明な良識からいえば、一種詐欺めいたことばかりであったろう。

いま嘉兵衛が上陸したエトロフ島も、かつて最上徳内が目撃したように、数人のロシア人がここに住んでいたし、また船でやってきて目的を了《お》えれば去るというかたちでの来島もしばしばであった。

かれらは十字架を建て、原住民に拝ませた。あるいは、個人接触をかさねてロシア語を理解させるべくつとめたこともあった。

その後、これらの島々で、地震、島蝦夷の反乱、ラッコの群棲の一時的減少などのことがあり、ロシアの南千島の島々の経営は、かならずしも継続的ではなかった。

が、ロシア人の強みは大船をもって航海してくることである。

幾度かのべたように徳川日本の場合、家康以来の祖法によって、航洋用の大船の建造は国禁されていた。

幕臣として最上徳内がはじめてエトロフ島にわたったとき（一七八六年）も、木ノ葉のような蝦夷舟によってであり、それから十二年後に近藤重蔵がわたったときも同様である。重蔵にいたっては激浪を鎮めるため、持ちこんだ具足櫃《ぐそくびつ》をひらいて戦国武士のように鎖帷子《くさりかたびら》を着込み、「風林火山」の旗をたて、太刀をかざして蝦夷舟のへさきに仁王立ちになって波をにらみすえていたというほどに素朴であった。

以上のことについて、いますこしのべる。

なぜならば、嘉兵衛が上陸したエトロフ島は、のちのちまでその領有をめぐり、本来平和な隣国同士であるべき日本とロシアの間で、不穏のやりとりの絶えない島の一つになるのである。

嘉兵衛が上陸する前年（寛政十年・一七九八年）に、この島にきた幕臣近藤重蔵・最上徳内らは、七月二十八日、この島の南端のベルタルベ岬のそばの岩でかこまれた小さな入江（蝦夷地名・リコップ）に上陸し、指揮権をもつ幕臣としての近藤の判断をもって一柱の木を削り、それに文字を書き入れ、領土標識を樹《た》てた。

「大日本恵登呂府」

と、書いた。

近藤の命で筆をとったのは、下野源助という者であった。源助は近藤の下僕という形でここまでついてきた。かれはもともと常陸《ひたち》出身の町医で、おそらく北方知識人グループの影響をうけた人物だったのであろう。揮毫《きごう》するにあたって源助は斎戒して身を浄めた。標識をたてること自体、きわめて重い行為であることを一同が知っていたことは、この一事でもわかる。

かれらが、このエトロフ島南端に標識をたてた時期、かつて島内に一時居住していた少数のロシア人がすでに退去していて、一人もいなかった。居れば、多少の紛争がおこったのではあるまいか。

この時期、最上徳内などは、当初、カムチャッカ半島南端までゆくつもりであったが、そのために消費する時間と季節との兼ねあわせがうまくゆかないことを考えて、とりやめた。

島谷良吉氏は、その著『最上徳内』(吉川弘文館)のなかで、かれらが「大日本領恵登呂府」としなかったのは、徳内の思想にもとづくものであろうと推察しておられる。徳内はすでにのべたようにカムチャッカ半島までが日本領であるという領土論を持っていた。南千島のエトロフ島あたりで「領」とすれば、ここが日本領の北限であると解釈されてはよくないと考えたからだろうと推考されている。

この標識には、これを樹てた者の名前が入っている。日本政府の官吏である近藤重蔵の名が中心であることはいうまでもないが、次いで下級幕臣としての最上徳内の名がある。さらに十三人の従者の名がある。従者の筆頭は前記下野源助で、あと十二人はすべて蝦夷人である。蝦夷名でなく、ことさらに日本名で書いてあるのは、幕府直轄領にするつもりで、改名が推進されているこの時期らしくておもしろい。

名は一人をのぞいてみなスケがつく。善助、金平、孝助、唐助、勇助、阿部助、弟助、勘助、藤助、武助、只助、太郎助である。

近藤重蔵と最上徳内は、後世、幕末にむらがり出る「志士」のように書生っぽくはなかった。このことについては、近藤、最上は、原住民であるアイヌ十二人をいわば立会人もしくは証言者にしたのだ、という解釈を島谷氏はとり、両人の法的思想のたしかさを指摘している。


以下は、のちのことになる。

嘉永六年（一八五三年）のペリーの艦隊の江戸湾突入という衝撃によって幕府は開国に決した。このことから鎖国の継続（尊王攘夷）を叫ぶ壮士世論と、責任ある政府としての幕府とのあいだに深刻な対立がうまれ、結果としては幕藩体制が消滅する直接の引金になるのだが、しかし幕府がペリーのショックによって翌安政元年（一八五四年）、日米和親条約を結び、そのことによって国際社会の一員にならなかったならば、日本列島の周辺のあいまいな領土問題は、どのようになっていたかわからない。たとえば、いま東京都の管轄下にある小笠原諸島などは、このあたりを往来する欧米の船によって、

「ボニン（ＢＯＮＩＮ）島」

とよばれていた。

当初、上陸した船乗りが島の者に、何という島だ、ときいたとき、

「無人《ぶにん》島」

と答えたのが名のおこりであったといわれている。

小笠原諸島は、嘉兵衛のこの時期よりも二十八年後の一八二七年（文政十年）、英国軍艦プロソム号がこの諸島について英国領であることを宣言したのである。

さらにそれから三年後、米人サヴォリーという者が、ハワイ原住民をひきつれて、この島に定住した。

ついで、前記一八五三年、米国東洋艦隊司令官のペリーがこの島をもって江戸湾に入る途上の貯炭所として絶妙であると見、すでに居住していた同国人のサヴォリーに面接してかれをこの島々の首長に任命し、さらにかれから貯炭所の地所を買った。

このため、英米のあいだでこの諸島をめぐって「領有権」の紛争が起きた。幕府はこれに対し八丈島の島民を移住させるなどの手を打ったが、鎖国国家は国際的な発言権をみずから封ずるというものであるため、どの国とも公式の外交上の卓子《テーブル》を設けなかった。開国方針にともなう安政条約は、これらの諸問題について討議する公式の卓子が用意されたということを意味する。

幕府は、米国との条約につづいて、日露（魯）和親条約を結んだ。

この時期、ロシアの生産的な食欲は千島列島において減退し、樺太において盛んになっていた。樺太については、ロシアの着手は遅かった。

一六三五年（寛永十二年）に松前藩は藩命をもって家臣団を派遣し、ひきつづき数年にわたって探査しているし、原住民との交易もおこなってきた。一七九〇年（寛政二年）には数カ所に「場所」を設定し、一八〇七年、幕府がここを直轄領とした。

が、この間、ロシアはこの島に目をつけつづけ、一八〇六年には艦隊をもって在留日本人を圧迫し、ついに一八四九年（嘉永二年）、この島がロシア領であることを宣言した。

幕府と和親条約ができ、領土問題が討議されつづけ、結局、樺太は両国の共有（一八六七年・慶応三年）とされた。

日露のあいだの領土問題の折衝は、幕府が瓦解するまでのあいだ、数度おこなわれたが、ついに解決することができなかった。

結局、明治政府にひきつがれた。

明治政府は、攘夷思想を革命への情念として成立した政権であったが、同時に、きわめて矛盾した外政感覚ながら、高度の軍事力をもつ欧米のおそろしさについて、たとえば幕末の馬関戦争や薩英戦争で知りぬいてきた政権でもあった。さらには、旧幕の幕臣がもっていなかったアジア人としての劣等感ももつようになっていた。

英、米のあいだで領有をめぐって争われていた小笠原諸島は、英、米が元来日本領であったことをごく簡単に理解することによってこれを解決することができた。

が、ロシアが、他国の主張を理解すべく臨むような国柄でないことは、旧幕以来の知識でよく知っていた。嘉兵衛の時代以前から、ロシア帝国の南下運動への情熱は、ほとんど動物的本能にちかいことも、旧幕時代の多くの経験と刊行物によって、明治初期政権の当路の者は知っていた。

この交渉にあたる者として、明治七年（一八七四年）、旧幕人である榎本武揚がえらばれたのは、じつに当を得ていたといっていい。

榎本は元来、革命政権への反乱者の首領であった。かれは戊辰《ぼしん》にあたって旧幕艦隊と同陸軍その他をひきいて北海道《えぞち》の五稜郭にこもり、いわば「徳川共和国」を樹立しようとした。かれは国際法によって箱館の各国領事に対しあらゆる外交上の手をうち、一個の政権として承認させた。この点、戊辰における北越や会津藩の抵抗とはちがい、国際的な問題性をもっていたというべきであろう。

この間《かん》、東京の新政府は、ロシアがもし北海道の共和国を支援すれば深刻な問題になると考えたらしい。

明治からみれば遠い過去である田沼時代に、工藤平助が『赤蝦夷風説考』をあらわし、そのなかで、ロシアは未開の地において原住民の内乱がおこると、兵を出して反乱側をたすけ、かれらを撫育《ぶいく》し、以てロシア領とする、という旨のことを書いた。この書で得たロシア知識が明治政府の大官にあったかどうかはべつとして、各国の外交官のうち、たれかが、北海道鎮圧をいそがねばならない、と当路の者に忠告をしたのかどうか。ともかくも明治政府は軍事行動をいそいだ。

榎本らは、結局降伏した。

このときの東京政府軍の総司令官が、薩人黒田清隆であった。

黒田は、敵将榎本の器量、才質、学識を尊敬することはなはだしく、榎本を対露交渉の全権公使に推挙したのも、黒田であった。

しかも、一躍、海軍中将にした。この時期の明治初期海軍は最高官が大佐にすぎず、少将もいなかった。であるのに中将にしたというのは、全権公使としての重味をつけさせるためであった。

榎本も、それをよく心得ていた。かれはロシア皇帝に謁見する場合の中将としての大礼服をパリでつくったが、その値段が黄金七百両であったという。


明治七年の露都ペテルブルグにおける榎本武揚の外交の成果は、ほぼ過不足のないものであった。

旧幕の旗本が、薩長出身の官員にくらべ、容儀が堂々として対外劣等感をもたなかった。かつて榎本和泉守を称したこの男もそうであり、容貌・風采についても、書生あがりの薩長人よりもすぐれていた。このあたりも、黒田清隆の見こんだところであったろう。

さらに、幕末、幕府の留学生としてオランダで海軍を学んだだけに、欧州式の作法が身についていた。幕府が、明治政府に、結果として遺贈した人材は、それを使いこなせなかった勝海舟をべつとすると、この榎本武揚であったにちがいない。

榎本は、勝のような政略や機略のひとではなく、多分に堅牢な吏僚の才があった。

さらにかれは、旧幕末期にオランダに留学したとき、海軍という技術的なものを学ぶかたわら、オランダにおける国際法の権威であったフレデリクス教授について本格的な国際法を学んだ。明治初年における日本で、国際法を正式に学んだ者は、榎本がただひとりであった。この点についても、ペテルブルグへの使いとしては、かれ以外に適任者はなかった。

榎本は、樺太や千島に関するロシア文献を丹念にあつめ、その随員とともに分析しぬいた。そのことは、交渉の場にあって、発言にほぼ申しぶんないほどの重厚さをつくりあげた。

すでに榎本は、日本政府が検討して割り出した原案を秘めていた。

——樺太をロシアにゆずり、その代わるべきものとして、日露雑居状態の千島列島を日本領とする。

というものであった。

旧幕以来、日本の樺太経営はすすんではいたが、ロシアの場合いっそうに積極的であったし、その上、軍隊を置き、武力で樺太現地における日本側の機関や居住民を圧迫していた。これ以上、樺太問題を争う国力など、日本にはひとかけらもなかった。

日本の世論の一部を構成する壮士的感情からすれば、樺太の放棄など国威にかかわるということもあったが、ロシアもまた「樺太《サハリン》はロシア領たるべきである」ということを法的に実証する資料に事欠かなかった。

結局、日本のいわば譲歩しすぎたというべき原案が通った。

このことについて、こんにち、ソ連では、ごく楽天的な領有論を基礎とした考え方が、通念になっているらしい。

ソ連科学院の東洋学研究所教授エイドゥスの『日本現代史』（米川哲夫・相田重夫訳）によると、

「ロシアはずっと以前から、千島列島と同様に樺太を領有していた」

という。このことは、日本の最上徳内流の日本領説と同じで、歴史的客観性と国際法的な通念からみれば、思いこみが強すぎるというべきであろう。

エイドゥス教授は、一八七五年、日本公使榎本は南樺太に対する請求権を放棄したが、皇帝政府からその補償という形で、千島列島を日本の主権下に移転させることに成功した、という。さほどに淡泊とは思えないこの叙述のなかに、領土問題がいかに困難なものであるかがうかがえる。

択捉島雑記

嘉兵衛の生国が、淡路国であるといっても、島にすぎない。

エトロフ（択捉）島がその五倍もあるということは、その岩肌ばかりの周辺を小さな図合船でかすめつつある嘉兵衛には十分にはわからない。

「沼島《ぬしま》より大きい」

と、同乗の沼島衆が真顔でいったときだけは、嘉兵衛は声をあげて笑った。淡路島の属島である沼島など、エトロフ島の面積が三千百三十九平方キロメートルであるのに対し、二・六平方キロメートルしかないのである。

ロシアの累次にわたるクリル諸島（千島列島）探検隊は、北からかぞえて、最後の第二十二番目までいちいち島の名をつけて行った。

日本側の名前と符合するのが多いのは、千島蝦夷に質問して耳にとらえ得た音をえらんだからであろう。

ちなみに、一七六六年（明和三年。嘉兵衛がうまれる三年前）、シベリア総督イブエコフは、コサックの百人長チェルヌイをふくめた指揮者三人にそれぞれ探検隊を組織させ、千島列島を南下させている。目的は領有のためである。このときチェルヌイは他の隊にくらべもっとも南に達し、第十九島であるエトロフ島に上陸した。ここで、土地の島民から、この島以南の地理的状況をきいている。

これらの報告によって、
第十八番島（ウルップ島）以南、第二十二島までの毛人は皆独立であって、日本との関係も、畢竟《ひっきょう》貿易のための往来に過ぎなかったのを知りえたのみであった。

と、明治七、八年に榎本武揚が精密に読んだロシア地理学者Ａ・Ｓ・ポロンスキーの著『千島誌《クリル》』に書かれている。

ついでながら、右にかかれた「第二十二島」とは、北海道のことである。チェルヌイは、北海道《えぞち》のことをアッキスと命名した。

「厚岸《アッケシ》」のことであろう。いうまでもなく厚岸は一つの浦の名にすぎないのだが、チェルヌイはその小さな土地の地名をもって、とりあえず北海道全体の名とした。

さらについでにふれておくが、チェルヌイが、エトロフで仕入れた蝦夷地の情景も千島の他の島々とあまりかわらない。

『千島誌』の解説者和田敏行氏は、その解説のなかで、ポロンスキーの右の著書の重要な資料の一つになったチェルヌイの日誌を引用している。

それによると、

この島（註・実際には北海道の厚岸港）にかなり大型の日本船が定期的に来航して、二カ月間ぐらい滞在し、クリル人（註・千島蝦夷人）が来集して貿易をする。

と、書いている。つまりは北海道も無主の地で毛人《クリル》と日本との関係は貿易だけである、という。

一七七二年（安永元年・嘉兵衛四歳）、シベリア総督ブリルは、ベムという陸軍少佐をカムチャツカ総督に任命するにあたり、二十八カ条にわたる指令書を与えたが、そのなかに、

クリル（註・千島蝦夷）人その他をロシア国籍に編入すべく努力せよ。

という項がある。この指令にもとづき、三年後の一七七五年、コサックのアンチーピンを隊長とする探検隊を送り、その配下のシャバリンは一七七七年、第十九島のエトロフ島に上陸し、島のクリル人四十七人をロシア国籍に入れた。嘉兵衛がこの島に上陸するよりも二十二年前のことである。ロシア側の認識によれば、嘉兵衛はロシアの島に上陸してしまったことになる。

ついでにのべておきたい。

十八世紀のロシア人たちが、北海道についても、「千島《クリル》諸島の第二十二番目の島」と認識していたことについてである。つまりは、

「無主の島」

ということであろう。

もっとも、千島に対し、領土獲得を一目的としたチェルヌイの探検以前に、すでに長駆して厚岸まできたロシア人もいる。チェルヌイの活動より十年前の一七五六年（宝暦六年）のことであった。

この年、松前藩の「上乗役《うわのりやく》」（場所巡視官）牧田伴内という者が厚岸までゆくと、湾口の沖ノ島に異国船一隻がやってきて碇泊した。三日目には何人かが小舟を出して上陸し、蝦夷の女三人を掠奪して母船に帰り、そのあと大砲を放って去った。

この記録は、ロシア側の千島探検史年譜に該するところがない。おそらくイルクーツ

クやヤクーツクの毛皮商人が仕立てたラッコ獲りの船が、女がほしくなって上陸しただけであろうかとも思える。

チェルヌイがエトロフ島まで達した時代より二十七年前の一七三九年、ロシアの官命をうけて三隻の船をひきいたシュパンベルグ大尉が、いまの宮城県牡鹿《おしか》郡の半島のそばの網地島沖に一夜碇泊し、陸上をながめている。ついで亘理《わたり》郡の田代浜に碇泊した。いずれも仙台領である。日本でももっとも行政制度の整備したこの大藩の地をシュパンベルグは「領有」しようとしたのではなく、当時のロシア国の方針の一つであった日本との交易の道をさぐるつもりであった。はじめて目撃した日本人の衣服について、

「タタール（モンゴル人）のそれにそっくりである」

と、シュパンベルグが書いているのは、なにかの錯覚であろう。いずれにしても、これらの航海で、ロシア人は、名称は不明ながら、北海道《えぞち》という大島があることは、沖から望見して知っていたはずであった。

このシュパンベルグ航海は、日本の年号では元文四年のことで、将軍吉宗の治世であり、仙台藩がくわしく記録している。

こういうロシアの活動については、鎖国下の徳川日本は、鎖国の原理として諸事鈍重な反応しか示していない。

ロシア側は、やがて北海道《えぞち》が無主の地ではなく、日本国の主権下にあり、政府（松前藩）とその支配下の人民がいることを体験的に知るにいたるのは、一七〇六年から一〇

年にかけてのことで、嘉兵衛がうまれる半世紀以上も前のことである。かれらは北海道本土において松前藩の役人と接触し、交易を希望し、鎖国の国是をたてに拒否された。さらには嘉兵衛が二十四歳のころ、ロシアの女帝エカテリーナ二世の正使（ラクスマン大尉）までが、日露交易をひらくべく箱館にきて上陸しているのである。この時期にはロシアは千島についての地理学的知識は充足していた。鎖国日本が、ロシア事情に暗かったばかりか、当の日本が領土として主張する千島についても、ロシアより調査、把握がはるかに遅れていた。

要するに、日本とロシアの「領有」についての思想は、基盤としてちがっていた。ロシアがヨーロッパそのものの領有思想をもっていたのに対し、日本は中国のそれにやや近いものがあった。

中国の場合、遠い昔から清朝のある時期まで、皇帝というのは天意によって地上の政治をおこなう者で、地のつづくかぎり一人であるという観念が持たれていた。

いわば世界を領土としてより文明的に区別して認識していたにすぎない。区別は、華《か》と夷《い》のみであった。

華は、漢民族圏の文明をさす。しかしかならずしも人種論的ではなかった。中国の域内に住み、華という文明を身につければ、すなわち華であった。

華域のまわりには「文明」を身につけない蛮夷がいる。

中国の歴朝は、かれら四方の蛮夷が華を慕って朝貢してくれば、それだけでよしとした。かれらが朝貢のときそれなりに粗末な貢物《みつぎもの》を持ってくるが、それに対し、皇帝の側は何倍もの品物を下賜《かし》した。

下賜するというのは、皇帝とは地上の人類のすべての宗家であるという観念があったからであろう。つまりは野蛮をあわれみ、華としての文明の所産をくれてやったのである。

蛮夷にすれば、この味がわすれられなかった。長い年数をおいてやってくればよいのに、利をよろこぶ者たちは、しばしばきた。中国の歴代の王朝は、衰微してくると、かれらがやってくるたびに宮廷の財政が窮迫するため、そのようにしきりに来ることはやめよ、と婉曲にさとしたりした。

この朝貢と下賜との関係を「蛮夷」同士がやる場合もある。

渤海《ぼっかい》国というものが、いわゆる満州中部から沿海州の一部、朝鮮北部にかけての版図でもって成立していたことがある。七世紀末に興り、十世紀初頭にほろんだ。

非漢民族で、ツングース語族であったろうとおもわれる。が、華の文明を摂取し、その官僚は華の礼教や詩文を身につけていた。

その渤海国が、七二七年、奈良朝の日本に国使をよこし、来貢した。日本を宗主国としたわけではなく、兄貴分程度に見立てたのであろう。

貢物として持ってくるものは、こんにちの吉林省あたりで獲れたであろう貂《てん》の毛皮や、薬用人参、蜂蜜などであった。

日本側は兄貴分として立てられた以上、絹布、麻糸、漆器などをたっぷり持たせて帰した。以後、わずか百八十年のあいだに三十五回もきた。これには平安期の日本朝廷が悲鳴をあげてしまっている。

中国史上、終始豊かでなかった明の場合、もっとも諸蕃の来貢に音をあげた。これに対し日本の室町将軍義満が対明入貢に熱心で、一四〇一年（応永八年）、「日本国王源道義《げんどうぎ》」という名でもって使いを送り、明の皇帝に対して「臣」と称し、中国の冊封《さくほう》をうけた。

徳川期の対馬藩も、そうであった。

対馬藩十万石（格式）は幕府の大名でありながら、米の絶対量が不足しているということもあって幕府の黙認のもとに朝鮮にも朝貢し、毎年米をもらい、藩主・家老は朝鮮王から官位までもらい、いわば冊封をうけていた。太平洋戦争の敗戦後の日本に対し、韓国の李承晩大統領が対馬は韓国領であると一時主張したのは、この根拠による。この中国的論理のとおりならば、朝鮮も中国領になってしまう。要するに中国的な朝貢関係や冊封の関係はヨーロッパでいう領土権とは大きく異なっていたのである。

あるいは、小勢力の首長が大勢力の首長のもとにめずらしい品々を持ってあいさつにゆくのは、中国文明というより東アジア一般の土俗だったろうか。

蝦夷人——アイヌ——にも、古いむかしからそういう習慣があったらしい。

こういうあいさつのことを、アイヌは、

「ウイマム」

とよんでいた。和語の御目見得からきたことばであることは、定説である。あるいは、室町期に和人の武装集団がやってきて定住するようになってからできた習慣と言葉だろうか。

古い時代は、アイヌ同士でやったということが、諸文献にある。小勢力の首長が、舟をとくべつに飾りたて、毛皮などを積んで大勢力の首長のもとにゆく。大勢力の首長はこれに対して厚い礼をもってもてなし、めったに手に入らないもの——たとえば米——などをあたえて帰すのである。

このことは、小勢力の首長が、

「私はあなたを尊敬しております。あなたにとってこのように無害な者でございます」

と、言外に言っているつもりであろう。中国皇帝に対する諸蕃の王も、いわばそういう目的と態度で使者を送ったのである。となると、アイヌという小社会の外交慣習も、東アジアぜんたいのそれも、土俗としてさほどかわりがない。

松前藩主とアイヌの諸酋長との関係もそうであった。

「ウイマム」

は、松前藩の公用語であった。

この藩の成立以来、蝦夷地のほうぼうから、酋長たちが貢物を持って松前城下にやってくる。

藩主はその館において厚い礼をもってこれを迎え、謁見し、貢物をうけとり、そのかわりに、米、酒、漆器などアイヌの好む品々をあたえ、たがいに酒を汲みかわす。

ウイマムは、松前藩が商人たちに「場所」を請負わせてからもつづいた。定期的に松前城下から松前藩士が上乗役という名称の派遣者として場所々々にゆき、土地の酋長とのあいだにウイマムの儀式をかわす。

隷属を誓う儀式でもあったろう。

東蝦夷地きっての良港であるアッケシには、千島の島蝦夷もやってきて、上乗役とのあいだでウイマムをやった。

「ウイマム」

が存在するかぎり、松前藩が、千島の島々を自分の版図であると信じていたのは当然といっていい。

「版図」

という漢語は、十六、七世紀以後の西洋の概念でいう領土とはわずかに輪廓がちがう。版は戸籍、図は地図である。たとえば『宋史』の『王韶伝《おうしよう》』に、勇将王韶が西域の異文明人を伐ち、「降《くだ》ス所ノ蕃部《ばんぶ》ノ版図ヲ上《たてまつ》ル。地ヲ得ルコト二千里」とあるように、西洋とはちがい、土地を得るよりも、人民を畏服させた、というところに、この語の語感があったかと思われる。

日本の俗語でいえば、縄張りというようなところと近いであろう。対人主義で、対地主義ではない。

——あの博徒《ばくと》はわしの弟分だから、かれの賭場《しま》は、わしの縄張りになる。

と博徒たちがいうように、

——あの異域の王たちは、中華の文明に服した。

と、近代以前の中国の場合もそのように理解した。土地を強奪して中国の皇帝の地所にしたわけではなかった。

このように、松前藩が、アイヌ語でいうウイマム（御目見得）をつながりとして千島の島々を、版図（縄張り）としてきたことは、ヨーロッパの領土観念からみれば、まことに淡泊である。

ヨーロッパでの領土という法観念は、ローマ法に由来するらしい。

私人が、土地を所有している。それと同じように、国が土地を所有する。

というのが、所有の本質であるらしい。所有した以上、そこに主権が作動し、所有者は保全につとめねばならない。

その意味では、千島に対する松前藩の態度は、非ローマ法的で、古代以来の東アジアの版図思想どおりに大らかなものであった。幕府直轄領になる以前、千島のうち、役所（運上屋）を置いたのは、クナシリ島だけなのである。

ロシアは、ヨーロッパである以上、領土所有は私人の土地所有と同様、執拗なものをもっていた。

皇帝《ツァーリ》も、個人的に、他の地主と同様、農奴つきの土地を「私有」しているのである。大小の貴族も、おなじく土地を私有していた。金にこまると、それを売買することもあった。その土地の上に農奴が多数載っていてゆたかな生産をあげている場合は、高く売れた。

江戸期の日本の場合、将軍にも直轄領（四百万石とも六百万石ともいう）があり、諸大名にも、上は加賀前田家百二万二千石から下は一万石の小《こ》大名まで封土というものを持っていたが、この場合の封土はそこから租税をとり、人民を統治するというもので、西洋貴族のように、あるいはロシア貴族のように、土地を私有していたわけではない。

このため、余談になるが、明治二年（一八六九年）の版籍奉還が、じつに簡単におこなわれた。たとえば長州藩毛利家が、いまの山口県の土地すべてのロシア的な地主であったとすれば、版籍奉還など簡単には済まなかったであろう。

すでに、ロシアのシベリアへの膨脹についてのべた。主として、コサックの隊長どもが、各地に砦《とりで》を築き、そのあたりで狩猟生活をしていた原住民に毛皮税を課し、さらにかれらをロシアの国教の教徒にすることによってロシア国民にした。そのことによって土地を得た。

ただしかれらは土地を得るごとに、その土地をすべて皇帝に献上した。シベリアは、個人の土地所有権と同様、皇帝の所有地になったのである。

北千島も、そうであった。

「たしかに所有した」

という証拠のものを、さまざまに残した。役所に類するものを置いたり、原住民を受洗させてロシア国民にしたり、それらの酋長に、ロシアの出先機関の役職の名をあたえたりした。

右のような思想のもとで、右のように作業をしつつ、皇帝の役人であるカムチャツカ総督の指揮のもとに千島列島を南下していたのである。

幕府は、オランダ人を通じてのことであったか、かすかながら西洋式の土地領有のありかたがわかりかけていたために、あわただしく東蝦夷とそれに属する千島列島の一部を直轄領にしたとはいえ、彼我の基本思想の相違までは理解していなかった。

以下も、嘉兵衛のこの時期よりのちのことになる。

事柄のくりかえしになるが、幕府とロシアのあいだでおこなわれた日露（魯）和親条約の調印は、一八五四年二月七日（安政元年十二月二十一日）で、場所は伊豆下田長楽寺においてである。

条約文書は、日本文のほか、漢文、オランダ文などが用いられた。

ロシア側の全権使節は、海軍中将プチャーチン（一八〇三〜八三）である。

日本側の代表は、筒井肥前守政憲《まさのり》と川路左衛門尉聖謨《としあきら》であった。

和親条約を結ぶについての喫緊の課題は、日露とも、日本北方の境界線を確定することにあった。

会議にあたって、プチャーチン側から、嘉兵衛が現在この作品の中で立っているエトロフ（択捉）島という名が出された。

プチャーチン側の口述を要約すると、

「千島列島中のエトロフ島は五十年前にロシア人がこれを発見し、居住していた。そのあと、日本人がやってきてこれを手に入れ、居住した」

と、いった。たしかに、ロシアの伝統的な領土論からいえば、ロシア人がまず拾い、ロシア国籍の者が居住することによってその所有を確定したにもかかわらず、日本人があとからきてここに居住したことになる。プチャーチンが属する社会の思想においては、この論理はすこしのまちがいもない。

つづいて、エトロフ島の北東隣りのウルップ島の名をあげ、

「この島は、エトロフ島発見以前からロシア領である」

と、いった。このことも、右の固有の思想からいえば、まことに正しい。ただプチャーチン側は、ここで飛躍した。

「によって、千島ぜんぶが、ロシア領である」

といった。もっとも松前藩がふるくから開発していたクナシリ島については、四捨五入するように言及しなかった。

次いで、樺太についてである。プチャーチン側は、いう。

「樺太島については、先年、ロシアが黒竜江口（註・沿海州）に進出したとき、樺太島の住民がロシアへの帰属を願い出た。によってロシア皇帝はこれを容《い》れ、その保護のために軍隊を駐屯させた。ところが日本の場合、南部にすこしの居住民がいるのみである」

これも、ロシアの固有の領土思想としてきわめて実証的であり、論理にもまちがいはない。

これに対し、川路は、

「蝦夷千島はカムチャツカまでもわがほうの所有である」

と、すでにのべた中国的な領土観による大風呂敷をひろげた。

この中国的領土観は、すでに「開国」によって幕府（ひきつづき明治政府）みずからが、ヨーロッパ風の国際法思想へ転換（厳密にいえばアジアの文明的な屈服といえる）した以上、古ぼけた田舎論にすぎなくなっている。川路もそのことはわかっているが、プチャーチン側がぜんぶわがものだと言った以上、それを持ち出さざるをえなかったにちがいない。

双方、劈頭《へきとう》でいわば喝声《かっせい》をあげ、のち現実にもどり、静かに接点を見つけあった。幕府とロシアのあいだで結ばれたこの一八五四年の日露和親条約が、両国の関係の基礎になった。

ロシア側が日本側に提示した条約草案がのこっている。その要領は、第一条に、

日露両帝国（註・ロシアは将軍をもって日本国皇帝としていた）間に和好を結び、双方、永遠に親交を為す。日露両国において、両国民はその所有権を保有す。

とあり、第二条に、

不和の禍原《かげん》を杜《ふさ》ぐため、両国の境界を定む。日本領の界は、北はエトロフ島、及び樺太の南部アニワ湾とす。

とある。

結局、この条約では、樺太問題がきまらず、千島列島における両国境界がきまった。

エトロフ島以下を日本領とし、ウルップ島以北をロシア領とする。

となった。

ロシア側にすれば、

――エトロフ島はもとより、千島列島ぜんぶわが国のものだ。

と、最初に唱えた線から後退して、エトロフ島以南は日本領であるということになり、日本側からすれば、川路がロシア側の第一声に応じて「千島どころかカムチャツカ半島まで日本の固有の領土である」という多分に駈けひき的な表現から、大きく後退して、千島列島二十余島のうちわずかに南千島の二島（エトロフ島とクナシリ島）とハボマイ（歯舞）諸島、シコタン（色丹）島を領土としたにすぎない。しかしこのことは、欧州流の領土思想からいえば妥当なものであった。明治八年、未解決の樺太の所属問題をきめるべく対露交渉をした榎本武揚もその『千島彊界考』のなかで、

エトロフは、寛政中、我版図に入りしも、ウルップ以北は我版図に入れる史乗なし。

と、明快に断定している。

榎本が、明治初年にあっては唯一の国際法の習得者であったことはすでにのべた。十九世紀後半において、領土論のアジア的思考法が日本の責任ある政府のなかから消え、さらには明治政府によって法体系までがヨーロッパ式になった以上、かつて最上徳内が

文章に書き、公式の席では川路聖謨が発言したアジア的な版図論は、日本みずからがその思想そのものを消滅させたといっていい。つまりは、

土地をあらたに取得もしくは既得権を主張する場合、私人の場合と国家の場合との別なく、力と、欧州風の公認を得べき手続きさえととのっていれば、所有権が成立する。

ということであり、アジア的版図論からみればまことに露骨ではあった。そのかわり有害無用の情念を主張にからめる余地はなくなった（もっとも、のち壮士的論議のなかにだけ、この気分的な版図論は残ったが）。

すでにのべたように、一八七五年（明治八年）、露都ペテルブルグでの交渉で、樺太全土はロシア領、千島列島は日本領ということで落ちついた。この「領土交換」も、日本側記録ではもともとロシア側の提案によるものであった。前年の一月二十一日、寺島宗則《むねのり》外務卿が、横浜のロシア領事館でオラロフスキー代理公使と会談したとき、同代理公使は、

——樺太を渡せば千島を譲る。かの島々は漁利が多い。

と、提示している。日本側の気をひいているのである。この一事でも、交換案がロシアの誘導によるものであったことがわかる。前掲『日本現代史』ではロシア自身がそれ

を忘れているのであろう。

エトロフ島にある嘉兵衛にもどす。

かれは、そういう島の一角に、宜温丸を着岸させたのである。

かれが船を寄せたタンネモイ（丹根萌）の入江は、長大な岬によって北風からまもられている。タンネモイとは、長き入江という意味らしい。左舷に岬を見つつ船を入れてゆくと、水深はしだいに浅くなり、やがて黒っぽい砂浜に達した。

「陸《おか》へあがる」

と、一同に言い、小舟をおろし、まず嘉兵衛が乗って、第一番に上陸した。このあたりに、島蝦夷の家が三軒あった。

嘉兵衛は、エトロフ島については近藤重蔵からくわしくきいていた。

これだけの大きな島に、蝦夷人が七百人ほどしか住んでいない。

千島第一の大島ながら、島蝦夷たちの社会は、他から孤立していた。

「魚を獲るすべもあまり知らない」

と、重蔵からきいていた。せいぜい川をさかのぼってくる魚をヤスで突いてとる程度で、網を持っていない。元来、漁撈の民でありながら、漁具らしい漁具を持っていなかった。

蝦夷地（北海道）の蝦夷人たちが、いかに松前藩の場所請負商人に搾取されぬいているとはいえ、かれらは本土の進歩した多種類の漁具をつかっており、それからみればエトロフの島人《しまびと》は、ほとんど未開の段階に近かった。

着る物も、粗末だった。げんに黒い砂を踏んで嘉兵衛の前にあらわれた人達は、この季節に古毛皮をまとったり、あるいは裸形《らぎょう》のままでいた。

かれらを文化的に隔絶しているものは、嘉兵衛がわたってきた国後水道であった。あの厄介な潮流が沸くように渦巻いているために、文化の進んだクナシリ島の蝦夷人もほとんどやって来ず、その影響をうけることがうすかった。

島蝦夷たちは、漁撈民であるとともに、交易の民でもあった。この遅れたエトロフ島の島びとさえも、交易するのである。

かれらは、自分たちが住んでいるエトロフ島が千島最大の漁業の宝庫であるにもかかわらず、渡りやすい北東のウルップ島へゆき、そこでラッコやアザラシ、あるいは鷲《わし》の羽をとって、それを交易のたねにした。

持ってゆくさきは、クナシリ島か、さらにながながと漕いで蝦夷地のアッケシまでゆく（松前藩が、千島の島びとはみなアッケシでウイマム――御目見得――しているから、古来、わが領土であるとしてきたのは、こういう事情による）。

その命がけの渡海による交易もせいぜい年に一度か二度であるために、かれらの貧しさについては、嘉兵衛の印象ではかねてきいた以上であった。その粗末な家を見、鍋一つ持たぬ暮らしを見、さらにはまだ二十代というのに老人のようにひからびた異様な若者を見るにおよび、気の毒さに、しばしば落涙しかけた。

嘉兵衛は、翌朝、岬の岩山を灰色の影にしてしまっている海霧のなかへ船を出した。かれの任務が、国後水道の航路の確立ということにあるかぎり、すでにその目的は達しおえている。が、それ以上に幕臣近藤重蔵の役に立ってやろうと思った。

近藤重蔵が上から命じられている役目は、もはや探検ではなかった。エトロフ島に、幕府直営の漁場をひらくことであった。クナシリ島も重蔵の担当であったが、しかしここは松前藩がふるくから漁場を経営している。産業という点からいえば、エトロフ島は新天地であった。

(近藤様には、魚のことも、魚の獲り方も、よくおわかりになるまい)

と、嘉兵衛はおもっている。

——こことここで、場所をおひらきになればよろしうございましょう。

そう教えてやれば、重蔵に、漁船、漁具その他を用意するめどが出来るに相違ない。

(わしは、ただの船頭ではない。漁師でもある)

という自負が、嘉兵衛にある。

熊野灘あたりの漁師ならともかく、淡路島の播磨灘海岸などにうまれた嘉兵衛は、うまれ在所がもつ漁業の力からいえば、大した漁師とはいえない。あの海岸の新在家あたりの浦では、ほとんどが雑魚《ざこ》とりで、群来《くき》をなしてやってくる魚といえば、ボラぐらいであった。

かつて松前城下で、ボラの話をすると、通じなかった。秋田あたりではこの魚をシュクチということを思いだし、そのように言うと、

「お国の淡路では、シュクチのような泥臭い魚も、魚のうちですか」

と、大笑いされ、はなはだ面目を失した。松前城下どころか、淡路の属島の沼島でさえ、ボラを笑う。沼島は、島のまわりで鯛《たい》やあわびといった金目の魚介がふんだんにとれるのである。

しかし嘉兵衛にとって、故郷のボラ漁の経験と知識は、大切なものであった。この漁の実感の上に、かれは故郷では魚として見たこともない鰹《かつお》の研究もしたし、また寄港してゆく各地の浦々で、多種類の漁法や網を見、それを理解することができた。何といっても、かれを啓発したのは、熊野の浦々での漁法であった。

（熊野衆は、日本の他の浦とは、人《にん》がちがうのではないか）

と、嘉兵衛がときに溜め息をついたほどに、かれらは漁についての研究心が旺盛で、進んでもいた。

蝦夷地にきてから、場所々々で漁業を見つつ、

（存外、遅れている）

と思ったのは、それらの知識の上に立っての感想であった。松前藩の場所請負商人たちは進んだ本土の漁具をとり入れてはいたが、しかしそれらは、本土ぜんたいの浦々を

かれらが見歩いての研究の結果ではなく、せいぜい津軽や出羽の浦々からの影響をうけている程度にすぎなかった。

嘉兵衛は、沿岸を帆走した。

タンネモイ錨地をつけ根にして水牛のつののように長くつき出た岬を東へまわると、そこはひろびろとした湾になっている。

むかし海底から大噴火をした跡が、半円ぶんだけ海中に没したかのようにして、湾入している。

陸地として半円ぶん残された噴火口の壁が、大きく湾口をなして、そこへ入ってゆく宜温丸を、風浪からふせいでくれていた。

それにしても、異様な陸景であった。

半円をなした湾岸が、ことごとく黒ずんだ断崖でできていて、船をどこへ寄せるべきか、嘉兵衛は迷うというより、おびえを感じた。

（船を、あまり岸に近づけぬように）

と判断し、わざわざ小舟で接岸し、まわりを見分した。

この湾を、島蝦夷たちは、

「モエケシ（萌消）」

とよんでいた。

錨地は、なかった。かろうじて湾の東北のすみに、ニイチショウニという浜らしいものがあり、小舟ならば仮泊できそうであった。

「このあたりは、ろくに、川もないな」

と、嘉兵衛は見た。巨大な鉄の城塞《じようさい》を見るようなこの断崖つづきの湾岸は内陸に対しても、桶のふちのように高峻らしく、従って川というものが流れて来そうにもない。川がなければ、魚がのぼってくることがなく、つまりは漁場もひらけない。

嘉兵衛は、モエケシ湾の湾内で沖泊まりし、翌朝、絶好の海風を得て快走し、となりのナイホ（内保）湾に入った。湾としてはモエケシ湾の数倍のひろさがあり、湾岸も、断崖ばかりでなく、浜もあれば、野もその奥にひろがっているようであり、さらにはいくつもの河口が、白銀色の光りをきめらかせていた。

「これは、いいところだ」

風のなかで、嘉兵衛は大声をあげてふなばたを一つたたいた。

ナイホ湾は、南はカバラ（モエケシ）岬、北はポロノツ岬が、湾をかかえこんでいる。南のカバラ岬は山骨が赤っぽく露出して無愛想だが、北のポロノツ岬は、岬というより海中に突き出た富士山といった感じで、まことに優美であった。この山が、

「アトサノボリ」

という名であることを、嘉兵衛はあとで知った。

山は、高さは一二〇六メートルで、たっぷりした裾をひらいて海にひたしている。そ

の裾野の湾内の側は、濃緑の羅紗《ラシャ》をかさねあわせたように針葉樹でおおわれている。

山容ぜんぶを海面にうかべた小型富士は、どの海上からも目印として見えるはずで、当然ながら、船乗りの神であった。岬をすべて神とする嘉兵衛たち船乗りも、これほど美しくかつは明瞭な姿をもった「神」を見たことがない。

嘉兵衛は、この山をおがんだ。嘉兵衛のその動作とはかかわりなく、同乗の蝦夷人たちも神に拝礼する表情をしてみせた。自然を神とする点、和人も蝦夷人も似ている。

嘉兵衛は、宜温丸を大ナイホ川の河口に近づけ、碇を入れた。

大ナイホ川の河口の野ほど、原野ということばにふさわしい自然はなかった。小富士ともいうべきアトサノボリの山の裾野からつづいている樹林が、河口の北岸近くまでやってきていて、その林の端から、河口にかけて地がひくくなっている。野は草でおおわれ、道がなく、歩きにくかった。

嘉兵衛は、浜に出むかえた土地の蝦夷びとの首長《おとな》に自分の名を名乗った。

「タカダヤ」

と、嘉兵衛はいった。

嘉兵衛は、みずから名乗ったのはこのときだけであったが、一年後、この広大な島に点在している蝦夷村で、高田屋の名を知らぬ者はたれひとりいないといわれた。元来、蝦夷人たちは島外からくる人につよい関心をもっていたが、外来者についての情報の伝《でん》播《ぱ》力も相当なものであることがわかる。

この日、土地の首長は、嘉兵衛のために、

「オムシャ」

とよばれる対面の宴を張ってくれた。

蝦夷人というのは、礼において、和人よりもはるかにあつい文化をもっていた。

嘉兵衛が、みずから持ってきたむしろの上にすわっていると、首長以下おもだつ者が、ちょうど幼児が、たがいに手をにぎって列をなすようにしてやってくるのである。

かれらはすわるや、いっせいに合掌する。通詞が声をかけると、畏《おそ》るるがごとく、ためらうがごとく、身をよじるようなしぐさをしながら、ひざを進める。

さらに通詞が声をかけると、慎みを過度にあらわしてふたたびひざをすすめる。

嘉兵衛は通詞にいわれ、左手をさしだすと、首長がまずその掌を自分の両掌でつつみ、頭上にあげておがむ。次いで嘉兵衛の掌を自分の心臓のあたりにこすりつけ、さらに再拝して自分の髪のびんに触れさせ、次いでひげにいたるのである。

その間、すべて無言であった。

和人の古俗でもそうであったように、島蝦夷にとっても外来者《まろうど》は神《カムイ》であった。蝦夷地の蝦夷人も島蝦夷も、古来、外来者に対しすべてこのように自らへりくだり、相手を、神もしくは貴人として篤《あつ》く「オムシャ」をやってきたために、古い時代の松前人も、あたらしい時代の赤人も、

——かれらは、服従したのだ。

と、かんちがいしたであろう。

事実、かれらは外来者に服従した。かれらが反乱をおこすときは、外来の権力がよほどの悪事をする場合にかぎってのことであり、この自然にくるまれて生きている採集生活者たちは、じつに礼儀ただしく、温和でもあった。

ひとわたりの所作がおわると、首長がはじめて声を発する。

「ヤイコエルルカレ」

かたじけのうございます、という意味である。再拝してしりぞき、自分の座にすわる。嘉兵衛は、みやげ物をあたえ、さらには酒肴を出した。酒をみたとき、一座の蝦夷人の顔が、陽が射したようにいっせいにほころんだ。

(美しいひとびとだ)

と、嘉兵衛はおもった。

嘉兵衛は、八日滞留した。

その間、内陸にむかって歩けるだけ歩いた。

さらには、船で他の沿岸をも実見した。

その結果、

——エトロフ島の富(漁利)は、一島でもって蝦夷地のあらゆる場所に数倍するのではないか。

　という確信をもった。

(近藤様が、およろこびになるだろう)

　嘉兵衛のこの「場所」予定地の探査は、近藤への好意にもとづくもので、水路按検の船頭としては、余計なことではあった。ひとつには、探検好きの嘉兵衛にとって、この地は、心臓がおどるのをおさえるのにこまるほどに好奇心を刺激した。

(漁具をたっぷりもってきて、蝦夷人を和人なみにひきたて、かれらにも十分の利をあたえれば、たいそうな場所になる。その漁利は、米に換算すれば本州の一カ国以上になるのではないか)

　とおもった。

　嘉兵衛は、運上屋を置く土地をきめ、さらには、いくつかの場所を予定した。

　嘉兵衛は、島人たちからさまざまなことをきいた。

「イカリ、イカリ」

　という蝦夷人がいう和語から、ナイホよりずっと南のモヨロという浜に、銹《さ》びてぼろぼろになった古碇《ふるいかり》が三つも砂浜にころがっているということを知った。これについて、のち、最上徳内に会ったときにきくと、紀州薗《その》村の廻船問屋堀川屋八右衛門の船の遺物であるという。沖船頭友右衛門が乗って相模の浦賀を出てから難風に遭い、北へ吹き流されてついにこのエトロフ島に漂着した。のちかれらは小舟で北海道《えぞち》に帰り、規定により難船の旨を松前藩にとどけ出た、という。宝暦六年（一七五六年）のことで、嘉兵衛のこの時期からいえば、四十三年前である。

最上徳内がはじめてエトロフ島のナイホに上陸した一七八六年というのは、嘉兵衛がここにくるより十三年前であった。

そのとき会った首長《おとな》はハウシビという者で、赤人とは親しく、ロシア語を話し、弟のイバヌシカにいたっては、ロシアの国教に化し、洗礼名をもち、まったく赤人化していた。

この前後、ロシアはウルップ島に植民団を派遣していたが、エトロフ島にきていた三人の赤人というのは、その一派であるという。徳内がさがしだして、親交を結んだ。ただ、この島での不法居住を責めると、

——ウルップ島の連中と喧嘩をしたのだ。

と言いわけをした。

嘉兵衛がこの島にきたときは、徳内が会ったという赤人はすでに居ない。

ここに、オランダの資料がある。この島が、ロシア人がはじめて千島探検に出かける（一七一一年）よりも、六十八年前、オランダ人に占有されたことがある。

一六四三年、バタビヤ総督の官命により、M・G・フリースという航海者が、二隻の船をひきい、日本の北方を探査し、ウルップ島に上陸して、占有のしるしである標柱をたてた。ついでエトロフ島の沖をかすめ、この島に、

「ピーク・アントニー島」

という名をあたえた。ただし、そのあと経営を伴わなかったためにその占有権は消滅したが、まことに「無主」というのは事をおこしやすい。

帰帆

あすはクナシリに帰るという日、嘉兵衛は近在の島蝦夷たちをまねき、ナイホの浜で酒宴を張った。

和人がもたらす酒と米は、蝦夷地、千島を問わず、蝦夷びとの大好物であった。

嘉兵衛は、船中の大釜を浜にすえさせ、海水をまぜてめしを炊かせた。

蝦夷人たちはそれをよろこび、女蝦夷までが、釜のまわりで、

「ああ、うれしや」

と、踊った。

（それほどに、米を好むか）

というのが、嘉兵衛の驚きであった。嘉兵衛は武士ではないために観念的な理想論な

どあまり口にしなかったが、沼島衆をかえりみて、

「せめて、この島々の人達に米をもってきて食べさせたい」

と、感動のあまり、声をふるわせながらいった。

「米」

というのは、蝦夷人と和人をへだてている唯一の隔壁なのである。米を作り、あるいは米を租税にとりたて、または米を売買し、平均して米を食っている者が和人とすれば、蝦夷人はそうでないだけのことである。

「赤人も、米を食う」

と、嘉兵衛に教えてくれたのは、最上徳内であった。

徳内は十三年前、このエトロフ島で三人の赤人に会い、蝦夷人たちをまじえて酒宴を張った。このとき米のめしを出すと、赤人たちははじめての経験であったにもかかわらず、じつに旨い、といって食ったという。

このナイホの浦での酒宴は、徳内がやったことを嘉兵衛はまねたのである。酒を飲まない女や子供には、握りめしを食わせた。

男のなかには、女どもの握り飯をうらやましがり、片手にめしを持ち、他の手で酒の椀をにぎって、一口食べては酒をのむ者もいた。

「赤人は赤人踊りをおどり、蝦夷人は蝦夷の踊りをおどった」

と、徳内がいったことを嘉兵衛はおもいだし、酔いの勢いで下手な阿波踊りをおどっ

た。

蝦夷人たちも、砂を踏んでおどった。

この夜、島の空のすみずみまで、金や銀の鋲《びょう》のように星がかがやいていた。あすは晴れだ、と嘉兵衛は確信した。

翌朝、明けるにはよほど間のある時刻に浜に出た。霧が出て、星がかくれ、なにやらあやしげな天候であった。

「風は、午《うま》（南）じゃ」

嘉兵衛はつぶやきつつ、この風に乗ってナイホ湾を出ようと思った。なお夜があけきっておらず、船中たがいに顔も見さだめがたかった。

「帆ゥ、あげえーい」

嘉兵衛がいうと、たれもが、まわりの山や岩礁も見えないのに船を走らせるのか、と驚いた。

が、みんなが嘉兵衛の名人芸を信ずるようになっていて、だまって作業をはじめた。

船は、快走した。

嘉兵衛が命じた針路は、申《さる》（西から南へ三〇度の方角）である。夜があけきったころ、嘉兵衛が予測したように、擂鉢《すりばち》色のカバラ岬を左舷に見た。

やがて霧が深くなった。

「このあたりの海は、午の風が、霧をもってくる」

と、嘉兵衛は、沼島衆のかしらの源兵衛にいった。南風を帆に受けねば島を離れられない以上、霧の海をゆくことがむしろ当然なことになる。逆にいえば、霧が出れば帆をあげていい。

「しかし、霧の海は、何度わたっても気色がわるい」

沼島衆の源兵衛がいった。

「まったく。——」

嘉兵衛は、うなずいた。どこに岩礁があるのかわからず、ただ帆と帆柱に鳴る風と、足もとからしぶきあげてくる波の音を聞いているだけなのである。嘉兵衛は、方角としては、当初は北西をめざしたりしたが、やがて、

「申」

を堅持し、舵をうごかさなかった。

十五里ばかりゆくと、潮が黒くなった。船はともすれば南へ流されたが、嘉兵衛は舳先を船磁石の針の「申」にあわせつつ進んだ。

二十里ばかりゆくと、霧がうすれ、クナシリ島のチャチャ（茶々・爺爺）岳が影のようにうかんできた。それより以前に、すでにアトイヤ（安渡移矢）岬の岩を嚙む白波が見えている。

嘉兵衛は見覚えた稲荷山をめざしつつ、岬の東北側の浦に船を入れ、碇をほうりこま

せた。

浜には、近藤重蔵が出迎えていた。嘉兵衛は、はしけが腹を砂にこすりつけるのを待ちかねて、渚にとびおりた。重蔵も、渚の水を蹴って嘉兵衛の手をとった。

「よくやってくれた」

「なんの」

嘉兵衛は重蔵に報告すべく、砂の上にしゃがむと、砂を両掌《りようて》に盛って、クナシリ島とエトロフ島のかたちをつくった。

さらに両島のあいだの国後水道をつくり、砂に指を突っこんで、北から南へ切るように潮が流れているさまを示した。次いで一線、さらに一線をえがき、これらがたがいに揉みあいつつエトロフ島西南端のベルタルベ岬に激突する状態を説明した。

「それが、このあたりの潮流《しお》か」

「左様でございます」

次いで嘉兵衛は、航路を説明した。砂の上の稲荷山の下の浦を指さし、

「この浦から船を出して子《ね》（北）にむけます」

と、指を北へうごかした。

「子に？」

「子でなければなりませぬ。いままで蝦夷たちが、いきなりあの瀬戸（国後水道）をわたるべく舟を卯《う》（東）にむけたために、滝壺のなかに落ちこんだようになったのでござ

います」

「わしが去年、最上徳内とともに蝦夷舟に乗ってわたったのも、卯だった」

「卯は、悪《あ》しうございます」

といい、嘉兵衛が考案して成功した水路を、近藤に丹念に教えた。さらに、それにしてもこの渡海は大船であるほうが望ましい、ともいった。

「嘉兵衛、大功をたてた。箱館へ行ってくれるか」

嘉兵衛は、宜温丸を駆って、箱館をめざした。

途中、ネモロ（根室）に寄り、次いでアッケシ（厚岸）に寄った。最後に襟裳岬を西へまわって様似に寄港したとき、空いっぱいに紺を流したような晴天だった。蝦夷地の夕雲、蝦夷地の星月夜、蝦夷地の青い天を見ずに死ぬ者は何と不幸だろうと嘉兵衛はおもった。

「様似」

が、幕府による東蝦夷地開発のための一基地で、ここに食糧や資材が集積されていることはすでにのべた。

さらに、幕府が道路を開鑿《かいさく》中で、その工事の監督が最上徳内であったことも、すでにふれた。

徳内がうけもったこの工事が入念であったために、蝦夷地に関する総裁である松平信濃守忠明がよろこばず、さらに忠明の叱責に徳内が反論したため、工事現場から「取放し」(免職)処分になり、江戸へ追いかえされた。愚にもつかぬ官僚主義のために、幕府は不世出の人物をうしなったのである。

様似では、近藤重蔵が、道路工事の状況を見るために下船した。

嘉兵衛は船を様似の錨地に寄せているとき、かたわらの近藤重蔵に、

「最上様は、惜しうございましたな」

と言うと、近藤はにわかに不機嫌な顔をした。

嘉兵衛は不審におもった。

(なにか、気に入らなかったか)

武士というのは、何をどう反応するのか、嘉兵衛などには見当のつきかねるところがある。が、嘉兵衛にすれば言い出した以上、言いきってしまわねばならない。

「千人の御歴々を蝦夷地に派遣するよりも、一人の最上先生が蝦夷地にあるほうが、大公儀のお役に立ちましょう」

「嘉兵衛、言葉が過ぎはしまいか」

近藤の目が、別人のようにけわしくなっている。

「嘉兵衛、そなたは町人である。卑しき舌にて御政道をとやかく言うことはならぬ」

御政道というのは「天下の政治」という意味だが、この場合、近藤のいうのは「幕府の人事」ということであろう。なににしても、百姓町人が政治批判をしてはならぬとい

う不文律が幕府にあるのに、平素、およそ平たい顔つきをしている嘉兵衛が、傲岸なほどの面がまえになって、右のことを言ったのである。

近藤重蔵が、本来、正規の幕臣の出ではなく、「地役人」とよばれた江戸町奉行配下の与力の出であることは、すでにのべた。与力は、武士の一種ではあるが、町人を相手に生涯を送る特殊な職である。近藤はそういう前身だけに、嘉兵衛をいわば取締ろうとしたのにちがいない。

嘉兵衛は、沈黙した。

（これだから、武士はいやなのだ）

と思ったが、顔には出さなかった。ただ、

「私ども町人は、物を為《し》なければ生きてゆけませず、鳥が翼を上下させて空を飛んでおりますように、物を為《す》ることだけで身を保っております。大公儀も蝦夷地にお手をつけ遊ばした以上、物を為るという人が大切かと思い、申し上げたばかりでございます」

と言い、やがて近藤重蔵を伝馬船に乗せて浜まで送ったあと、ふたたび帆をあげて箱館にむかった。

嘉兵衛は箱館に上陸すると、金兵衛以下店の者に、つぶさに自分の航海体験を話した。体験をたがいに語りあって共有のものにしておかないと、蝦夷地のような未知の海で仕事をしてゆけないのである。

翌朝、役所からよびだしの差紙《さしがみ》がきた。

ゆくと、下座に宮本源次郎がひかえている。こんどの嘉兵衛の航海については、宮本が上のほうに十分報告してくれてあるはずだった。

「重蔵に叱られたそうだな」

上座から、三橋藤右衛門が、笑いながらいった。そのそばに、高橋三平がひかえている。

(そういうことまでお耳に入っているのか)

「気にするな」

三橋藤右衛門がいった。

「蝦夷地では、そなたのいうごとく、御旗本といえども町人のごとく物を為《せ》ねばならぬ。役人というのは、本来、役職をしとねとしてすわっているだけのものとされたが、その式では蝦夷地はどうにもならぬ。近藤も、ただの役人ではない。よく物を為る。ただ、町人のように平然と物を為るのではなく、すこし大げさだが」

かつて重蔵は、海濤の沸きかえる国後水道を越えたとき、木の皮を張りあわせた蝦夷舟の舳に、かれが崇敬する武田信玄の軍陣の旗をつくらせてかかげた。たかが海峡をわたるのに、「風林火山」の旗をかかげてゆくなど、気勢《きお》いこみがつよすぎたのではないか。

「高田屋」

三橋藤右衛門は、鄭重に屋号でよんだ。

「エトロフ（択捉）渡海の水路の按検に成功したことは、宮本源次郎からきいた。この一事だけでなく、まだまだそこもとの力を借りねばならぬ」

「………」

嘉兵衛は、平伏したまま、だまっていた。

「いやか」

（それは、こまる）

と、嘉兵衛はおもった。

自分の商いは、蝦夷地の魚を魚肥にして上方に持ってゆき、上方の米、雑貨を蝦夷地にもってくるというしごとである。

日本海航海は、季節を選ぶため、平均して一年に一、二航海しかできない。嘉兵衛は、船をふやすことによって、商い高をあげようと思っていた。船を買うにはともかくも懸命に商いせねばならない。弟の金兵衛がそのことに専念していて、嘉兵衛が官命によるとはいえ多分に道楽というべき水路開拓航海にうつつをぬかしていることをよく思っていなかった。

「おそれながら、このやつがれの商いと申しまするは」

と、嘉兵衛は、幕吏にとってわかりきった北前船交易について説明した。

「嘉兵衛、わかっている」

三橋藤右衛門は、いらだった。

「蝦夷地では、役人も町人のごとく物を為ねばならぬ。そのかわり、町人も士の心を持ってよいのではないか」

つまりは志を持ってよろこんで公に殉ずる、という心である。しかしいま江戸や諸藩の役人に士の心などどれだけあるであろう。役人が持たぬものを、町人に強いるのは、酷ではないか。


箱館役所から毎日のように差紙がきた。

その間、嘉兵衛は水路按検の功によって銀幾枚かを褒賞としてもらった。このとき、三橋藤右衛門から、

「蝦夷地御用のかぎりにおいて、公儀御用をつとめてもらえないか」

と、懇願された。

(金兵衛がおこるだろう)

嘉兵衛はおもった。三橋藤右衛門のいうところは、エトロフ島開発のためのあらゆる物資(官物)を運ぶ船頭になってほしい、ということであった。

(商いとしては、まことにつまらぬ)

運賃かせぎだけで、荷をかせぐことができなくなるのである。このため、持船船頭はできるだけ御用船頭になることを避ける。

「嘉兵衛」

三橋藤右衛門は、親しみをこめ、名でよんだ。

「そこもとの力がほしい」

「とんでもございませぬ」

おれに力などあるものか、と思った。武家こそ力ではないか。この世で将軍と言い、大名とよばれる者こそ力を持ち、四民に君臨している。四民の末といわれる町人に何の力があるだろう。

三橋藤右衛門は、御勘定吟味役である。明治後の官吏身分制に強いて翻訳すれば、勅任官《ちよくにんかん》になる。嘉兵衛など、この浮世で顔がおがめるような相手ではなかったが、それが嘉兵衛の手を取るようにして懇請しているのである。

（この世に、ありうべからざることだ）

どこかの古寺《ふるでら》にまぎれこんで、狐狸にたぶらかされているような非現実感がなくもない。

（武士の世が、おわるのではないか）

不意にそんなことが、灯《ともしび》のようにともって、すぐ消えた。武士は星を見て方角を知ることもできず、風を見て帆のむきを操作することもできず、蝦夷地を拓いて耕地にすることもできず、魚群を見て獲るすべももたない。さらにいえば、各地の物産を見てそれらを欲する地にくばるというしごと——嘉兵衛によれば世間そのものの働き——を知らない。

なにも知らない。

ただ武士には規律がある。ときには自己犠牲があるだろう。それに、これは武士のなかでも稀有《けう》なことだが、天下の行末を憂えるという精神がある。

これらについては、嘉兵衛自身、百姓や町人のなかで見出したことがない。嘉兵衛は蝦夷地にきて、志のある幕臣たちに接するうち、

(自分の三十年のこしかたのなかで、見たこともないひとたちだ)

という思いを持った。ときに感動もした。

(三橋様は、物を為るにおいては、赤児のようなお方だ)

しかし、三橋には、理念と志がある。たたずまいは高雅で、身分からいえば糸屑のような船頭に対し、物を乞うような態度で頼んでも、妙手の舞を見るように雅《みや》びている。

嘉兵衛は、ことわりにくかった。


嘉兵衛は、ことわればよい。

江戸時代は、独裁国家ではなかった。たとえば、幕府や藩には、その統治下の町人に対し、かれらの意志を無視して、

――御用をつとむべし。

などと強制できる法慣習がなかった。

むろん、絹服《けんぷく》を着ておだやかな表情ですわっている幕臣三橋藤右衛門のほうも、嘉兵衛に強制できるなどとはおもっていない。

「どうであろう」

といったり、

「どうかな」

というような用語をしきりにつかい、途方に暮れたような表情をするのである。

「私は、これからの蝦夷地のことを思うとき、霧の中にいるようで、行先を見さだめるどころか、足元さえわからなくなる」

三橋の正直さが、わかるであろう。

かれは、幕政下の蝦夷地の現地における数人の長官の一人なのである。それが、一介の船頭の嘉兵衛にむかって、肚の中の景色を見せている。

幕吏の常套《じようとう》のことばとして、何か尋常《じんじよう》でない命令をくだすときや、先例のすくない——もしくは事態によって異例な——判決をくだす場合など、

「上《かみ》の深き御思召しにより」

とか、

「上の格別なお仁慈により」

といった表現をつかう。

「上」

とは何か。それは、証明を必要としないこととされている。

上とは、本来将軍である。しかし将軍自身が行政のすみずみまで独裁権をふるうという例はまれで、しかも歴世、凡庸な将軍が多い。このため官僚組織は、将軍を一種の法人格といったような真空度の高い存在とし、その「威」と「仁」をかかげつつ、下々に臨んでいる。

こういう建前からいえば、幕府が島々をふくめた東蝦夷地を行政するにあたって、当然「深き思召し」によって堅牢な方針と精密な施策があるはずで、高官たる者が、

——霧の中にいるようだ。

というようなことは、すくなくとも一介の船頭にいうべき言葉ではない。

松前藩のながい怠慢によって、北海道本土《えぞち》ですら、沿岸を把握しているだけで、内陸の大部分がわかっていないのである。蝦夷地を行政するということは、探検を伴った。このため幕臣のなかから名だたる探検家が数人も出たが、しかしかれらは海を知らない。西洋も、あるいは赤人たちも、その探検をするにあたって、航海者が先頭に立つ。日本国には航海者らしい航海者がいなかった。

このことはむろん、開祖家康幕府以来の方針によって、遠洋航海を禁じ、大船の建造を禁じたためで、たれの責任でもなかった。徳川幕府そのものが、櫓《ろ》と帆をすてた政権だったからである。

「どうであろう、嘉兵衛」

と、三橋藤右衛門は言いつづけている。

嘉兵衛は、決心してしまった。

とっさに、決心というものが、なにやら酒に似たものだと思った。それが血にまじって頭にのぼったとき、

(これで、なにもかも仕舞いだ)

と、目のくらむ思いがした。

嘉兵衛は、本来ならおそらくここで没落へ出発したであろう。官の御用を言いつかった廻船業には、ろくな運命が待っていない。それに、かれが持船としている数艘の手船は、どれもが、かれとその配下たちによる命がけの航海および低い賃金によって手に入れたものであった。かれらに相談もなくここで幕府の蝦夷地御用の運送業者になってしまうというのは、かれらへの裏切りといっていい。

——かれらは、辛抱してきた。

そのことは、弟たちはともかく、誰もがゆくゆく独立し、小さくとも持船の廻船業者になりたいという気持があったからでもあろう。

それらの希望が、ここでこなごなになるのである。

ただ一つ手がある。

——深入りをしない。

ということであった。深間にはまって、たとえばこのさき、幕府からお扶持《ふち》をもらったり、あるいは苗字帯刀の身分にとりたてられたりすることになれば、商いの自由はうばわれてしまう、そこまではゆかず、

——ただ一時期にかぎり、あるいは仕事を限って、大公儀のために蝦夷地の海運をひきうけてもいい。

ということであった。

ただ一つ、三橋藤右衛門の懇請をうけると、とくなことがある。

「高田屋」

というものが、廻船問屋として公認されることである。

嘉兵衛は、兵庫に籍を置いている。

今後も兵庫を本店としつづけるつもりでいるが、しかし兵庫においては、廻船業を営みうる権利（株仲間）が十三軒分きりしかない。

いまの嘉兵衛は、サトニラさんの「堺屋」の既得権を看板にして廻船業を営んでいるが、違法といえば違法である。

この点、

「箱館」

というのは、新規な土地であり、廻船問屋の株仲間も形成されていない。ついでながら、

「株仲間」の本質は、幕府や藩が問屋商人を同業ごとに統制するために作らせたものではなかった。同業者自身が、過当競争を避けるため申しあわせたことから出発した。ただその申し合わせを法的にするために幕府や藩の力を借りてきただけである。

その株仲間を箱館でつくるには、幕府のうしろだてがあったほうがよい。何にしても、いまひとつの本店を箱館におくということで、廻船問屋「高田屋」は、天下公認のものになりうるのである。

「とりあえずは、エトロフ島に漁船、漁網、漁具を運ぶだけのことをさせていただきます。あとのことは、嘉兵衛の一存では参りませぬ」

と、嘉兵衛は、自分の事業の実情について、正直に語った。

そのあと、嘉兵衛とその配下は、あわただしく動いた。

嘉兵衛自身は、数日後に辰悦丸を解纜《かいらん》し、箱館を去り、日本海をめざした。

同時に、弟の金兵衛も、箱館につながれていた幕府の官船政徳丸を借り、その船頭として、嘉兵衛とは逆に太平洋に出、仙台をめざした。

金兵衛の政徳丸は、幕府の官船であるしるしとして、帆柱は赤く塗られ、艫《とも》に日ノ丸の幟《のぼり》がかかげられていた。

嘉兵衛は秋田で、金兵衛は仙台で、それぞれ漁網、漁具などを買い入れるのである。

嘉兵衛はそれを傭船にわたして蝦夷地にひっかえさせ、様似に集積させる。かれの辰悦丸は秋田からさらに航海をして蝦夷地の物産を兵庫・大坂で売るのである。

漁網、漁具については、むろん秋田、仙台での買い入れだけで間にあうわけではなかった。漁網は大坂湾沿岸と紀州で発達してきたために、兵庫帰帆後にさらに買いこむ。

こんどの兵庫帰帆については、もうひとつ大きな用件があった。

「御影屋《みかげや》松右衛門」

という名を、嘉兵衛は出してしまったのである。

三橋藤右衛門が、

――嘉兵衛、築港はできるか。

と、たずねたのである。

――箱館の浦をいまのままにしておけない。

と、三橋藤右衛門はいった。箱館がいかに「綱知らず」といわれたほどの天然の良港であっても、今後、三十艘、五十艘という大船を碇泊させるには十分ではない。

「港」

といっても、大船を横付けさせる西洋式の埠頭《ふとう》のような設備は、当時、日本一といわれた長崎港にもなかった。長崎ですら荷を小舟に積みかえて揚陸した。もっとも、荷揚げのための石積みの足場は存在した。箱館が、長崎同様、幕府の直轄港になった以上、とりあえずそれをつくらねばならない。

――ナイホにもつくらねばならんな。

と、三橋藤右衛門はいった。ナイホの築港の必要については、嘉兵衛がすでに近藤重蔵に上申した。

それらについて、嘉兵衛は、御影屋松右衛門を御用にお召し遊ばせば非常な功をなすと存じます、と言い、この「松右衛門帆」の発明者が、あらゆる工学的分野で異能の人であることもあわせて述べた。

――その松右衛門とやらは、箱館に来てくれるのか。

と、三橋藤右衛門はきいた。嘉兵衛は、松右衛門が蝦夷地と松前を往来する廻船業の人だから、名を指しておよびくだされば、やや齢はとっているとはいえ、よろこんで参りましょう、と答えた。

嘉兵衛の辰悦丸が、和田岬の青い松原に白帆を映えさせつつ、母港の兵庫に帰ってきたとき、いつものように浜でむらがっていた「北風」の働き人《ど》たちは、一様につよい反撥をおぼえた。

「なんじゃい、あのざまは」

と、くちぐちにいった。辰悦丸の艫にかかげられているのは「御用」のしるしである日ノ丸の船印であった。辰悦丸は、意外にも御用船として母港に帰ってきた。

御用船である以上、他の碇泊船は荷役その他においてそれなりの遠慮をしなければならない。このことは、兵庫の浜をほぼ独占していた北風家のひとびとにとって不愉快きわまりないことであった。

「成上りの嘉兵衛め、どこでああいう奥の手をおぼえたか」

という者もあれば、

「打首ものぞ」

と、頭から、嘉兵衛の策略であると決めこんだ者もいた。

が、嘉兵衛にすれば、べつにうれしがってこんな船印をかかげているのではなかった。蝦夷地の現地高官である三橋藤右衛門の命令によるものであった。この「御用」のもとで秋田で漁網、その他を買いこんだし、こんど兵庫に入ってからも買い入れねばならない。

それに、嘉兵衛は、三橋藤右衛門が、嘉兵衛にあてて書いた書信形式の文書をたずさえている。

――箱館ならびにエトロフ島において船着場を築くにつき、兵庫の御影屋松右衛門とよく相談いたし、遺漏なきこと。

という旨の文面で、むろん公文書ではない。箱館の役所にいる幕臣三橋藤右衛門が、兵庫の一廻船問屋の主人（松右衛門のこと）に公文書を発する筋はないのである。しかし松右衛門の智恵を借りねばならない必要にせまられている。これを動かすには、

「大公儀の間接的な思召し」

を、嘉兵衛への私信の形式をとりつつ、松右衛門に知らせる。でなければ、松右衛門としてはうごけないのである。私信とはいえ、公文書なみの重さを持たせるために、三橋藤右衛門は、

――御船印をかかげてゆけ。

と、嘉兵衛に命じた。

浜で働いている北風家のひとびとは、

「ひょっとすると、辰悦丸に大公儀の御役人様がおわすやも知れぬ」

ということで、番頭一人が、いつも入船を出迎える小舟に紋服を用意して辰悦丸に近づいたところ、嘉兵衛ひとりが艫に立っていた。

番頭が舳《へ》に立って、

「嘉兵衛、どなたかござらっしゃらぬのか、お前だけか」

と、どなると、嘉兵衛が事態を察し、さすがに恐縮して、

「左様でございます。嘉兵衛のみでございます」

というと、番頭はよほど腹をたてたのか、だまって舟の舳をめぐらせ、浜へ去ってしまった。

北風荘右衛門貞幹は、このとし、生年六十三である。

『北風遺事』

という、この家の歴世の事歴を、文書中心に編んだ精密な家史があることは、すでにふれた。

北風家は明治期、多くの廻船問屋と同様、あたらしい資本主義の勃興のために没落した。

没落後、一時期、この家を継いで北風姓を名乗ったことのある安田荘右衛門という人が、永年つとめた銀行を退職してから、老後を、北風家史編纂にささげた。

家にのこる文書、旧記などを検討しつつ、昭和九年前掲の本を著し、さらに研究をつづけ、昭和二十一年ごろ『残燈照古抄』の草稿を書きおえ、『遺事』につけ加えた。その死は昭和二十六年で、八十一歳であった。

これらが、堅牢な書物の形をとって出版（非売品）されるのは、この一門の出である安田正造氏と嘉多善平氏の労による。昭和三十七年のことである。

『北風遺事』

には、嘉兵衛の名が、二カ所ばかり出てくる。

初め高田屋嘉兵衛、壮年の頃、北風伝左衛門（註・荘右衛門の別名）貞幹（浄入居士）、無名の船頭中より之を擢《てきよう》用して蝦夷地に向はせ、巨利を挙げしが、貞幹見る所ありて厚くねぎらひて、嘉兵衛と手を切られたり。

と、ある。まことに蒼古として勁《つよ》い文体である。北風家では、よほど嘉兵衛を引き立てる上で力を貸したということであろう。さらに、貞幹は賢明にも、

「見る所ありて」

嘉兵衛と手を切った、という。

この『北風遺事』から、荘右衛門貞幹の嘉兵衛観を察するに、まず、

――冒険商人でありすぎる。

ということであったろうか。

さらにいえば、嘉兵衛が、幕府みずからが乗り出した蝦夷地開拓という、在来になかったあたらしい潮《しお》流に乗ったことを、荘右衛門は危ぶんだかと思える。

（ばかなことをする）

と、荘右衛門貞幹は見たであろう。

北風家は、歴世の商家である。日本一といわれる廻船業を世々、切りまわしてきただけに、貞幹は、幕藩体制の本質が、住みふるした町内の地理、人情、生計事情を見るようにわかってしまっている。

（幕府や藩というものは、決して損をしないものだ）

ということである。

商人を利用すべきときには、利を食わせて投資させ働かせる、途中、状況が幕藩に不利になってくると、切りすててしまう。

幕府は、めったに商人を使うような事業をやらないが、諸藩にはその例が無数にある。事業がうまく行って、これに協力した商人がふとってくると、罪を設け、闕所《けっしょ》にして財産をまきあげ、ときに当主を死罪にしたりする。

蝦夷地開発は、めったに営利事業をしない幕府が、めずらしく企図したものである。そういう企てに乗る嘉兵衛を、荘右衛門貞幹はあやぶみ、行をともにせぬように嗣子《しし》や番頭たちをひそかにいましめた気配がある。

嘉兵衛のほうは北風家に礼をつくしているつもりでいたし、このことは生涯かわらなかった。

この日も、上陸するとまっさきに北風家にあいさつに行った。

(番頭さんにだけでも)

とおもっていたが、主人と嗣子が会ってくれた。

主人荘右衛門貞幹はすでに頭をまるめて隠居しており、浄入《じょうにゅう》と称していた。浄入が見こんで養子にした貞常が「荘右衛門」を襲名している。篤実な性格と高雅な風貌をもち、商人《あきんど》というよりも学者めかしい人物であった。

嘉兵衛は、自分が見てきたクナシリ島とエトロフ島について語り、とくにエトロフ島については、

「日本国にまれなる漁場でございます」

といって、浄入と若い当主の参考になるようなあらゆることについて語った。

この間、両人はよほど嘉兵衛を用心しているのか、うなずくのみで一語も発しない。

最後に、

「大公儀は、エトロフ場所を直《じか》に運営なさるのか、それとも商人に請負させなさるのか」

と、浄入がきいた。

この点、嘉兵衛もよくわからない。

「直とうけたまわっております」

と、答えたが、むろんこの返答は正確すぎるほどに正確なのである。幕府は、内外にむかって何度もくりかえしてきたように、属島をふくめた新天領の東蝦夷地の諸場所は、松前藩のやり方をやめて、すべて直営でやる、ということであった。場所々々に役人を置き、役人みずからが漁業労働者や加工労働者を指揮するという。

が、役人にそういうことができるはずもないことを、商人ならたれでもわかる。第一、幕府はじまって以来、幕吏がそういうことをやったことがないのである。

「嘉兵衛、じつはお前がやるのではないか」

という言葉が、浄入は、のどもとまで出かかって、こらえている様子であった。

嘉兵衛も、

(ひょっとしたら、そうではないか)

と、想像したりするのだが、しかし三橋藤右衛門がそんなそぶりも見せないために、ここで言うこともできないのである。

浄入が露骨な男なら、

——嘉兵衛、お前はそれを見越して幕吏にとり入っているのではないか。

と言いたいところであったろう。

しかし、嘉兵衛は、それについては何も匂わさない。匂わせようにも、幕府が着手しているこの事業の前途のことなどわからないのである。ないものを喋々するわけにはゆかず、だまっていた。

その嘉兵衛の顔つきが、浄入からみれば、饅頭《まんじゅう》を頰張って、素知らぬふりで口をつぐんでいるようにも見え、

(ずるいやつだ)

というふうにも受けとれた。

しかし嘉兵衛にすれば、北風家の今後の方針のために、蝦夷地の新情勢についての情報を知らせにきたつもりであった。

結局は、さほどのやりとりもなく、この事実上の兵庫のぬしのもとを辞した。

嘉兵衛は北風家にあいさつに行ったあと、御影屋の松右衛門旦那の店に寄った。

「おかげさまにて、このように達者で戻りましてござります」

と、店さきであいさつをした。

「奥へあがれ」

とは松右衛門旦那はいわなかった。かれ自身、店の土間で荷ほどきの指図をしていて、嘉兵衛などの相手になっていられなかった。

「嘉兵衛、あいにく、いまはこのとおりじゃ」

角力《すもう》取りのような大きな体を荷のほうにむけたままいった。

「あすの晩、来んかい。お前はどうかは知らんが、わしのほうは体があいている」

松右衛門旦那はいつもこういう調子で、他の商人のように、会釈やことばだけでうわべを繕《つくろ》うということはしない。

――わしはただの廻船問屋とはちがう。昔も今も船頭だ。

と、しばしばいうように、諸事、頭が合理的にできており、いっさい巧弁を用いないのである。

嘉兵衛も、わかっている。しかし辰悦丸に大公儀の御船印をかかげて戻ってきたのは、松右衛門旦那に蝦夷地御用をつとめよ、という三橋藤右衛門の命令とも希望ともつかぬ意志を申し伝えるためで、まっさきにそのことだけは伝えておきたい。

「ちょっと、お手をとめて頂くわけには参りませんか」

「よほど、大事なことか」

「左様でございます」

嘉兵衛は、「御用」について簡単にのべた。

「なんじゃ、公儀御用かい」

松右衛門旦那は、いやな顔で反問した。

「ちがいます、天下のことでございます」

「天下」

松右衛門旦那のすきなことばだった。すでにふれたように、松右衛門旦那はかねがね「人として天下の益ならん事を計らず、碌々《ろくろく》として一生を過さんは禽獣《きんじゅう》にもおとるべし」と口癖のようにいってきた。ただし、かれのいう天下とは、公共ということであり、さらにかれのいう「益ならん事」とは、工夫と発明のことをさしている。

「わかった」

といったが、いま嘉兵衛を座敷にあげてその話をきくということはせず、

「明晩来い」

と、いって、再び荷の中に頭を突っこんだ。元来、船頭は作業をする人であり、みずから「船頭」という松右衛門旦那は作業中はたれがきてもこの調子なのである。

(相変わらずだ)

嘉兵衛は小蠅《こばえ》のように追っぱらわれながら、かえって小気味がよかった。

明夜、食事刻《どき》にゆくと、松右衛門旦那は奥座敷に燭台を二基据え、大坂の書店でもとめた蝦夷地の地図を鴨居《かもい》から垂らし、かれにとって何よりの好物である酒を用意して待

っていてくれた。

ただ開口早々、

「嘉兵衛、わしを大公儀に深入りさせるという話ならば、ことわるぞ」

と、釘をさした。

松右衛門旦那はすでに微醺《びくん》を帯びていて、

「嘉兵衛、わしがつねづね天下の益ならんことを計る、という天下は、大公儀のことではないぞ」

と、いった。

嘉兵衛は、わかっている。石を海中に釣りさげて運ぶ船、水底の土砂をとる便利な鋤《じょ》簾《れん》、後世の西洋帆布《ズック》に匹敵する松右衛門帆などを工夫することが、ふつう言われる「天下」とはつながらない。世の労働や暮らしに益をあたえるということで、かれの天下は人の世という意味であろう。

「お前には、堺屋喜兵衛といういい手本がある」

サトニラさんのことである。

松右衛門旦那は、堺屋喜兵衛のわかいころは、一介の船頭の身で因州鳥取藩と結び、たちまちにして幾艘かの持船を持った、しかしあとは尻すぼみだった、といった。

嘉兵衛、お前はその轍《てつ》を踏むのか、ともいった。

「ちがいます」

嘉兵衛は、こまかく事情を話した。当然、三橋藤右衛門、近藤重蔵、高橋三平、最上徳内ら蝦夷地で働いている幕臣たちの思想、姿勢、人柄について語った。

「惚れたのか」

なお悪い、と松右衛門旦那はいったが、もうおだやかな顔になった。

「しかし、わしをひきこむな」

と、松右衛門旦那は言いつつ、来年、松前へ船を出すときには、わしも乗ってゆこう、といってくれた。

かれは、来年あたり息子に兵庫の店をゆずって、生家のある播州高砂に隠居するつもりでいる。

とはいえ、高砂で帆布の製造、販売だけはやる。その収益をあげて、「世を益する」工事につかうのを楽しみにしているのである。まず第一に、故郷の高砂の運河を浚渫《しゅんせつ》し、湊を深くして船の出入りをよくしたかった。

のちのことになるが、かれはこの自費による工事をやってのけた。

さらに後のことだが、九州豊前の人にたのまれ、舟運をさまたげる川底の岩礁を破砕する方法を教えた。豊前彦山《ひこさん》は森林の宝庫というべき山であるのに、河川に岩場が多く、材木として伐りだすことができずにいたずらに朽ちていた。小倉藩ではこの松右衛門の方法を採用することによって、大いに川の岩をくだき、彦山の森林を生かすことができた。

蝦夷地については結局、松右衛門旦那が幕府に力を貸すことになる。幕府はこれをよろこび、わずか金十両ながら、褒賞をあたえた。さらには、工夫を楽しむ男ということで、

「工楽《くらく》」

という姓もあたえた。


兵庫の渚の砂を踏んでから、嘉兵衛はいそがしかった。三日目の夜も更けてから家にもどり、

「船頭というのは、陸《おか》のほうがいそがしい稼業だ」

と、おふさにいった。

嘉兵衛は、箱館でのこと、アッケシやクナシリ、エトロフでのことなどをおふさに語った。彼女にすべてを語っておかねば、もし海で死んだ場合、陸での嘉兵衛のしごとの状況や人間関係がわからなくなり、彼女がこまるにちがいないと思っているのである。

彼女は、記憶がよかった。

嘉兵衛という人間を見出してくれた幕府の蝦夷地役人たちの名前は、身分にいたるまですべて憶えこんだ。

「おなじ陸でも、蝦夷地はいい」

仕事をしているだけで済むからだ、といった。そこへゆくと、兵庫は利害と看板のか

らんだ人間関係の密林のようなものであった。嘉兵衛は、おといあいさつに参上したときの北風家のひとびとの態度、発言も、おふさに伝えておいた。

「浄入様のご器量なら、御大老でもつとまる」

と、いった。

かつては傾いてしまっていた北風家を浄入一代でたてなおし、北風家にもあるいは兵庫浦の廻船業にもかつてないほどの栄えをもたらした。

若いころは投機性のつよい冒険もした。また大坂町奉行所などに働きかけ、大坂の商権の一部を兵庫にうつすべく努めるという政治的なうごきもした。

しかし、家の勢いが回復してより、冒険をつつしみ、政治から距離を置き、諸事、堅実を心掛けるようになった。

「嘉兵衛のやり方は、あぶない」

なるべく相手になるな、などと、養子や番頭たちに言いきかせているのは、悪意ではなく、浄入の哲学ともいうべきものであった。商人は決してめだつべきでなく、商業は樹木のように人知れずに根を張るべきである、ということであり、華やかに動きまわればかならず何かのかたちで潰されてしまう。

——御上はおそろしいものだと思え。

と、浄入は心を許せる身内の者に申しきかせてきている。

そのような浄入の思想については、嘉兵衛は松右衛門旦那を通じて聞きおよんでいる。

松右衛門旦那は船頭のころから浄入に可愛がられ、廻船問屋になったのも、浄入の力添えによるものであった。ついでながら、浄入の妻の茂世《もよ》が播州高砂の素封家小山伊左衛門家の出ということもあって、浄入は高砂出身の松右衛門旦那を別して可愛がったということもあるらしい。

——わしでさえ、浄入様から、お前はめだちすぎる、とよく叱られる。

と、松右衛門旦那は嘉兵衛に言った。

「しかし、仕方がないのだ」

嘉兵衛は、おふさにいった。

「大公儀は、わしを商人としてではなく、船頭としてのみ御覧になっている」

べつに商人として華やかに動きまわろうとは思っていない、わしは船頭なのだ、しかし北風様はわしをそのようには見ず、公儀と結びついてむりやりに商いを拡げようとする人間と見ているらしい、ともいった。

東の大灘

この時期の嘉兵衛には、目の前に山がふさがるような難題があった。

兵庫に帰帆してまだ荷をおろしつつある辰悦丸をふたたび働かせることである。

一年のうち好季節かぎりの航海であるため、上方と松前のあいだを一、二往復程度しかできないことは、すでにのべた。さらに繰りかえすようだが、冬場は船体を河口にもってゆき、真水に浸《つ》けておくか（海水ではかならずといっていいほど船食虫がつくために船底を穿孔《せんこう》される）、それとも、船底の木質ふかく食いこんでいる船食虫を殺すために陸《おか》にあげてわらなどで燻《くす》べる。船頭たちのいう船熮《ふなたで》である。

じつに面倒なことではあったが、これをやらないと、船の寿命はみじかくなる。

船というのは、使い方がわるければ、じつに儚《はかな》いものであった。船には大きな建造費がかかっており、船費からいえば黄金を海にうかべているようなものだが、そのかわり、それを凌《しの》いで商いの高も大きいために廻船業がなりたっている。もっとも船のつかい方がわるくて船齢をちぢめたり、あるいは破船・難船させてしまえば、いかに荷を運んでも、徒労になってしまう。

嘉兵衛は商人というより天性の航海者であっただけに、このかねあいをうまくやるという点で、名人ともいうべき腕をもっていた。信じがたいほどのことだが、かれ一代のあいだで、破船・難船ということがなかった。

船体の保全についても、うまかった。

——嘉兵衛の船には、なぜ船食虫がつかないのか。

といわれたりしたが、しかし実際は嘉兵衛の船にも船食虫がついた。ただ湊に入ったとき、嘉兵衛はいちはやく淡水の河口に船を突っこませ、船食虫の棲息する海水の淀みに船を漂わせることをできるだけ避けてきた。そういう初歩的なことを守るだけで、よほど虫の害をふせぐことができた。

嘉兵衛は、長崎で見たオランダ船のように、船底に銅板を張って虫をふせぐということをしたかったが、どうにも経費が高くなり、北前船交易ぐらいの利では、そういう贅沢なことはできなかった。

嘉兵衛は、かれの小身代《こしんだい》にとって当然なことだが、辰悦丸は宝物以上のものであった。この船が破船したりすれば、嘉兵衛程度の廻船業は、それだけで潰れ、かれは二度と立ちあがれなくなり、配下のひとびとも、路頭に迷わざるをえないのである。

このため、秋田でも兵庫でも、かれ自身が、素裸になって海に入り、船底までもぐっては、底板を撫でまわした。

——船食虫がついていないか。

という懸念があったからである。幸い、船底はまだ十六娘のようにきれいであった。

この基礎の上に立ち、

——冬場にさしかかるけれども、辰悦丸に一働きさせよう。

と、考えた。

晩秋から冬にかけての太平洋を、江戸までゆく。さらに北上して三陸沖を通り、津軽海峡を東から入って箱館へゆくという計画であった。

航海も容易ではないが、それ以上に、この一挙には、制裁をともなう商慣習という大きな灘がある。

この航海については、さきに箱館で決まった。

幕臣高橋三平が、例によって小気味いい声調子で、勧めたのである。

「嘉兵衛、年が暮れぬうちに、江戸へ来ないか」

と、いった。

「江戸へ?」

「驚くことはあるまい。そなたにとって、日本国は犬が町内をかけまわっているようなものだ」

「犬は、ひどうございましょう」

「庭の池を泳いでいる魚か」

「魚。……」

「それがいやなら、ご自分のお庭を散策するお大名に見たててもよい」

「いいえ、魚のほうがよろしうございます」

嘉兵衛としては、それほどまでに「武家」という存在に用心しているのに、蝦夷地で出会った幕臣たちにかぎっては、心理的には別のものになっている。とくにこの高橋三平と話をしているときの気分のよさはどうであろう。

「嘉兵衛よ」

と、高橋三平がいった。

「このたび、そなたがクナシリ（国後）からエトロフ（択捉）へわたる水路を見出した手柄は、合戦でいえばわずかな手勢をひきいて敵城を陥したよりも大きい」

エトロフ島の漁利の大きさから想像して、たしかに幕府の勘定所の財務感覚としては、淡路か但馬《たじま》ぐらいの小さな国を一つ得たほどの利益を将来もたらすかと思われる。

その功を、蝦夷地の現地駐在者だけが褒《ほ》めているだけでは、大公儀としての公式なおほめにならないのである。

「ぜひ、江戸へ出てもらいたい」

蝦夷地開発については、勘定奉行みずから在府のまま総裁のような職にある。現地総裁は、御書院御番頭松平信濃守忠明であった。信濃守は、老中や勘定奉行と折衝のために、江戸にもどっている。

「わしが案内《あない》するゆえ、信濃守様のお屋敷にお伺いせぬか」

高橋三平のいうところでは、かれは十二月には江戸へ帰っている。信濃守に蝦夷地現況を報告するためだが、その報告のなかで最大のものは、クナシリ・エトロフ間の水路発見であった。それを、高橋が素《す》のままで報告するより、功労者の高田屋嘉兵衛を同行し、嘉兵衛の口から報告させたほうが、物事がはるかに生きてくるのである。

その上、高橋三平としては、エトロフ島開発の策を、漁業にあかるい嘉兵衛の口から信濃守に説明させたい。

それらは、すべて松平信濃守忠明にとっても、功績になる。かれはエトロフについてはおそらく嘉兵衛からきく航海法や開発論なりを骨にして、上司に報告するであろう。このため信濃守は嘉兵衛を大歓迎するにちがいない。

高橋三平は、そのあたりはよく心得ている。

(信濃守様といえば、最上徳内様を、様似の道路工事の途中から放逐《ほうちく》した人ではないか)

いかに御書院御番頭という大層な殿様とはいえ、そういう男に会えるか、と嘉兵衛はいったんは思ったが、高橋三平の熱意にほだされて思いかえした。

嘉兵衛は、このために、無理な航海ながら、晩秋の海を江戸へゆくのである。北風浄入が危ぶんでいる以上に、嘉兵衛は「武家」へ深入りしはじめていることになる。

嘉兵衛は、無理をしようとしている。

晩秋の海を江戸へゆくというのは、航海だけの無理ではなかった。

船の断面として、中国のジャンクはU型であったが、和船はV字型をなしている。荷をV字型のなかに詰めこまなければ、かえって安定を欠くのである。

それに、荷を積んで、それを売りながら航海しなければ、船乗りの給金も払えないのである。ともかくも、和船の世界では、空船《からぶね》で長い航海をするということは、ありえなかった。やむをえない場合、石灯籠《どうろう》を積みこむ場合もあり、たとえば堺の湊には、そういう事情の空船のために石灯籠を売る商いもあったほどである。

「荷」

ということが、この場合、問題であった。

勝手に江戸へ荷を運ぶことは、株仲間がゆるさなかった。木綿、綿、油、醤油、酢などをあつかう菱垣《ひがき》廻船や、灘《なだ》五郷の酒を運ぶ樽廻船の同業者組合がうるさい。

右の事情については、かつてふれた。

嘉兵衛は辰悦丸を大坂の安治川《あじがわ》尻に入れ、各種の荷を積みこむにあたって、

「東廻り（太平洋航路）で箱館へゆくのだ」

と、触れさせた。そのとおりだったから大筋はうそではないが、こまかい中身については、うそともいえる。

かれが積みこもうとしている荷には、江戸が好むものが多い。江戸という日本でただひとつの巨大消費地を抜きにして箱館への荷だけを運ぶ馬鹿はないであろう。

江戸が最も好むものは、灘の酒であった。江戸はつねにこの良酒に渇き、運んでゆきさえすれば売れた。江戸の後背地である関東では、火山地であるために醸造に適当な良水が得られないということもあったが、それよりも技術が未熟であったということであろう。

「高田屋」

という、兵庫では一種の無資格廻船業者は、サトニラさんの堺屋を合併していることで、酒を積む権利がないわけでもない。それでも、集荷には相当な妨害がおこなわれた。

「高田屋は無茶をする」

という評判が立った。すぐ北風家にきこえるにちがいないが、嘉兵衛はいちいち気にしていられないと思った。新興の勢力というのは、既得権と商慣習を城塞のようにしている既成勢力に遠慮していては、なにもできないのである。

嘉兵衛の考えでは、江戸で酒と紀州の備長炭《びんちょう》を売り、南部の野辺地《のへじ》湊（現・青森県）で上等の古着と蠟《ろう》を売り、箱館で塩を売るつもりであった。むろんそれぞれの地で要求があれば、菜種油や醤油なども売るつもりでいる。

いずれも、小さな儲けにすぎない。蝦夷地から肥料用の干魚を上方にもちかえる利にくらべれば、である。しかしそれでも江戸経由箱館までの航海費は、この荷から出てくる。

それにしても、

（北風家にいよいよきらわれるだろう）

ということは、覚悟した。嘉兵衛のやっていることは、既成商人からみれば、危険でいかがわしく、恥知らずで、抜け目がなく、かれらの善悪観でいえば悪に近かったろう。

嘉兵衛が、太平洋の風浪を凌《しの》いで江戸へやってきたのは、十二月のはじめであった。江戸でおろす荷については、品川の廻船問屋にまかせた。

そのあと、深川入船町へゆき、銘木問屋立花屋吉右衛門の店に泊まった。立花屋吉右衛門は、かつて嘉兵衛が材木を筏に組んで江戸へきたときの請人《うけにん》で、嘉兵衛が好きでたまらないという人物である。

嘉兵衛は、

――十二月ごろ、江戸へゆくから泊めて頂けまいか。

という旨の手紙を、箱館から高橋三平の従者の船形五平に託しておいた。

店の者は、毎日、嘉兵衛がくるのを心待ちしていたらしく、かれが店先に立っただけで、番頭以下が、手にとるようにして奥に案内してくれた。

立花屋吉右衛門は、相変わらず、商人には過ぎたほどのりっぱな容貌に、微笑をたやさなかった。嘉兵衛を、以前のように、

「嘉兵衛どん」

と、よんでいた。吉右衛門は、嘉兵衛がまだ一介の沖船頭（雇われ船頭）であると思っていたのである。

「嘉兵衛どんは、海の手品使《てづま》いだ」

と、夕食のとき、酒をくみかわしながら、吉右衛門はいった。

立花屋吉右衛門は、紀州徳川家の御用をつとめ、もっぱら紀州の檜《ひのき》と杉を江戸で卸している。

「あのときは、嘉兵衛どんの命がけのしごとのおかげで、この立花屋の信用は末代までのものになりました」

と、あらためて礼をいった。

鰹の話も出た。

嘉兵衛が、一時期、鰹漁と鰹節生産の企てに熱中していたとき、立花屋も商売ちがいながら、一肌ぬいでくれるはずだったのである。

「あのころ、鰹で物狂いする思いでございました」

と、嘉兵衛はいった。

鰹とりが好きなのではなく、鰹で持船を一艘得たかったのである。すでに持船を得た

以上、鰹のことは遠いむかしの夢のように思える、といった。

「ほほう、持船船頭におなりになったか」

と、立花屋吉右衛門はよろこんでくれた。

「すべて、北風様のおかげでございます」

嘉兵衛がいったのは、肚の底からそう思っていたからである。しかし、いまは北風様から、さほどにこころよくは思われていない、とも正直にいった。

そういう事情は、嘉兵衛がくわしく言わずとも、立花屋吉右衛門は察した。嘉兵衛が、北風家の手船の船頭でありつづけるかぎり、波風は立たなかったろうという想像ぐらいは、吉右衛門にもできた。

「して、このたびは？」

と、立花屋吉右衛門は問うた。蝦夷地交易の一件や、エトロフ島開発の官物輸送の一件についても、嘉兵衛は語った。

「なるほど」

嘉兵衛が、上方とのゆききの頻繁な品川の廻船問屋に宿をとらず、商売ちがいの銘木問屋に泊まったについても、上方の同業者になるべく顔がささないようにするという配慮だろうということは、吉右衛門は察した。

翌朝、嘉兵衛は、夜明けとともに起き、立花屋吉右衛門がつけてくれた手代を道案内に、市ケ谷牛込まで行った。

「江戸は、めずらしうございましょう」

手代が、みちみち、大名屋敷があると、かならず、あれは何様でございます、お定紋は何、お国はどこそこでございます、と教えてくれた。

市ケ谷牛込というのは大小の旗本の屋敷ばかりであった。

「お屋敷ばかりでございますな」

と嘉兵衛は、驚嘆してしまった。

「底知れぬほどに、江戸は大きい」

ともつぶやいた。

これだけの武家が、何も生産もせずに食べて着ているのである。かれらが食べたり金に換えたりする米は主として奥羽や関東の天領から運ばれてくる。江戸へ米を運ぶだけでも、大変な労力であった。

(みな、裸でいるわけはない)

武家たちとその家族は、一人について生涯どれほどの木綿衣料を消費するか。さらには往来している町人たちも裸でいるわけではない。みな季節によって衣更《ころもが》えをする。

しかも、江戸のたれもが、棉《わた》を植えず、棉をつむがず、着物として織るということもしないのである。

(棉は、いくら作っても追っつかぬ)

自然、その肥料である北海の魚をいくらとっても、とりすぎるということはない。

「蝦夷地とは、どういうところでございます」

と、手代はきいた。

嘉兵衛は、蝦夷地の原生林のすばらしさや、湿原のひろさ、魚の豊富さなどを教えてやった。

「しかし、人はすくのうございましょう」

「蝦夷人がいます」

「蝦夷人はどこにでもおりますか」

「主に、川ぞいの海辺ですな」

内陸部には、うまれたままの大自然が居すわっていて、蝦夷人もあまり住んでいない、ともいった。

「田は」

「田も畑も、陸《おか》の奥にはありません」

「さびしうございますな」

たしかに、さびしい。

「嘉兵衛様は、蝦夷地のほしかをお運びなさるわけでございますな」

よくまあ、そういうさびしい土地にお行きなさるものだ、と手代は、憐れむとも感心するともなく首を振っていった。

「江戸者には、とても左様な仕事はできませぬ」

「それは、そうでしょう」

こういう繁華な町にうまれついては、人間の手がほとんど入っていない蝦夷地や千島《くるみせ》などで働く気はとてもおこらぬだろう、と思った。

「蝦夷地で働くのは、私のような田舎者しかつとまりませぬな」

蝦夷地での漁撈は、松前時代から蝦夷人が従事している。それだけでは不足であるため和人の渡り者もいるが、むろん江戸者などはおらず、主として津軽か南部のひとびとである。そういうひとびとも、年季がおわれば逃げるようにして帰ってゆく。生涯、蝦夷の原野に居つくというのは、番人か通詞以外、ほぼまれといっていい。

「次吉さん」

嘉兵衛は、手代をからかった。

「蝦夷地で働きませんか」

「とんでもない」

次吉という若い手代は、顔色が変わっていた。

嘉兵衛は大笑いしたが、ふとそういうことからみれば、高橋三平など幕臣たちはえらいものだ、と思った。

嘉兵衛は、高橋三平をはじめとする蝦夷地御用の幕臣たちへの魅力に、抗しがたかった。

（わしは、どうかしている）

と、自分を戒めつつも、人の世にはこういうひとびともいたのか、という未知の世界を知った驚きがある。その驚きがつづいていた。

高橋三平は、その自邸でも、蝦夷地で会ったときと同様、気さくだった。

高橋家の小さな書院座敷に通された。一介の船頭が、幕臣の座敷に通されるなどは、破天荒なことであった。それだけなら、高橋三平の型破りな書生ぶりということで解釈がつくかもしれないが、奥方とまだ元服前の若殿様が、その座敷に入ってきて、奥方は廊下側に、小さな若殿様は上座の高橋の横にすわったのである。高橋家として、正式に嘉兵衛を接待していることになる。

高橋家には、上女中がいない。このため、嘉兵衛は奥方みずからの手で、茶菓を頂戴した。一船頭をこのように待遇しては江戸身分制がこわれるのではないか。

（こんなことを。——）

嘉兵衛自身、恐縮を通りこして、この事態をどう理解していいかわからなくなった。

嘉兵衛はかねがね武士階級をきらってきたが、そのくせ自分自身も船のなかでは江戸体制の身分制の上にあぐらをかいていることを自覚している。

船頭の位置は、船の人間関係のなかにおいて、

「観音の位」

とよばれて格別に尊崇されていることはかつて触れたことがある。沖船頭がすでに「観音の位」なのである。船頭など、浮世の身分のなかでは、何にあたるであろう。

むろん、田畑もちの百姓（高持《たかもち》百姓）のほうが、身分は上である。また町で問屋を営む屋敷持ちの町人も、船頭より上にちがいない。

諸国の湊々の廻船問屋は、荷を積んで入ってくる船の船頭を、下にも置かずに大切にする。それは身分による基準でなく、商いにとって宝ともいうべき荷を運んできてくれるからである。船頭にへそを曲げられて、他の廻船問屋に荷を売られてしまえば、大そうな損になる。そのような利害関係で大切にされているだけで、かれらが肚のなかでどう思っているか、知れたものではない。

船頭というのは、そのしごとのわりには、男性的な性格の者は多くない。たいていは小意地がわるいか、すね者か、それともさまざまのからくりをほどこして荷を盗んだりする不正直者が多かった。ひとつは、不確定な身分の稼業であるために、誇りが持てないということもあったであろう。

「観音の位」

という架空の身分を作って、海上にいるときだけは殿様気分を味わっているという、ふしぎな稼業なのである。

それを、高橋三平は、いやしまなかった。

「平次郎」

と、高橋三平はその世嗣《よつぎ》の少年をよんだ。

「嘉兵衛こそ元亀《げんき》・天正《てんしょう》（戦国の最盛期）の武士のような人だ。よく話をきいて、あやかれ」

とまで言った。高橋三平の嘉兵衛への思い入れが、この時代の社会通念を無視するほどにつよいものだったことが、この一事でもわかる。


翌朝、高橋三平は、蝦夷地の現地における総指揮者である松平信濃守忠明の屋敷に、嘉兵衛をともなって参上した。

嘉兵衛は、このことが、かねてから憂鬱であった。

「おそれながら、礼をわきまえませぬ」

と、高橋三平にいってみたが、高橋はとりあわず、かえって、

「嘉兵衛、もう俎板《まないた》の上に載《の》ってしまったのだ」

と、笑いながらではあったが、半ばおどした。

幕府の官制として、「番」と「役」がある。

番は番方《ばんかた》ともいう。武官のことである。「番をする」ということは武器をとって主君のそばにつねにひかえているという意味なのである。

これに対し、「役」または「役方」というのは、文官のことである。たとえば嘉兵衛が蝦夷地で接してきたひとびとはみな勘定奉行の配下で、勘定役とよばれる。

松平信濃守忠明は、そういう文官ではなかった。

「番」

のほうである。将軍の身辺をまもる武官であるため、御番《ごばん》というように、敬称をつける。

御番という親衛部隊には、大御番《おおごばん》、御書院御番、御小姓御番、新御番など幾種類かあるが、信濃守忠明は御書院御番である。

御書院御番には一番から八番までの部隊がある。御番の士は、戦時には将軍の身辺をまもり、具足の背に、特別な幌《ほろ》をなびかせる。まことに華やかな存在といっていい。その八つの部隊の長のことを御書院御番頭《がしら》とよぶ。松平信濃守忠明の職はそれであった。

代々、信州更科郡《さらしなごおり》のうちで五千石の地を領し、寄合《よりあい》という職分を世襲した。

「寄合」

というのは、幕府の官制用語である。

禄高三千石以上の旗本であることが資格で、しかも非職の場合をさす。忠明の松平家は、たとえ凡庸の者が出ても「寄合」ということで、非職ながら一種の職を持つことができるのである。

先々代の忠容《ただやす》は御小姓組の番頭をつとめたが、先代の忠常は凡庸で、五十二歳で昨年(寛政十年)死ぬまで寄合のままでおわった。

当代の忠明は、養子である。

江戸期、大名や旗本ですぐれた者の多くは、養子縁組で相続した者であった。養子の場合、いわば他家の子弟をよりどりで選ぶことができる上に、当人も、他から入って家を嗣《つ》いだ場合、めだつほどの力を発揮したくなるのであろう。

忠明は、天明五年（一七八五年）二十一歳で家督をついだというから、嘉兵衛より四つ上で、三十五歳になる。

最初、寄合の肝煎《きもいり》（世話方）をつとめた。寄合は若年寄《わかどしより》（老中の下）に直属するため、その肝煎は若年寄に会う機会が多く、自然、職につける機会が多い。

五年前に、御小姓組の番頭に就任した。この職は将軍の日常、起居喫飯の暮らしに密着している。つまりは立身の機会が多い。忠明は、三年後に西《にし》丸《のまる》御書院御番の番頭になり、その翌年には、現在の御書院御番の番頭になった。さらにその職のまま、蝦夷地御用をつとめることになった。

幕府は、蝦夷地を開発するだけでなく、直接警備をする方針をとっている。そのために、将軍の親衛部隊の長である忠明が、軍事と開発両面の指揮をとるべくあたらしい任務についたのである。

松平信濃守忠明の屋敷では、嘉兵衛は身分柄、庭にまわって土下座せねばならない。が、高橋三平が、

――嘉兵衛は、つむじまがりでございます。

とでも言っておいてくれたのか、小庭に面した書斎の濡れ縁にすわらされた。たいそうな礼遇であった。

おなじ幕臣とはいえ、高橋三平は忠明よりずいぶん身分がひくい。その上、幕府の習慣として、下役たる者は上役に対し、おのれを卑《ひく》くし、相手を主君のようにたてまつる。高橋三平のように磊落《らいらく》な人物でも、この点、型どおりであることを嘉兵衛は知り、内心おどろいた。

書斎には、次ノ間というものがない。

このため高橋三平も、濡れ縁にすわっている。忠明が入ってくると、平伏した。

（高橋様でも、そのようにするのか）

と、嘉兵衛は当然、平伏しつつ、肚のなかでおかしかった。さらには、高橋三平の畏《おそ》れかしこんだ様子を見て、信濃守忠明の俗世でのえらさを思い知らされもした。しかし反面、

（最上徳内様ほどのお人を、値うちも知らずに追いはらったお人だ）

という思いがある。嘉兵衛は、どうせ門閥のお坊っちゃんあがりだろうとたかをくくっていたし、事実、信濃守忠明にはそういう一面もある。

「高田嘉兵衛、面《おもて》をあげい」

と、忠明がいった。高田というふうに苗字のようによび、高田屋とよばなかった。

こういう場合、低い身分の者としては、言われてすぐ面をあげてはならぬとされている。嘉兵衛はそういう行儀は心得ていたから、きこえぬふりで、平伏をつづけていた。このとき目の前で平伏していた高橋三平が、そっとふりむいて、

「お言葉である。面をあげよ」

と、注意をうながした。手続きとして、ここでようやく顔をあげるが、しかし視線はあくまでも下におとし、決して忠明を見てはならぬことになっている。

ところが、この形式では、忠明のほうも寒くてたまらなかった。

かれは書斎のなかにいるが、嘉兵衛を謁するために障子をあけ放っておかねばならず、十二月のつめたい風が容赦なく入ってくる。謁見だけならこれだけで嘉兵衛をひきとらせてしまうところであったが、蝦夷地の話をききたかった。

「高田嘉兵衛」

と、忠明はふたたび苗字つきで嘉兵衛をよんだ。嘉兵衛の身分では、苗字はない。高田というのは嘉兵衛の家にとっての隠し苗字で、公式の場所ではそれを称することができないのである。むろん、忠明も知っている。しかしかれは敢《あ》えて間違い、苗字つきでよんだのは、嘉兵衛を室内に入れるためであった。苗字つきの男なら、書斎の下座にすわらせてもおかしくはない。

その理由は、寒さふせぎのためであった。

忠明はたしかに門閥のお坊っちゃんではあったが、このような程度に機転もきき、融《ゆう》

通《ずう》も利いた。嘉兵衛は書斎の隅に入って顔をあげ、忠明の人相を見たとき、

（これはだいぶましな男だ）

と、おもった。はじめは極端にも、口をあけたような人かと思っていたのである。

松平信濃守忠明は、一見栗のような顔をした小柄な男で、目が聡明そうであった。

かれが蝦夷地御用をおおせつかったとき、おなじく御用として蝦夷地におもむく諸役人に、

「蝦夷地ばかりは、立身のたねにするな。たとえ功名を上に知られずとも、身を挺してつとめよ」

といったという話は、嘉兵衛もきいている。はじめ、そのことをきいたとき、

（大公儀《おおこうぎ》には、そういうお役人様もいるのか）

と、感動した。

そのあと、忠明は、かれに口ごたえした最上徳内を道路普請の現場から追放してしまった、という一件をきき、さきに感心したことが大損だったような気になった。

いま、上座で、蒔絵《まきえ》の手あぶりをひきつけてすわっている忠明をみて、なんとも感想がまとまらない。

忠明は、なにかをいうとき、かならず、

「高田嘉兵衛」

と、よびかけた。何度目かのとき、嘉兵衛は、たまりかねて、この嘉兵衛めは屋号が高田屋でございます、苗字はございませぬ、というと、

「苗字は、この屋敷だけでのことだ。そのほうが苗字をもたぬと、わしは寒くてたまらぬ」

と、笑いもせずに締まった障子を指さした。ユーモアがあるというべきであろう。

「三橋藤右衛門に可愛がられているそうな」

と、忠明はいった。

「かれは、わしの御同役である」

といったから、幕府の制度にくらい嘉兵衛はふしぎな気がした。

(この人が、親方ではないのか)

幕府は、一つの任務を複数の人々に対してあたえる習慣がある。「御同役」がいちいち合議をし、そのうちの身分の高い者(この場合は、松平信濃守忠明)が、とりまとめて上司に報告し、そのゆるしをえて実施する。

この時期の蝦夷地御用の高官団は、

松平信濃守(番頭)
石川左近将監《さこんしょうげん》(勘定奉行)
羽太《はぶと》庄左衛門(目付)

大河内善兵衛（御使番《おつかいばん》）
三橋藤右衛門（勘定吟味役）

という五人であった。幕府が、諸機関から人を出させていることに注目していい。最高の財務官である勘定奉行、それと同格で、会計検査ともいうべき三橋藤右衛門、それに将軍じきじきの高級伝令である御使番、また幕臣の検察役である目付がいる。それぞれ、その管掌において幕政上の枢要《すうよう》の職ともいうべきもので、大げさにいえば蝦夷地での小幕府といっていい。

目付は、人事官ともいえる。たとえば、なにかあらたなしごとができ、それにあたらせるべき者を選ぶ場合、目付羽太庄左衛門が、旗本、御家人のなかからさがし出し、

――こういう人物がおりますが。

と、名をあげ、一同にはかり、首座の松平信濃守忠明がきめるのである。きめるということでは、忠明の立場は後世の総裁と理解していい。

「嘉兵衛、わしは」

と、松平信濃守忠明は、いった。

「蝦夷地において大公儀の武をあずかり奉っている」

つまり、将軍の親衛隊長として大公儀の武を蝦夷地において代表している、というこ

とであろう。

五人のうちの羽太庄左衛門正養《まさやす》は、後年、この臨時の官制である五人の御用掛制が廃止され、蝦夷奉行（ほどなく箱館奉行に改称）がおかれたときに初代奉行になり、解任されてから『休明光記《きゅうめいこうき》』をあらわし、そのことで、後世に名がのこった。

その『休明光記』によると、武官である松平信濃守忠明が蝦夷地御用首座にえらばれたことについては、多少、先例にない人事である、というふうな意味のことを述べている。

『休明光記』の文意を解説風に意訳すると、

「このような職（御用）には、ふつう経済官僚が任命され、番頭のような武官が任命されることはまずないのだが、忠明はかねて蝦夷地問題にあかるく、御老中などに献策したこともあるから、とくに任命されたときいている」

という。

老中としては、武官である忠明が蝦夷地にあかるいことをむしろ奇貨としたであろう。

幕府は、松前藩に代わって、直接、蝦夷地警備をしなければならない。

兵力の主体は、津軽藩、南部藩の藩兵である。これをひきいるには、御用掛の首座が、武官であるほうがのぞましかった。

「蝦夷地における武は、刀槍《とうそう》銃砲よりも、蝦夷人の撫育にある」

と、忠明は嘉兵衛にいった。忠明は、さすがに蝦夷地問題の本質をよく心得ていた。

ロシアが千島列島に南下するについては、周到に準備し、結果として粗末なものであったにせよ、蝦夷人を撫育することを心掛けた。蝦夷人を、宗教・風俗ともにロシア人にしてしまえば千島はそのままロシア領になる。

幕府の狼狽《ろうばい》は、この一点にあった。

幕府が、東蝦夷地とその属島である島々を松前藩から、時限的な陰翳《いんえい》をにおわせつつとりあげたのは、この危機感が主因であり、ひきがねであった。さらには幕府の懸命な実行力のもとにもなっていた。

北海道本島のほうはよいとして、問題は、エトロフ島であった。

「エトロフ島が、主眼じゃ」

と、忠明も嘉兵衛に言いきった。

すでにそれに隣接するウルップ（得撫）島までロシア人がきている。幕府としては、古い「場所」であるクナシリ島を開発基地にし、クナシリ、エトロフの蝦夷人たちの暮らしを大いに豊かにする。そのことに重点を置き、蝦夷人がロシアになびかぬようにする、というのが、主眼であるという。

「しかし、それには大きな難があった。クナシリからエトロフに物資を運べなかったことだ。嘉兵衛、そなたはその水路を見つけてくれた。功は大きい」

と、忠明はいった。嘉兵衛は、自分がやったことが、たまたま幕府の施策の的《まと》を射ぬいていたことを、このとき、あらためて気づかされた。

松平信濃守忠明は、嘉兵衛の人柄を見、話をきき、よほど惚れこんでしまったのか、最後に、

「江戸での宿は、高橋三平方にせよ」

と、命じた。

幕臣が、道中で庄屋屋敷や寺院を宿として借りあげることがあっても、町人が、江戸で幕臣の屋敷を宿とすることはありえない。松平忠明は、とくにその異例を嘉兵衛のためにひらいたのは、よほどの好意であったろう。

同時に、

(嘉兵衛に恩をあたえてその心を攬《と》っておきたい)

という計算もあったにちがいない。

「このたび大公儀の蝦夷地政策の眼目は、エトロフ島であるぞ」

と、忠明はくりかえしいったが、そのエトロフ島をひらくについては、嘉兵衛が必要であった。嘉兵衛という人物を見るにおよんで、その思いが募《つの》ったにちがいない。

(いよいよ、大公儀に、これでは深入りすることになるわい)

嘉兵衛の脳裏に、兵庫の北風家の老当主の顔や松右衛門旦那の顔などがうかび、後悔に似た思いが、苦い液になって胸をひたした。

しかしこうなれば、筏が急流に乗ってしまったようなもので、どうすることもできず、

せいぜい筏が沈まぬように棹《さお》をさしてゆくしかない。

高橋邸では、格別なもてなしをうけた。

座敷で二ノ膳のついた料理を頂戴し、書斎では酒をふるまわれた。それ以上にありがたかったのは、ただでさえ嘉兵衛に対して胸もとをくつろげてきた高橋三平が、この夜、相手を町人として見ず、まったくの同志として遇し、さまざまの秘話を話してくれたことであった。

秘話といっても、興味本位のものではなく、嘉兵衛が今後、蝦夷の島々に本腰を入れるにあたって平素は胸中に秘めておき、なにかのことで高度な判断を必要とするときに役立つという類《るい》のものであった。

「この話は、田沼様というお人にからむ」

すでに失脚したかつての独裁的な幕政家田沼意次《おきつぐ》のことである。幕府は奔馬のように逸《はや》りつづける貨幣経済と、その体質としての原則である米穀中心の経済の矛盾になやみつづけていたが、田沼意次はその「奔馬」に手綱をかけて飼いならし、各方面の財政難を救おうとして、多くの大名・旗本の反感を買った。

その没落後、あとをうけた儒教主義の政治家松平定信は骨髄まで田沼を憎み、その政策をすべて否定するところからはじめた。田沼意次はその政治生命の末期に蝦夷地に目をつけ、大規模な調査・探検団を送ったことで、江戸政治史上大きな光芒を放っている。が、松平定信は蝦夷地のことをすべてもとに戻したばかりか、それに関係した功労者のすべてを処罰した。蝦夷地は、一時期、もとの闇にもどったといっていい。

松前藩にすれば、

——それ見たことか。

ということであったろう。藩よりもむしろ藩の場所請負商人の出先の番人などが田沼の没落をよろこび、ただでさえこき使ってきた蝦夷人に対し、鬼畜のような態度を見せはじめるのは、この松平時代（寛政元年前後）である。


「蝦夷地で和人が蝦夷人に対してやった仕打は、ひどいものであったよ」

高橋三平が、嘉兵衛に酒をすすめながら、ゆるゆる話をした。

蝦夷地では、和人が玄米一斗二升をもって米一俵とし、生鮭百尾と交換するのが常法であったとされるが、その後、和人が、

「それ、一俵だ」

といってかれらにわたす俵のなかには、八升しか入っていないことが多かった。ついには三升をもって一俵とするような悪辣《あくらつ》なことをした。

この三升一俵は、松平定信が老中だった時期のことかと思われる。田沼の失脚と松平定信の登場、それによる松前藩の気のゆるみと、無縁の現象ではあるまい。

蝦夷人が、昆布を長さ三尺に折りそろえて大きく縄からげした一荷《いっか》を持ってきたのに対し、和人は、椀にひや飯一ぱいを与えるだけだったともいわれる。

和人が持ってくる交換品の一つは酒であったが、それに水をまぜ、しかもあげ底の樽に入れてわたした。

松平定信は中国の古代の政治論にあかるい読書家であったが、古典的な重農主義と商業抑圧主義をとった。その在職がわずか六カ年であったが、その善意の観念論による政治は、結果として悪政であったであろう。

この在職中に、クナシリ島の反乱がおこるのである。

松前藩のクナシリ場所を請負っているのは飛驒屋久兵衛で、当主は現地も知らない。島の運上屋の番人など和人どもが、兇暴をきわめた。

和人の多くは、南部藩北端の出稼ぎ百姓で、かれらも郷里にあっては藩からはげしい搾取をうけていたのだが、立場がかわって蝦夷人に対して「場所」の絶対権力の一端をつかむと、人変わりした。

かれらは蝦夷人を暴虐にこき使っただけでなく、報酬をろくに渡さなかった。さらには蝦夷人の妻や娘を犯した。それだけでなく、働きがにぶいと、

「一村みな毒で殺すぞ」

とか、

「釜ゆでにして殺す」

などとおどしたりした。蝦夷人たちは、恐怖と憎悪という心理的な異常事態のなかで、和人どものことばを本気にした。事実、毒殺されたと蝦夷人たちが信ずる事件がもちあ

がった。

このクナシリ島の惣乙名《そうおとな》でサンキチという者が病気になった。病いには酒が薬ときき、運上屋に乞うてわずかながら酒をもらってのんだところ、ほどなく死んでしまった。さらにサンキチの弟の妻も、運上屋の番人からもらった飯を食ったところ、頓死した。むろん、毒など入っていなかったようだが、状況上、かれらがそのように信じたのは当然であった。

かれらは島の内外に同志をもとめて反乱の組織と計画を練り、各所の運上屋を襲い、番人、船頭・水主《かこ》など七十一人の和人を殺した。寛政元年（一七八九年）五月上旬のことである。

松前藩は大いにおそれ、鎮圧隊を出して鎮めたが、松平定信は海防論をたえず唱えていた政治家だけにみずから乗りだして調査したりした。しかし定信のような男に、蝦夷人と蝦夷地問題の本質がわかるはずもなく、かれ自身、この事件から海防論以外の教訓はほとんどひき出せなかった。

「わかるか、嘉兵衛」

と、高橋三平は、朱《あか》い塗りの杯を口もとで止めながら、いった。

「三転したのだ」

幕府の蝦夷地への対策が、である。

最初の転換をもたらした田沼意次の政治は、本音としては蝦夷地を経済的対象としか見ていなかったであろう。しかし調査する者たちから蝦夷人の惨況をきいて、なにがしか救済する方法を考えていたのではないか。

それにつぐ松平定信が、蝦夷地政策をやめた。これが、再転であった。かれは海防論の対象としか見なかった。寛政元年のクナシリ島の反乱事件も、海防の一点のみで重視したのである。定信の懸念は、

——この反乱の後押しを、赤人《あかひと》たちがやっているのではないか。

ということだけであった。

調査の結果、かれらが島の運上屋の兇暴なやり方に対し、生存の危険を感じて立ちあがっただけの自発的なもので、赤人の煽動によるものではないことがわかった。

そのことがわかると、定信は、興味をうしなっただけでなく、調査に派遣した幕臣青島俊蔵と、当時まだ小者の身分にすぎなかった最上徳内が江戸に帰ると、俊蔵をとらえ、牢に入れ、獄死させた。俊蔵は功こそあったが、罪などはなかった。ただ定信にすれば、田沼時代、国家に益もなき蝦夷地調査に協力した、という罪がある。

ただし徳内は身分がひくいため、お目こぼしにした。田沼時代の蝦夷地御用の幕臣はみな処罰されたが、徳内は身分柄まぬかれ、かえって定信によって、幕臣にとりたてられた。幕臣として千島から樺太《からふと》までの調査をさせられることになった。定信の目的は、赤人の意図を、この練達の探検家にさぐらせるというところにあり、それだけのことで

あった。定信は徳内という人物を、軍事探偵としてしか見ていなかった。

その松平定信が老中をやめるのは寛政五年で、すでに六年前になる。

その後、幕閣に北辺についての危機感が高まった。

寛政十年、幕府は東蝦夷地を天領（直轄領）にする肚づもりで松平忠明ら五人の高官を蝦夷地御用とし、大規模な調査団を送る。これが、三転である。

「田沼様のころに戻ったわけではない」

と、高橋三平はいった。田沼時代の蝦夷関係者はことごとく処罰されて、いま陽の目を見ていない。

また松平定信時代をへた蝦夷専門官もいない。いるとすれば、身分のひくい最上徳内ぐらいのものである。

「われわれは、あたらしい目で蝦夷地を見ている」

経済だけでもなく、海防だけでもない。

蝦夷地に本州の村方《むらかた》制度を布き、蝦夷びとを本州の百姓とする。しかも、かれらを商業と漁業でもって暮らしを賑わし、豊かにさせる。それによって、かれらがロシア籍になることをふせぐのだ、と高橋はいった。

「つまりは、かれらの暮らしを賑わさねば、蝦夷びとはロシア人になりかねない」

その主眼をエトロフ島に置いたのは、この島の漁利が大きいというのが、第一である。

これを開発し、繁栄の模範にすることでまわりの蝦夷びとを賑わすというのが第二である、と高橋三平はいった。

嘉兵衛は、海上にある。

ひとまずは南部・野辺地湊をめざしているが、冬の太平洋《ひがしまわり》の荒さはどうであろう。江戸を出、房総の先端である野島崎をこえたときは、晴天がしばらくつづくと嘉兵衛はみた。たしかに空は音が鳴るほど晴れあがっているのだが、北風が強く、ときに無数の白刃《しらは》がきらめくように、海面に波頭が満ちた。

「春までに箱館に着けばいいのだ」

と、嘉兵衛は乗組の者に言いふくめ、むりをしないという方針を徹底させた。

九十九里浜を突っきると、利根川河口の銚子の湊にもぐりこんだ。

銚子湊は、船乗りにとって、厄介であった。

利根川という大河の末で、河口は十分にひろいが、水中に岩や暗礁、浅瀬が多く、土地の附舟に案内されなければ、船を破る危険が多い。河口の北岸に洲があり、その洲を縁どるようにして堤状の暗礁があり、三、四百メートルほども細長くつづいている。

「土地では、ナカラミとよんでいるんです」

附舟の船頭が教えてくれた。そのナカラミの河心《かしん》側の水深がふかい。このため船乗りたちはナカラミを恐れつつも、それに接するように船をもってゆき、河口港に入ってゆく。

嘉兵衛の華やぎは、辰悦丸という巨船と不離なものであった。どこでもこの巨船が評判になり、また嘉兵衛はこの巨船によって信用を得た。

銚子湊でもそうだった。

「日本一の船が入った」

と、町中の評判になった。

銚子には、富商が多い。かれらの購買力によって廻船問屋も栄えている。

嘉兵衛は、銚子では武蔵屋十兵衛という廻船問屋に泊まり、十兵衛に荷をまかせた。

銚子では武蔵屋十兵衛、ということに決めたのは、江戸で十分検討し、武蔵屋とつながりのある江戸の廻船問屋に紹介状を書かせ、あらかじめ飛脚便で送らせていたのである。

十兵衛は、齢のころ四十半ばであろう。小兵《こひょう》でありながら顔ばかりが俵のように大きい。嘉兵衛と初対面のあいさつをすませると、

「どうも、昔、お見かけしたような」

と、親しみをこめて両頰に笑《え》みをうかべた。嘉兵衛は察し、大笑いした。顔も体つきも似ていて、十兵衛は、十五年ばかり前の自分に再会したようだ、というのである。

十兵衛はみずから辰悦丸に入り、古着を相当数買った。嘉兵衛が十兵衛から買うことにしたのは、醬油であった。

——江戸という世界的な大消費都市の後背地である関東に商品生産の能力がない。

というのが大坂や灘の繁昌になり、兵庫の廻船問屋をうるおす根元《もと》になっているが、醬油ばかりは様子がちがってきている。

この銚子と野田に醬油業がさかえ、品質がよくなり、江戸を市場として、上方から下《くだ》る醬油と競争している。嘉兵衛のころはまだ上方六、銚子・野田が四ぐらいの割合であったろうが、やがて江戸後期も末になると、圧倒的に上方醬油を江戸から駆逐してしまうのである。

嘉兵衛の辰悦丸は、ゆるやかに北をめざしている。

鹿島灘《かしま》ばかりは一気に突っきった。そのあと、奥州の湊々に寄港しつつ仙台藩の藩港であり、商港でもある石巻《いしのまき》に寄った。

仙台六十二万石という雄藩の台所をまかなう湊だけに、その殷賑《いんしん》ぶりは兵庫におとらない。

江戸では仙台米のことを、とくに、

「本穀米《ほんこくまい》」

とよぶ。江戸で消費される米の三分の二は奥州米（主として仙台米）であると『武江《ぶこう》年表』ではいう。

三分の二というのはむろん統計によるものではなく、ごく印象的なものであるにせよ、仙台米の江戸経済における存在はそれほど大きく、江戸人を事実上養っていたといっていい。

仙台伊達家六十二万石は、表高《おもてだか》にすぎない。嘉兵衛の時代、すでに実収は、百万石あったといわれる。単純計算でいえば、そのうち四十万石が商品になる。

商品としての米を、この時代、

「廻米」

とよんでいた。仙台藩は、その藩財政のなかで現金収入の四割がこの廻米の江戸での売上げ金であった。

稼ぎをもたらしたのは、江戸初期からこの藩がやりつづけてきた新田《しんでん》開発である。

江戸初期まで、この藩の桃生《ももふ》（ものう）郡の野は、北上川と迫《はさま》川、江合《えあい》川がからみあい、洪水のときは氾濫をくりかえして、その水がひかず、湿原、沼など遊水池をつくっていた。

関ケ原ノ役のあとの慶長十年（一六〇五年）からはじまった工事は、まず糸のようにもつれていた北上川と迫川の流路を分離させた。

しかるのちに、この三川の流路を下流において一本にすべく、新流路が、北上川の一点から南へ掘られ、石巻で海にそそがせた。

これによって湿原や沼は乾き、広大な範囲で良質の美田ができたばかりか、それらの米を運ぶ河川の舟運事情が飛躍的に向上した。仙台に「平田船《ひらたぶね》」とよばれる川船が大いに発達するのは、このときからである。

新北上川の河口港としての石巻湊（それまで漁村にすぎなかった）が、仙台藩の経済をになう交易港としてにぎわうのも、そのとき以後である。それが寛永三年（一六二六年）というから、嘉兵衛のこの時期より百七十余年も前のことであった。

嘉兵衛が石巻湊に入ったとき、河口に林のように千石級の船の帆柱がならび、水に面して四十五棟の藩の米蔵が軒をならべ、さらにはこの湊を利用する他藩の蔵や会所、また廻船業を中心とする諸問屋がひしめき、町は鳴るようににぎわっていた。

「もったいないことながら、伊達様のお金は、石巻がお稼ぎいたしているのでございますよ」

と、船宿のあるじがいった。

（百姓はむろんのことだが、それは船乗りの働きだな）

と嘉兵衛は、何とはなくうれしかった。この町でも、古着などを売った。その売上げで、箱館で売る米をつみこんだ。

嘉兵衛は、日和《ひより》を見ては北上した。

（東廻りはこわい）

という思いがつよかった。

たしかに仙台の外港の石巻を出てからは、風浪の日が多く、風は無数の針をふくんでいるようにつめたく痛かった。

この季節、この航路を遠距離航海する船は絶無といってよく、辰悦丸はまことに孤帆《こはん》と形容するにふさわしい。南部領（現・岩手県）の山々は雪におおわれ、空は水につかった古綿のように重くるしかった。

盛岡に城下をもつ南部藩という大藩のことを、土地では大南部《おおなんぶ》という。海に近い八戸《はちのへ》に二万石の支藩があり、小《こ》南部という。

小南部である八戸の外港が、鮫湊《さめみなと》である。

嘉兵衛は、とりあえず日和見をすべく鮫湊をめざしたが、それへ至る海岸はひくい断崖、奇岩が多く、ことごとく雪におおわれて、氷山を見るようなおもいがした。

「種差《たねさし》の細長い岬が、目標《めあて》だ」

と、ヤマ（荷の最高所）で針路を見つづけている表《おもて》（航海士）にあらかじめいっておいた。

嘉兵衛は、蝦夷語を独習すべく言葉の手帳をつくっているが、タンネが「長い」という意味であることを知っている。サシは、岬である。

鮫湊はけわしい岩肌の突角でまもられ、港内にも岩礁が四つ五つある。この季節に辰悦丸が入ってきたことで、村じゅうが、さわいだ。

八戸南部藩の窮乏ぶりは嘉兵衛はつとにきいていた。

（とても商いなどできない）

と思っていたし、碇泊して実情をみると、予想のとおりであった。

鮫湊でとまり、八戸の城下にも行ってみた。四方を見るに、河川がすくなく、水田の適地がすくなかったし、さらには、農民はいつも夏の冷えにおびえていた。稲作をもって一藩を形成するなど、蝦夷地の松前藩ほどではなくとも、基本的に無理であった。数年前の寛政七年にも窮民が大一揆をおこし、この責をとって藩主は退隠し、家老は辞職した。

太平洋航路の開通は米のありあまった仙台藩には大きな富をもたらしたが、売る米のない八戸藩は、むしろひどい目に遭った。

元禄期ごろ、この航路をつたい、ここに古着をもってきた江戸経由の近江商人が、たちまち産をなし、百姓に対しては高利貸になり、その田畑山林を奪い、地主になった。本来、自作農の多かったこの藩地は、右の商品経済の殺到のために、ほとんどが小作人になってしまった。

江戸体制でいえば、本来、百姓と一体であるべき藩は、海からきてたちまち成りあがった大商人・地主のほうによっかかり、そこから運上金をとり、小作化した百姓を地主にまかせた。嘉兵衛たちが参加している商品経済は、先進地にあっては薬であっても、後進地では人も野も枯らすような劇毒になりかねなかった。

あとは、陸奥湾の奥座敷ともいうべき野辺地《のへじ》湾の湊である野辺地にむかうのである。

それには、巨大な下北半島の外まわりをまわりきらねばならない。

「こんな冬場に、とても」

と、八戸の鮫湊のひとびとは、

「春までこの鮫湊でお待ちなさらんか」

と、とめてくれた。いい船頭というのは、一面、待つ能力をもつ者のことではある。

しかし嘉兵衛は、好んで冬の航海をめざしてきたのである。

「このあたり、冬場は、小舟も通いませんか」

と、鮫の漁夫にきいてみた。西日本では冬でもときに大船が動いている。ごく近まの湊と湊をむすぶ小舟の動きにいたっては、夏も冬もない。

「とても」

漁夫は、いった。

たしかに、奥州も奥ともいうべきこのあたりは、西日本のような甘い海ではなかった。遠い北の異国で湧きあがる巨《おお》きな寒気が、日本海やオホーツク海をとびこえて、たえずこのあたりを襲ってくる。それにやられれば、船は南へ吹き飛ばされてしまうだろう。

「むしろ、楽しみだ」

嘉兵衛は、強がっているのではなく、ことばどおり、困難の克服を、航海者として楽しんでいた。

かれは、下北半島の沿岸の地理について調べぬいていた。ろくな避難港もないが、かろうじて逃げこみうる浦々も頭に入れた。

八戸の鮫を出れば、奥入瀬《おいらせ》川の河口が頼りになる。その北に、高瀬川の口がある。そのあと、尻屋崎までが斧《おの》の柄のような長丁場であり、この航海での大灘の一つといえる。嘉兵衛は、帆を三合、五合にちぢめて、北上した。幸い、どこにも避難することなしに、斧の柄の頭にあたる尻屋崎に達することができた。

尻屋崎は、北にむかい、するどく三角をなして海濤のなかにつき出ていた。風と濤がのみのように山嶺、断崖をきざみ、岩礁を削って、地の骨があらわになってしまっている。

「なんと、クナシリ島の安渡移矢《アトイヤ》岬に似ていることか」

嘉兵衛は、おどろいてしまった。

安渡移矢岬のむこうがエトロフ島のベルタルベ岬で、そのあいだを国後水道がよこたわり、急湍《きゅうたん》が走っている。尻屋崎のむこうが、津軽海峡であることも似ていた。

「このまま、ここからすぐ渡れればなあ」

嘉兵衛は、はるかな水平線上に横たわる蝦夷地の白い山々を見ておもった。むろんわたることができない。

津軽海峡は、潮が昼夜、季節にかかわりなく、西（日本海）から東（太平洋）へ流れつづけていて、逆になることはない。嘉兵衛とほぼ同時代の旅行家橘南谿《たちばななんけい》（京都の医師）はその著『東遊記』後編で、津軽海峡のことを、あたかも海中に三つの大滝をかけたるがごとし。

といっている。東流するがためにその東端の尻屋崎から突っきるのは、よほどの好風を得てもむりなのである。

津軽海峡の流れは、たしかにつよい。

つよいだけに、その東流する力は、沿岸において反作用し、沿岸流は逆に西流している。

嘉兵衛は、その沿岸流をとらえて、西にむかった。

舵とりがむずかしかった。その沿岸流を得たさに岸に近づきすぎれば、暗礁などに嚙まれてしまう。

沿岸流は、速力がおそい。

風の力も借りるのだが、この季節は多くはむかい風になってしまう。左舷に陸《おか》の崖がある以上、帆をまげ、船あしをジグザグにする間切《まぎ》りの航法を野放図にとるわけにいかなかった。

嘉兵衛は、奇術のように操船しつつ、尻屋崎からわずかに進んで、大畑といういかにも荒涼とした浜に河口を見つけ、そこへ入りこんで、船がかりした。

二日ばかり日和を見て、ふたたびすすんだ。

津軽海峡に対して崖も山も磯も曝《さら》しっぱなしというあたりにくると、海岸は断崖というより剣や矛《ほこ》を植えこんだように怪奇なものになった。本州もはてになると、岩や磯が風浪のために労《いたつ》きはてているという感じがしないでもない。

嘉兵衛のこの時期よりわずか一世紀ばかり前までは、この海岸線に蝦夷人の村が多かったといわれる。

やがて下北半島という斧の刃の角《かど》——大間崎《おおまざき》をまがって南下した。このときも、南下する沿岸流を利用した。

陸奥湾の湾口の入口は、狭くなっている。東は下北半島、西は津軽半島がせまって、西北風がすこしやわらいだ。ただ湾内の奥から潮流が出てきて、南下する辰悦丸にとって逆潮《さかしお》になった。船は南下しようとする。潮は逆に北上してくる。

「流されます」

と、表が、悲鳴をあげた。

「さわぐことはない。船を西（津軽半島側）へ寄せればよい」

と、嘉兵衛は、いった。

嘉兵衛が見当をつけたとおり、津軽半島の湾に面した沿岸だけは、潮が南下しているのである。

辰悦丸は、それに乗った。

湾内に入ると、奥へゆくほど広い。

「帆をあげろ」

七合にまで帆をあげさせ、西北の風をはじめて真艫《まとも》に受けさせた。それまで尺取虫のように小刻みに沿岸航海をつづけてきた辰悦丸は、勢いを得て大いに帆走した。

やがて野辺地川の河口と、河口に発達した家並み、蔵の列、碇泊船の帆柱の林などを見たとき、

(命が、あったわい)

と、嘉兵衛は十日ほど息を忘れていたかのように、大きな息を吐きだした。

野辺地湊に碇を投じたとき、困難な船路がおわった。無事ではあったが、ひとにすすめられる航海でないと思ったし、自分自身、二度とやろうと思わなかった。

陸奥湾は、蝦夷地にむかった本州の海の口である。

湾には、二つの港がある。

ひとつは、津軽藩の根拠地である青森湊である。いまひとつは、南部藩の野辺地湊であった。

嘉兵衛も、今後、箱館で仕事をする以上、陸奥湾にも詰所を置く必要があった。

(青森より、野辺地のほうがいい)

と、考えていた。

野辺地に駐在員を置いておく。そうすれば、いざという場合、船や水主をあつめるこ

とができるのである。

（津軽人より南部人のほうがよい）

とおもったわけではなかった。

嘉兵衛が蝦夷地で出会った出稼人に、たまたま南部人が多かったということである。津軽は古代からひらけた稲作地で、文化の根がふかい。それだけに津軽人は行儀がよく、仕事をさせても丁寧であるという評判がある。ただ反面、あたらしい物事になじみにくく、また他郷人に対しても疑いぶかい。そうたいに保守的でもあった。

津軽からみれば、南部という土地は広大な面積をもっていたが、牛の背のように隆起した土地である。水系のすべてが稲作にむくわけではなく、農民としての暮らしはもともと困難な地であった。

それに、津軽は出羽とともに古代以来、日本海航路の影響をうけて生活文化が上方に近い。

南部が遅れたのは、太平洋に面しているためであった。江戸期になってひらかれた太平洋航路によって、ようやく江戸文化の影響をうけた。

そのような南部の条件のわるさが、かえって南部人を冒険的にしたし、さらに新しい物事に対しても先入主なく勇敢に摂取する気風を身につけていた。

（あたらしいことをやるときは、南部人のほうが、なじみやすいようだ）

と、嘉兵衛は思うようになっている。

それよりも、嘉兵衛に、青森より野辺地を選ばせた契機は、最上徳内にあった。嘉兵衛はさきに江戸にあって高橋三平の屋敷を宿としていたとき、最上徳内を訪ねてその不遇を見舞った。

徳内は、蝦夷地の様似の道路開鑿《かいさく》工事の途中で、取放《とりはな》し（免職）の罰をくらったあと、江戸に帰り、

――様似で拙者が取放しになったが、このことは松平信濃守様の蝦夷地についての不明からきたものである。

という論文を書き、手蔓《てづる》をもとめて若年寄にさしだした。この論文の正当さは、幕閣を動かすのだが、いまそのことに触れるのは、措《お》く。

徳内は、嘉兵衛が訪ねてきたことをよろこび、

「自分は、蝦夷地へゆく足がかりを、つねに南部の野辺地に置いてきた。嘉兵衛も、野辺地に人を置いておくほうがよい」

といって、野辺地の廻船問屋島谷《しまや》清吉に対する紹介状を書いてくれた。

南部藩の外港の野辺地は、家のつくり、街路のたたずまいなどが垢《あか》ぬけしていて、出羽の酒田を小さくしたような品格をもつ町だった。

「南部銅」

と、大坂でよばれている銅がある。

南部藩領には、尾去沢《おさりざわ》銅山があり、豊臣期の末期か、徳川初期にはじめて掘られた。最盛期は元禄のころからで、嘉兵衛のこの時代には、やや老化している。

それでもなお、銅は馬とともに南部藩の財政を大きくうるおしつづけてきたものであった。

銅は、幕府の直轄港である長崎で清国商人やオランダ商人に売られる。このため、幕府にとっても尾去沢銅山の盛衰は重要な関心があった。

南部藩は、銅を「荒銅《あらどう》」のまま野辺地湊から積み出すのである。

それを輸送する船は、なかば幕府の官用でもあるため、南部藩の雇船ながら、日ノ丸の幟がたてられる。べつに、

「長崎御用銅」

と染めぬいた文字の幟もたてられる。

荒銅はいったん大坂へ送られ、精錬に長じた大坂の泉屋（住友）の手で、美しい棹銅《さおどう》のかたちに吹き直される。棹銅になってはじめて商品になり、長崎に送られるのである。

いわゆる「棹吹《さおふき》」には大坂の泉屋がもつ設備と技術にたよらざるをえなかった。泉屋は、その南蛮吹といわれる技術を秘密にせず、大いに公開はしていたが、精錬の出来がよかったのである。

嘉兵衛が野辺地の町を歩いていると、

「泉屋」

というのれんのかかった蔵造りの家があるのを知った。泉屋の野辺地支店であった。

「鴻池屋《こうのいけや》」

という詰所風の家屋もあった。

日本の三十余藩に大名貸しをしている大坂の金融業鴻池善右衛門の出張所である。銅山というのは老化すると経費がかかり、藩として鴻池から金を借りねばならない。こういう関係から、後世の銀行支店のようにして、この本州の果てに、鴻池は出店をもっているのである。また、

「長崎会所」

という木製の表札が出ている家もあった。長崎における官許の貿易商組合が、野辺地に出張所をもっているというのも、日本国が、一面においては諸藩が割拠《かっきょ》し、一面においては、経済のかたちとして、一つになりつつある証拠であろう。

加賀の代表的な廻船業銭屋五兵衛の出店があるというのも、ささやかながら同業である嘉兵衛の驚きであった。

銭屋は、その屋号のとおり、もともと金融業（両替屋）であった。ほかに、醬油醸造もやり、呉服の古着もあつかっている。

やがて当代の銭屋五兵衛によって廻船業に乗り出すが、むろん、運賃かせぎが目的ではなかった。かれの船が大坂へ送る加賀藩の廻米の値と、大坂の米相場とを五兵衛はにらみあわせ、その値の幅で大いに利を得ているのである。

ともかくも、野辺地の町を歩くだけで、嘉兵衛は日本国の経済がわかるような気がした。

嘉兵衛は、野辺地の町を歩きつつ、

(最上様という人も、ふしぎなお人だ)

と思わざるをえなかった。

嘉兵衛が江戸の最上徳内宅のなかで徳内を見たとき、樺太まで歩いた男とはとても見えぬほど小柄なことに、あらためておどろかされた。

頭の鉢だけは大きく、あとはなにもかも小作りで、口もとはとくに小さく謹直にひきしまっている。

「私は、野辺地で、湊の荷揚げ人足をしたり、山に入って木樵《きこり》をしたこともある」

天明《てんめい》期の大規模な蝦夷地調査(一七八五〜八六)は、それを命じた田沼意次の失脚によって、中止された。このとき、徳内の身分は、臨時雇の足軽身分で、幕臣青島俊蔵に従う竿取《さおとり》という軽いものだった。現地で解雇され、江戸に帰った。当時、三十二歳で、独身であった。

かれは、蝦夷地調査が日本国の運にかかわるものとして八方説いてまわったが、たれも相手にしなかった。

(松前藩を動かしてみよう)

と思い、江戸を去って松前城下にゆき、懇意の寺の住職を仲介にして藩に説いてみたが、かえって追放の目に遭った。松前藩にとって、領内を調査してまわる徳内など毒虫のようなものであり、雇うなどという思案はどこを押しても出なかった。暗殺されなかっただけでも、徳内は感謝すべきであったかもしれなかった。

この徳内を、南部の船持船頭の新七という者がたすけ、野辺地まで連れて行ってくれたのである。徳内は、機会を得るまでこの地ですごすべく人足や木樵をしてわずかな日当を得た。

「私は、それ以前にも、野辺地に行ったことがある」

と、徳内はいった。

徳内が出羽国楯岡《たておか》（現・山形県村山市）の村で、わずかな田畑をたがやす小農のうまれであることは、すでにふれた。家は家計のために、煙草《たばこ》切りをしていた。煙草の葉を乾燥させて毛のように細く切るしごとである。

徳内は、少年時代、親の言いつけで、完成品の莨《たばこ》を、遠くへ行商に出かけた。

最上川沿いの農村は、紅花を栽培して土地の紅花商人に売る。紅花商人はそれを最上川の川船で河口の酒田湊まで運び、そこから海路、大坂や京まで運ばれ、京の紅商人の手で完成品にされ、諸国にくばられる、ということも、すでにふれた。こういう商品の動きが最上川ぞいの農民に、物事を全国規模で見る感覚を養わせ、それが、地理学者最上徳内の成立に重要な触媒の作用をなしたといえる。

少年ながら、徳内の行商の範囲は大きく、酒田から船に乗って野辺地まできて莨を売ってまわったというのである。

「野辺地は、私にとって幾重にもなつかしい土地だ」

といったが、右の落魄《らくはく》時代、船頭新七の世話で、土地の青年や旦那衆に、数学、地理、天文などを教えたりもした。

そういう縁もあり、野辺地で屈指の廻船業者で、藩から「南部銅」の御用扱いをも命じられている島谷清吉に敬愛され、その妹ふでを娶《めと》ることになった。

徳内が、嘉兵衛のために紹介状を書いた島谷清吉は、そういう事情で、義兄にあたるわけである。

嘉兵衛が、南部野辺地湊に入ってから、天候があやしくなった。

二日後には、すさまじい吹雪がやってきた。このため、十日のあいだ、滞留した。

どの湊にも、遊女がいる。野辺地の遊女は衣装なども上方風で、もてなしがやさしく、船乗りのあいだでは評判であった。

冬の南部に入船《いりふね》などめったになく、このため辰悦丸の水主たちは歓迎された。

嘉兵衛だけは、廻船問屋島谷清吉方に泊めてもらっているために、そういう悪所へはゆかない。

「ご案内いたしましょうか」

と、当主の清吉が言ってくれたが、嘉兵衛は手をふってことわった。

「さすがに辰悦丸の嘉兵衛どのだ」

と、島谷清吉はなにか嘉兵衛が聖人君子でもあるかのように見当ちがいしたらしく、ひどく感心した。

「いや。そういうことではありません」

嘉兵衛は、うつむいて、苦笑した。

船乗りは、男所帯である。ながい航海のあいだ気を張りつめているだけに、湊に入ると、陸《おか》の土の上にころがって、仔犬のように砂や泥にまみれてみたくなる。陸であることの実感は、女であった。というより女そのものが、陸というものであるのかもしれない。

嘉兵衛においても、このことはかわらない。

ただ、嘉兵衛は、平気でやせ我慢ができた。

「気分の毒でございますよ」

島谷清吉は、べつに悪すすめするわけではなかったが、ふと洩らした。嘉兵衛はそのことばをきいて、この廻船問屋の三代目の当主は、船頭をつとめたことがあるのか、と思い、きいてみた。

「若いころ、一度だけ、長崎御用銅を積んで大坂へゆき、さらに長崎まで行ったことがございます」

船頭としてである。

どの土地でも、船主かその惣領息子かが持船に乗るときは、船頭になる。船の技術を持たなくても、船のことは控えの沖船頭がやってくれるのである。

「船酔いするたちでございますから、一度でこりました」

そのくせ、清吉は緯度の測り方や、天文に関する知識は、嘉兵衛よりはるかに豊富であった。

（この人は、学者だ）

と、嘉兵衛はおもった。

清吉は、四十前後であろう。出羽や南部には色白の男が多いが、清吉はそうでなく、椎《しい》の実に古油を塗ったように顔が黒く、眉も太く、せまい額に力がみなぎっていて、荒海を漕ぎまわる漁師のように精悍な顔つきをしていた。ところが、そういう顔と性格とはべつなものらしく、黒すぎる瞳が小心そうに動き、心くばりなども、婦人のように優しそうだった。

「船で商いをしていながら船に乗らないということで、いつも気おくればかりしております。せめて徳内先生から測量・天文を学んで、胸の中だけで船をうかべております」

そんなはなしから、話題が最上徳内のことになった。清吉にとって徳内は妹婿《いもうとむこ》であったが、徳内について話すときは決して馴れなれしさを見せず、師としてうやまっていることが、その話しぶりにもあらわれていた。

嘉兵衛にとって、最上徳内は、いわば行きずりの縁であった。

松前城下の路上で会い、結局、箱館まで船にのせてあげただけのことである。

ただ、嘉兵衛は、徳内に会わないときから、つよい関心をもっていた。あのとき、松前町人の蕨屋《わらびや》清兵衛という人物にも、

——最上徳内というお方にお会いしたいものだ。

という意味のことをいって、相手に顔色を変えさせた。徳内の名は、松前藩にとって、さそりか毒蛇のような印象をあたえる名だったのである。

徳内は、自分に対して、反感と警戒の海のような松前城下で、平然と道を歩いていた。これをみて、嘉兵衛は劇的なほどの感動をおぼえた。

——自分は、ただ一筋の道を歩いているだけだ。他の人生を求めようとは思わない。

と、徳内が嘉兵衛に話したことがあるが、そういう男の強さというものであったろう。松前の湊（福山湊）から箱館までのあいだの縁ながら、最上徳内のほうも嘉兵衛をゆきずりの船頭として見なかったのは、ひとつには嘉兵衛の徳内への思いの濃さを感じていたのかもしれない。

——嘉兵衛儀、クナシリ、エトロフのあいだの水路を按検《あんけん》せし人物にて、拙者同様、蝦夷地一途《いちず》の仁《ひと》に候。

と、野辺地の義兄島谷清吉あての紹介状に書いている。清吉が披《ひら》いてそれを嘉兵衛に

読ませてくれた。

——蝦夷地一途。

ということばに、嘉兵衛は感動し、目の前が霞《かす》んでしまった。徳内は、自分を同志としてあつかってくれているのである。

「過分なことでございます」

嘉兵衛はつとめて笑顔を作っているはずなのに、涙だけが、ころころと頬をころがりおちた。これほどまでに、他の者から遇されたのは、幼いころからはじめてのことではあるまいか。

「うれしうございますな」

心から、嘉兵衛はいった。

(おやおや)

島谷清吉は内心、目を見はっている。

目の前で棒鱈《ぼうだら》の煮たものを食べている嘉兵衛という男が、練達の船頭であることは知っている。さらには諸国における物の動き、物の値の上下についてあかるく、安値のときに物を仕入れ、高値のときに売るということで機敏な商人であることも知っている。

が、清吉が見つづけているこの瞬間の嘉兵衛は、船頭でも商人でもなく、立ち昇っている一炷《ひとゆら》の気のようなものであった。

(この人を動かしているのは、欲望ではない)

と、清吉はおもった。なにやら名状しがたい気のようなものであり、それが徳内にも感じられたればこそ、商人などを紹介するはずもない徳内が、進んで自分にひきあわせたのであろう。

数日して、清吉は嘉兵衛における気のようなものが、いよいよ理解できた。その気にはおよそあくとか臭気とかといったものがなく、澄んだ音がかすかに鳴っているような感じさえした。清吉は、

「なにごとであれ、私どもにできることなら、爾今《じこん》、ご遠慮なくお申しつけください」

と、思いきった締盟の約束をするまでになった。

吹雪は、ながくつづいた。

それが去った日、虚空《そら》から何かが抜けてしまったように、ばかのような晴間になった。

(これは、三日はつづくだろう)

嘉兵衛は、土地の日和見師の観測を総合してそのように思った。

早朝、辰悦丸の帆をあげて、野辺地を出港した。

野辺地には、実蔵という知工《ちく》(事務長)を置いた。

実蔵は、サトニラさんの堺屋に奉公してきて、手代の仕事をしていた。堺屋が嘉兵衛と合併して「高田屋」になったとき、嘉兵衛は、

「実蔵さん、私にはまだ手代は要らない。船に乗って知工になってくれ」

と頼み、たえず手許にひきつけて訓練してきたが、こまったことに船に弱かった。実蔵は、船に乗ることなしに自分ができる仕事をひそかに考えつづけていたが、野辺地にきてこの町が好きになり、嘉兵衛にこの町での駐在を志願したのである。

「寒いぞ」

嘉兵衛がおどすと、船に酔うつらさから思えば寒さなど何でもない、といった。

島谷清吉が、請人《うけにん》になってくれた。この時代の法は、えたいの知れぬ他国者が長逗《ながとう》留《りゆう》したり住みついたりすることは好ましくないとされていた。請人があればよく、なお一層いいのは、土地の娘を嫁にすることだった。幸い、実蔵は独身で、ゆくゆくそういうことになるにちがいない。

「南部にきて、いちばん厄介《やつかい》な冬が気に入ったというなら、もう言うことはありません」

きっと長つづきするだろう、と清吉はいった。

あとで、実蔵が、清吉に、自分は船にも弱いが、じつは臆病で、とても蝦夷地の島々などには行けません、と正直なことをいった。

「私も臆病だから、よくわかる」

と、清吉が、笑ってくれた。実蔵にすれば、島々のさびしさもおそろしい。それに赤人にいつ襲われるかとおびえながら、様子もわからぬ赤茶けた島などに上陸するのは、もうエトロフゆきで懲《こ》りました、といった。

「嘉兵衛さんは、度胸がある」

さきに箱館における幕府の出先機関が、クナシリとエトロフの間の潮路を按検すべく篤志船頭の公募をした。その募集の声は、この南部の野辺地の廻船問屋にまでとどいたが、たれひとり応募する者がいなかった。尻ごみの理由は、赤人がおそろしいということが、第一であった。

清吉はその当時のいきさつを知っているだけに、ひとしお嘉兵衛を豪胆な人間として見る気持がつよかった。

この海（陸奥湾）では、下北半島と津軽半島が両立している。

嘉兵衛は、辰悦丸を西の津軽半島に寄せた。

寄せると、その津軽半島ぞいに北上し、西へおれて高野岬をすぎてもなお西進し、前方に半島の先端である竜飛《たつぴ》崎が見えるあたりまで行って、針路をにわかに北に変え、帆をいっぱいにあげた。やがて箱館をめざし、東流する潮流のなかに入り、そのぶんを計算に入れつつ、津軽海峡をゆったりと突っきりはじめた。

転変

この季節に、津軽海峡を突っきるなどは、至難のわざだったであろう。

嘉兵衛は十分に待ち、天候も見さだめて津軽半島の一角から跳躍したつもりであったが、沖に出ると西北風が予想以上につよかった。その上、東流する海流の速さに抗《あらが》いがたく、一時は、

(東に流されてしまう)

と、嘉兵衛は後頭部を棍棒でなぐられるような衝撃とともにおもったが、水主たちに対してはふだんの顔つきを作りつづけていた。

ようやく対岸の木古内《きこない》の山が近づくあたりまで寄せたとき、

(のがれた)

と思い、帆を二合にまでおろした。ところが、奥の箱館湾から流れてくる木古内湾の湾岸流が存外つよく、ふたたび沖へ流されそうになった。嘉兵衛はせっかく対岸に接近したものの、思いきって帆を高くあげていったん沖へ離れた。

それまで、天を抜いたように晴れていた空が、翳《かげ》りはじめた。

（まさか）

と、嘉兵衛は、おもった。

この海峡は四季をとわず、急変して「やませ」（偏南東風）が襲ってくることで有名である。風力がつよく、寒いころははげしく吹雪がともなう。これにやられれば、辰悦丸など、はるか外洋にふきとばされるか、海の底にたたきこまれてしまう。

嘉兵衛は懸命に操船し、いそいだ。ようやく、箱館湊のふところに入りこんだとき、密雲が沖を覆い、横なぐりに吹雪が吹き荒れはじめた。

「綱知らずの湊」

などと、箱館湊はいわれてはいたが、やませが吹きはじめれば、港内でも安全ではなかった。

嘉兵衛は二つの碇《いかり》をほうりこみ、やがておそってくるやませに耐えようとした。

（箱館といえども、防波堤《つつみ》が必要だ）

と、おもった。やがて季節がよくなれば松右衛門旦那が、大公儀のための築港の設計をすべくきてくれるはずであったから、この体験を語ろうと思った。

たしかに、たっぷり体験した。

一晩中、やませが吹き荒れ、湊のなかは沸き、辰悦丸は碇綱に縛られつつも、気のくるった馬のように上下左右に動きまわった。

「長くても、一昼夜の辛抱だ」

嘉兵衛は、ひとびとを励ました。夜があけてもやませはやまず、沖が暗かった。箱館の山は氷山のようになり、浜は雪におおわれて人影もなかった。

「大将」

嘉兵衛をよんだのは、淡路の都志《つし》の漁師の子で、左平次という若い元気者だった。かれは薬師丸に乗っていたのだが、はじめて辰悦丸に乗って、蝦夷地にきたのである。

「ここは、子供のころお婆《ばん》にきいた氷の地獄でンな」

平素は陽気で、竜吐水《りゅうどすい》（水鉄砲）のような勢いで働く男だったが、このときばかりは、顔じゅうの筋肉がばかになったように、口と目だけをあけていた。

「この世は上手《じょうず》に出来ているんじゃ。地獄などあるかよ」

と、嘉兵衛は、左平次の右肩を大きくなぐって、都志のことばでやりかえしてやった。嘉兵衛が左平次にいったことばが、この男をささえているなにごとかであるのかもしれなかった。

午後になると、うそのように晴れ、風もやんだ。

　雪のつもった浜にようやく人影が見えた。次第にふえ、附舟も岸を離れ、こちらにむかって近づいてきた。乗っているのは、弟の金兵衛とその仲間たちだった。

「金兵衛、荷はまかせたぞ」

　荷おろしの采配は、嘉兵衛以上にうまくやるだろう。

　上陸した嘉兵衛は、雪を踏んで役所まで歩いた。足は木綿足袋《たび》でつつみ、わら草履《ぞうり》をはいている。たちまち足の指が痛覚さえうしなった。

（たまらん）

と、このつめたさに駈けだしたくなったが、嘉兵衛は、こらえた。

（おれは嘉兵衛だ）

という気持は少年のころからあったが、このごろいよいよ強くなっている。

（ばかな。足を腐らせるぞ）

と、自分を叱りながらも、ゆるゆると歩いている。

「辰悦丸さん」

　道わきの家から、小男が飛びだしてきて、嘉兵衛の足もとにうずくまるなり、あたらしいわらぐつとかんじきを穿《は》かせてくれた。背に肉のついた南部なまりの中年男だった。嘉兵衛は好意にとまどっていると、自分は箱館でたばこを商う小商人《こあきんど》だが、こんな季節に辰悦丸が入ってくれてうれしい、浦の賑わいのお礼としてさしあげるのです、といった。

入船というのは、どの浦々でも盆正月以上のよろこびであった。

まして冬の箱館への入船というのは、天から降ってきた思わぬ幸《さち》であろう。

「宝船とは、辰悦丸のことでございましょう」

と、その人はいった。どの浦でも、入船によって荷と金が動き、女子供のはしばしまで余禄が舞いこむ。箱館の場合、そういうこと以上に、冬籠りで腐りかけていた人の心を掻きたてるのである。

「私は箱館で二冬《ふたふゆ》目をすごすことになりますが、船の入らぬ冬ほどいやなものはありません」

と、そのたばこ商人はいった。

このあたらしい町にとって、本州というのが浮世である。浮世から忘れられたのかと思って、気が滅入ってしまいます、ともいった。

役所にゆくと、三橋藤右衛門が、中庭の雪を蹴って、馬格の大きな南部馬を責めていた。

「嘉兵衛か」

藤右衛門は鞭《むち》を捨てて馬からとびおり、手綱を別当《べっとう》にわたすのももどかしく、みずから歩を運んで嘉兵衛のほうに近づいてきた。

顔じゅうをしわにして、白い歯がとびだすほどの笑顔を作った。もし立場さえなければ、嘉兵衛に抱きつきかねないほどの好意やら愛情やらが、湯気のようにふきのぼっていた。

「よくきた。さすが、嘉兵衛じゃ」

藤右衛門は、嘉兵衛のために塗籠《ぬりごめ》の部屋に火桶《ひおけ》を置くよう小者に命じた。かれ自身は、汗が冷たくなりはじめている下着を着更えるべく、去った。去りぎわに、

「嘉兵衛、大事な話がある」

と、言いのこした。

塗籠の部屋は、よく熾《おこ》った二つの火桶のおかげで、すこしは温かくなった。ただ、頭が痛かった。

「炭火のわるい気がのぼるわい。嘉兵衛、ここでは永い話はできんぞ」

と、三橋藤右衛門はいった。

まことに和人は、蝦夷地での冬のすごし方がへたであった。蝦夷地で何世紀もの居住文化をもつ松前城下の家々でさえ、寒気に対しては、粗末な防禦法しかもっていなかった。家の中で焚火《たきび》をするというやり方である。囲炉裏《いろり》とはよばれているものの、戸外でする焚火を屋内でやっているにすぎない。

松前城下や箱館の民家は、津軽・南部のそれと似ている。ひろい板敷の間《ま》をつくり、それに囲炉裏を切り、さかんに榾《ほた》を燃やす。天井はなく、梁《はり》がむき出しに横たわっている。その上に煙出しがあるとはいえ、すべての煙を一気には出さない。煙もまた保温に

役立つために、うすうすと室内を這《は》いまわらせておくのである。このため労咳《ろうがい》とよばれる肺結核にかかる者が多いが、しかし凍死するよりはましなのであろう。

炕《カン》というものが、日本海を越えたむこうのほうに、古い世からおこなわれている。草原の騎馬民族が、フェルト製の天幕の中で寝るとき、床の下を掘って炕をつくる。戸外から火を焚き、その煙を通すことによって、床があたたまるという法で、草原だけでなく、華北、朝鮮半島にいたるまでこれが用いられていた。

炕――オンドル――の燃料は、主として牛糞や羊糞などの乾ききったものが用いられる。そういうふしぎな燃料は、日本の出羽や津軽、南部の一部でも用いられていたことはあるが、しかし炕という暖房構造そのものは、ついに日本に入らなかった。それほど日本は遠かったのか、べつの理由によるものか、よくわからない。

東蝦夷地が幕府の直轄領になって二年目のこの時期、幕命によって蝦夷地に駐在する津軽兵や南部兵は、はじめて越冬することになった。かれらの兵舎は「陣屋」などとよばれていたが、粗末な一枚板の板壁で、土間に囲炉裏を切っただけの防寒設備しかもっていなかった。第一冬、第二冬とすごすうちに、おびただしい人数の死者が出た。

一方、松前城下では、高級武士の邸宅は、品のいい数寄屋《すきや》普請じみた建物が多かった。このため民家よりも寒かった。さらには、身分の高い者の屋敷は、囲炉裏を下賤《げせん》なものとして好まず、手あぶりの火桶のみで冬をすごす例が多かった。

そういう屋敷には、一室ほどは塗籠の間をもっていた。この箱館役所の塗籠の間という、息苦しい保温室も、そのような松前城下の身分の高い者の屋敷の影響で設けられたものであろう。

「手っとり早く話すが」

と、藤右衛門はいった。

「嘉兵衛。大公儀のおぼしめしとしてうけたまわってもらいたい。エトロフ島の場所(漁場)のことだ。むろん、建前は大公儀の御直々《おじきじき》の経営ではあるが、実際にはそのほう、力をつくしてやってもらえまいか。官船が必要なら、手配もする。投下する金が不足ならば、そのように申せ」

——大公儀御用。

というのは、商人《あきんど》の名誉でもなんでもない。たとえば兵庫を代表する廻船問屋北風家なら、一議もなくことわってしまう。

しかし嘉兵衛はすでに蝦夷地の自然とひとびとに魅せられている。

その上、最上徳内を象徴的存在とする幕臣たちの志に惹《ひ》かれてしまっているために、三橋藤右衛門の言うことを、嘉兵衛は、小蛇が大きな卵でも呑みこむようにして呑んでしまった。

「ひきうけてくれたか」

と、藤右衛門が手を拍《う》ってよろこんだとき、あらためて、諾《うん》といったことの重大さに、ひそかにおびえる気持が湧いた。

「嘉兵衛は、非力でございますよ」

あまりよろこんでくれてはこまる、とあわてて藤右衛門の昂奮に水を掛けてみたが、相手は、いよいよ眉間《みけん》をひろげて大きく笑顔をつくり、

「なんの、わしが見込んだのだ。嘉兵衛ほどの船頭が非力なものか」

と、いった。藤右衛門は嘉兵衛の航海術と漁業知識を見込んでいるにちがいなく、なるほどこの点では嘉兵衛も自信はあった。しかしなんといっても、身代が小さすぎる。

(えらいことになってしまったな)

と、思った。

エトロフ島開発については、さきにひきうけたことといえば、嘉兵衛方式の漁法の実験だけであった。場所を数カ所ひらき、新方式での網をつかう。

網についていえば、さきに意見具申したとき、藤右衛門は、

「嘉兵衛、そのほうのやり方はきっと成功する」

といってくれたものであった。

嘉兵衛も、その点は自信がある。

ただし、かれがエトロフ島の現地でみた島蝦夷《しまえぞ》たちの漁法はあわれなほどに原始的だった。その水準からみれば大いに漁獲高をあげるだろうという程度しか、いまは自信の

よりどころがない。すべてやってみねば、たしかなことはわかるはずがなかった。

嘉兵衛がみた島蝦夷は、網すら知らなかった。かれらは川をさかのぼってくる鮭や鱒《ます》を、もりで突いてくるだけなのである。まれに、蝦夷地本土のアッケシ（厚岸）などに行って簡素な漁具を見、それをまねて使っているのも見たが、網といえばヒゲクジラのヒゲを用いているような始末で、とうてい漁具とはいえなかった。

嘉兵衛は、蝦夷地本島の松前藩の漁具漁網よりも進んだものをすでに金兵衛に用意させている。昼間はショリ建網《たてあみ》を使い、夜は小舌網《こじたあみ》を使おうというもので、成功すれば、松前時代の漁獲高を大いに上まわるだろうと思っていた。ただし繰りかえすようだが、やって見ねばわからぬことなのである。

それに、漁船が要る。

嘉兵衛は、運搬用の大型図合船《ずあいぶね》を二艘と、漁撈用の小型図合船十三艘を年内に購入すべく金兵衛に命じてあるが、大きくやるとすれば、それをふやさねばならないし、できればゆくゆくは大船一艘、荷役船一艘に、長呂船《ちょろぶね》数十艘、さらには鯨船《くじらぶね》や鱈釣船《たらつりぶね》もほしかった。それらの資金を、嘉兵衛は幕府から借りたくはなかった。

嘉兵衛は、雪の箱館で日をすごした。

「五月も終るころには、大挙、エトロフ島へゆく」

という方針をたて、船をあつめたり、新造したり、補修したりした。人もあつめた。集落としての箱館の規模は、まだ南部の野辺地ほどの町にはなっていなかったが、数年もすれば大いに人口がふえるだろうと思われた。

箱館での嘉兵衛の身のまわりは、お市という若い後家が、通いで見てくれた。お市は浄玄寺の役僧の妹で、母は亀田の人で、父は出羽の秋田からきたという。

「お市さん、箱館のように小さな村でも、これは箱館の顔というのがありますな」

そのことを、嘉兵衛はかねがねふしぎに思っていた。目鼻だちがくっきりした瓜実顔《うりざねがお》に腰の細い女が多い。お市の顔や姿は、あるいはその代表といえるかもしれない。

(母方に蝦夷人の血がまじっているのかもしれない)

と、嘉兵衛はひそかに思っている。瞳がわずかに青味がかって灰色っぽいあたり、そうであるかもしれなかった。松前城下の風俗もそうだが、箱館の婦人も、白粉《おしろい》や紅をつけなかった。お市に理由をきくと、

「地女《じおんな》でございますから」

と、明快であった。

彼女のいう地女とは素人《しろうと》女という意味で、遊女でないということである。この地では、白粉をつけるのは遊女であるとされているのであろう。

女たちの風俗からいえば箱館にはすでに独自の文化が存在していたといっていい。本州の婦人風俗で、中国・朝鮮・安南などと大いに異なるのは、歯を黒く染めることであろう。鉄漿《かね》とか、お歯黒《はぐろ》などといった。材料は古鉄屑を焼き、濃い茶の中に投じ、酒や飴《あめ》を加えてつくる。付着をよくするため、ときに附子《ふし》（ヌルデの若芽などにできた、タンニンをふくむコブ状のもの）をも加える。

和人が、この奇妙な風習にいつごろからとりつかれたのかはよくわからないが、あまり古い世ではないにちがいない。公家《くげ》の男子の風習であったものが、ひろく婦女子一般のものになるのは、江戸期がはじまってからではないかと思える。

屋久島などでは娘が十六になるとつけたという。他の地方では、十七歳でつけたりした。しかし嘉兵衛のころになると、嫁入りしてからつけるようになり、既婚者であることがひと目でわかるようになっている。同時に既婚婦人は眉も剃った。

ところが、松前・箱館の婦人は、娘も既婚婦人も、眉をのこし、鉄漿もつけないのである。

このことは、松前城下の文化が、本州の婦人が鉄漿をつける以前にすでに成熟していたことをあらわす。たとえば、北海道の道南が和人の手でひらかれた室町期には、一般にその風がなく、従って、蝦夷地をひらいた和人の女性にもその風がなかった。ないままに、嘉兵衛が存在する江戸期のこんにちにまでいたっている。松前城下や箱館の婦人のほうが、本州の婦人よりも古いかたちのままでいるといっていい。

しかも、箱館の婦人は、和服の帯から下は、ツツレとよばれる蝦夷の織物をつけているのである。和夷折衷《せっちゅう》の服装といってよく、お市もそうであった。それが、見なれると存外、小粋《こいき》に見えてくる。


五月になると、江戸からも上方からも、多くの船が入ってきた。

江戸からきた官船には、地理学者であり、もっともすぐれた測量家でもある伊能忠敬《いのうただたか》（一七四五〜一八一八）が、その助手たちとともに乗っていた。かれは幕命により、やがて日本全国を測量するが、その手はじめとして東蝦夷地をえらんだのである。

「クナシリ島までやります」

と、かれは嘉兵衛に語った。もっとも精密な地図ができあがるはずであった。

次いで、自分の手船二艘をひきいてやってきたのは、松右衛門旦那である。

「嘉兵衛、もはや旦那とよぶな」

松右衛門旦那は、牛でも笑ったかと思うような野太い声で、冗談をいった。

「工楽《くらく》様とよべ」

苗字を頂戴したのだ、といった。幕府から、かれが多年、さまざまな工夫をし、また私費を投じて築港したりしてきた功を嘉《よみ》され、工楽というふしぎな姓をもらうことになったのである。

「工《くふう》を楽しむ、あるいは工《たくみ》をおこなって諸人に楽をあたえる、それで工楽じゃ」

と、なまなかな角力《すもう》とりよりも大きな体をもったこの智恵のかたまりの旦那はいった。旦那は、町まげのままでいたが、腰には大小を帯び、袴をつけていた。苗字をもらえば帯刀がゆるされる。

「こんな格好などあほらしうてしたことがないが、箱館役所で貴人に拝謁するというので、碇《いかり》をほうりこんだときに着更えたのじゃ。嘉兵衛、わしが、苗字を貰うてよろこんでいると思うまいぞ」

と、こんどは、こわい顔をしてみせた。

すでに五月のはじめ、蝦夷地御用の首座である松平信濃守忠明が箱館にきていて、松右衛門の到来を待っていた。

松右衛門旦那は、上陸早々信濃守に謁し、そのあと、港内、浜などを踏査し、数日宿舎の浄玄寺にひきこもって図面をひいた。

それを嘉兵衛に見せた。

嘉兵衛もその案に意見を加え、最後に信濃守を現場々々に案内し、その構想をのべた。

松右衛門旦那の案が、松平忠明によってすぐさま着工に移されたのは、造船場と荷物の集積をおこなう掘割であった。

この翌年（享和《きょうわ》元年・一八〇一年）、内澗《うちま》町の海岸を埋立てし、掘割がうがたれた。その上に橋もかかった。橋は長さが五間三尺、幅が三間三尺の板橋で、栄国橋と名づけらた。

「わしがやめても、掘割と栄国橋は残る」

と、忠明はいったが、そのことばどおりほどなく免職になり、掘割と橋だけはのこった。

れ、二十世紀後半ぐらいまで存在した。


測量家伊能忠敬という名は、後世、世界的なものになったが、この時代、無名にひとしかった。

「嘉兵衛、伊能という町見師《ちょうけんし》（測量技師）がきて東蝦夷地すべてを絵図にする」

と教えてくれたのは、四月に江戸からきた高橋三平であった。

「そなたと同じく百姓だ」

高橋は、百姓ということばに好意をこめていった。嘉兵衛は、日本国の実態を知的に把握できる素地をつくるのは百姓・町人である、という思想を持ちはじめていただけに、伊能忠敬というもっともらしい姓名の男が百姓であることに関心をもった。

それに、地図をつくるということにも、つよい好奇心をもった。

「大公儀様の御指図で、伊能様がなさるわけでございますな」

「当然のことだ」

高橋三平は日本国を管理する大公儀役人として、昂然としていった。大公儀たるもの、寸土といえども、その直轄領の測量を、私人の勝手にまかせるということはありえない、という道理を、必要以上の力をこめていったのである。

——それが権力というものだ。

とまでは、高橋三平はいわなかったが、語気にその意味が匂った。嘉兵衛は、かれが気安くつきあってきた高橋三平に対し、

(このお人も、所詮は役人か)

と、わずかながら興醒めがした。が、すぐ嘉兵衛は自分の誤解に気づいた。

「土地を測るということは、そういうものなのだ」

と、三平はいう。検地ということがある。江戸幕府は、太閤検地の思想を相続し、日本のすみずみまで土地の調査をくりかえしている。

検地は、村単位にやる。一村の面積をはかり、農地としてのよしあしを上中下および下々《げげ》の四種類にわけ、米の穫《と》れだかをはかった。米作地だけでなく、畑地、屋敷地、山林、沼沢までも調査し、いっさいを台帳に記入した。この台帳のことを検地帳という。

検地帳は二冊つくられた。一冊は村の庄屋(名主)が保存し、一冊は幕府の大蔵省である御勘定所が保管する。御勘定所は、日本国のすべての直轄領の台帳を保管しているが、これが、封建支配の基礎資料になっているのである。

高橋三平は御勘定所の役人だけに、土地を測るということこそ、幕府権力の大いなる基礎であることを知っていた。

それほど検地を支配の神聖行為と思っている御勘定所でも、

「日本という島々は、どういう姿をしているか」

ということには、歴世、鈍感であった。日本がどういう形をしているにせよ、幕府としては水田から穫れた米を租税として徴収するだけでよかった。

幕府が、百姓あがりの測量家伊能忠敬に命じて日本国というものの地図をつくろうとしたのは、深刻な対外危機感のあらわれといっていいであろう。さらには日本地図をつくる上で、まっさきに蝦夷地からはじめたのは、その意識がこの方面においてより敏感になっていたということでもある。

「伊能が入ったことは、ながい松前支配の時代が終ったということでもある」

高橋三平はいった。そういわれてみて、嘉兵衛はあたらしい歴史の潮のなかにいることを感じさせられた。

伊能忠敬は上総《かずさ》国（現・千葉県）の人である。生立《おいたち》は、単純ではない。母を七歳でなくし、母方の小関氏に入婿《いりむこ》していた父は同家を去った。小関氏は九十九里浜の網元の家で、いま千葉県山武郡九十九里町に忠敬の出生の碑がある。

しかし、幼時、人の愛にはめぐまれなかった。生涯、母を語ったことがなく、その名も伝わっていない。かれを育てたという母の実家小関氏についても、忠敬は想いだしたくなかったであろう。

父が去ったあと、忠敬は七歳から十一歳まで小関家の厄介者になった。小関家は九十九里浜に漁具をおさめた納屋《なや》をもっていたが、この幼さで、その番人をさせられていたといわれる。

かれは、幼名を、

「三治郎」

といった。長じて、故郷の者から「三治郎」とよばれたとき、

「私のことをどう悪口《あっこう》してもかまわないが、三治郎とだけはよぶな」

といったという。

その名をよばれることで、幼時の屈辱とつらさがよみがえるのであろう。

十一歳で、父の生家の神保《じんぼ》家（上総国武射郡坂田郷小堤《おんづみ》）にひきとられた。神保家は土地の庄屋で、蔵には和漢の書物が多かった。忠敬が自分の初等学をつくりあげるのは、この神保家の蔵においてであったろう。

この庄屋神保家での寄生時代、幕府の勘定方の小役人である森覚蔵という者が公用で出張してきて、しきりに計算をしているのを見た。忠敬の数学好きは、これを見たときに芽ばえたという。

このころ、すでに高度の和算が普及しつつあった。たとえば隣国の常陸《ひたち》に一寺僧があり、和算を良くした。忠敬は十三歳にすぎなかったが、訪ねて行って入門方を乞うた。僧は、一問を出して忠敬の算用の力をためした。たちまち解いたために入門がゆるさ

れ、半年、ここの寺に寄宿した。

忠敬は十八歳のとき、下総国《しもうさ》（現・千葉県）の利根川ぞいの佐原村（現・佐原市）の旧家伊能家に婿入りした。

伊能家は土地の名家であったが、この時期、衰微し、田地も十数石をのこすのみになっていた。しかしかたわら酒造業を営んでいた。

この時代、佐原は、利根川の水運を利用して江戸へ積みだすための酒造の町として栄えていた。当時、酒造家がこの村に三十五軒もあり、忠敬が婿として入ったときも、伊能家は衰えたとはいえ、その酒造能力は佐原第二といわれ、年間千四百八十石を醸造していた。

家付娘の達《みち》は忠敬より四歳上で、先夫とのあいだに一男があった。達女は忠敬の生家の家格がひくいのを軽侮し、伝説によると、

——こなたは下男のつもりでお迎えしたのであるから、御膳は召使と一緒におあがり。

といったという。真偽はよくわからないが、忠敬にすればどう処遇されようとも、自分の計数の才を理財に応用するおもしろさのほうに生甲斐を感じていたようであった。

かれは、伊能家を再興した。家業のほかに、江戸に支店として米問屋を設け、下総米をたくみに売り、また利根川の水運を利用して薪《たきぎ》を売った。さらには凶作のたびに地元を救恤《きゅうじゅつ》するなどの功があったために、代々の苗字である伊能姓を公称することをゆるされた。同時に帯刀もゆるされている。

伊能忠敬の年譜をながめていると、かれが箱館に足跡を印したのが、一八〇〇年（寛政十二年）、五十六歳のときだから、この時代の蝦夷地屋としては、最新参ながらも、最年長であった。

かれの二十七歳のとき近藤重蔵がうまれ、三十一歳のときに、北方探検家の間宮林蔵がうまれた。

西洋の地理的探検家でいえば、忠敬は、キャプテン・クックの通称で知られるジェームス・クック（一七二八〜七九）より十七歳の齢下ながら、同時代人である。

忠敬の三十二歳のとき、クックは第三回目の大航海に乗りだし、日本列島の沖を通りつつ北太平洋をしらべ、多数の島々とともにハワイ諸島を発見する。このとし、北米合衆国が独立した。

世界史は、何度目かの地理発見時代であり、こういう気流が、世界の情報からみずからを鎖《とざ》していた日本にも、すきま風として入りこんでいたとしか思えない。日本では、忠敬よりも一時代前から、天文、測量、暦学などの学問が大きく流行しはじめており、そのはてに、忠敬を生んだといっていい。

忠敬は、洋学を学ばなかった。

忠敬の教養は、漢学によって成っている。

それも、ほとんど独学であった。

かれが十八歳で伊能家に婿入りしたとき、なによりもかれをよろこばせたのは、伊能家が所蔵していた万巻の書であったといわれる。

その漢文の訓《よ》み方は、齢下の友人の儒者久保木蟠竜《ばんりよう》から学んだかと思える。蟠竜は忠敬が住んだ佐原の人で、忠敬に対し、その死まで密着し、師匠というより秘書のような仕事もした。

話が横へそれるが、幕府は、その儒官の長官職を、代々林大学頭《はやしだいがくのかみ》に命じている。初代の林道春《どうしゆん》(羅山《らざん》)以来、この家が日本の儒家の元締《もとじめ》のような権威をもっていたが、この「権威」も、さまざまな収入になったらしい。

たとえば林家の内々《うちうち》の収入の一つは、在郷の富農・富商階級からのつけとどけであったかと思われる。武士階級からみれば階級として低かった層が、学問をする場合、「林大学頭」の門人という名誉を得たがったらしいことは、忠敬においても見られるのである。

そもそも、

「忠敬」

という名からして、林大学頭からもらったものであった。

忠敬が伊能家に婿入りするとき、若い婿をなくした伊能家の家付の達女とその老母は、――生い立って以来、親戚中の寄生人《かかりうど》になってきたような男が、この伊能家の養子になるとは。

と、きわめて不満であった。

この縁組についての口きき役であった土地の庄屋平山某が、忠敬の立場を高めるためにまず平山家の養子にし、さらには、従五位下《じゆごいのげ》林大学頭鳳谷《ほうこく》（道春から第五世）にたのみ、忠敬のために名乗書《なのりがき》と一詩をさずけてもらった。その詩も名乗書も、こんにちまで遺っている。

忠敬は生涯、江戸に出るたびに林大学頭の屋敷に伺候《しこう》し、門人としてのあいさつをしたが、しかし学問は一字も教わったことがないはずであった。この時代の郷紳《ごうしん》と、京や江戸の諸芸の権威との関係が、この一事でおぼろげにわかるような気がする。


伊能忠敬は、晩学であった。

かれが、暦学とその関連学を、江戸に出て正式に学ぶのは、寛政七年（一七九五年）五月、五十一歳のときである。寛政七年といえば、嘉兵衛二十七歳、かれの大きな行動の源《もと》となる辰悦丸を新造した前年であった。

忠敬が、名主（庄屋）をつとめてきた下総国佐原は、かつては幕府の天領であったが、途中、旗本津田氏の領地になった。忠敬は、できれば四十余歳ぐらいで隠居をして自由の身になりたかったらしいが、領主の津田氏が、この有能な村落管理人を手放さなかったようであり、五十にしてようやく隠居をゆるされた。

五十一歳で学問を志したのは、以上の理由による。かれは待ちかねたようにして出府し、深川黒江町に居をかまえ、幕府の天文方である高橋至時《よしとき》（一七六四〜一八〇四）の門に入った。このときすでに独学によって相当な学力はあったかと思われる。

この時代、天文・暦学、測量、和算などが隆盛であったのは、かつて八代将軍の吉宗が開明家で、禁書の令を解いたりしたことが大きかったであろう。吉宗はかれ自身、天文暦数に意を用い、みずから器械を用いて観測したこともある。また切支丹《キリシタン》に関係のない天文暦数の漢訳書の輸入を自由にさせたことも、ことにのちのちへの影響が大きかった。しかしなによりも、江戸期の商品経済が充実して、ひとびとの価値観や知的好奇心が、多様に、かつ鋭敏になってきたことが、時代をつくる肥沃《ひよく》な土壌になったといっていい。

たとえば、麻田剛立《あさだごうりゅう》（一七三四〜九九）という者がいる。

かれは豊後《ぶんご》（現・大分県）杵築《きつき》三万二千石という小藩の藩儒の家の次男にうまれた。幼少のころから天文暦数を好んだが、衣食のために医術を学び、藩の侍医になった。が、好きな学問への執着がつよくなり、藩にたのんで侍医であることを辞めるべく何度も交渉した。が、藩はこれをゆるさなかった。

麻田剛立は、このために脱藩するのである。脱藩は「主人を家来が見限る」ということで武士の大罪とされていたが、それをあえてしてまで自分の知的好奇心にしたがったという精神現象は、江戸初期まではなかったにひとしい。江戸中期以後の精神であろう。

麻田剛立は大坂に出て町医になり、それをもって生計をたてつつ、漢訳書を通じて西洋天文学を研究し、また測器を改良し、さらには独自の理論をうちたてた。

ドイツの天文学者J・ケプラー（一五七一〜一六三〇）の「惑星運動第三法則」というのはニュートンの万有引力の法則の基礎になったものとして有名だが、麻田剛立は、この法則とおなじ計算法を確立したりした。

さきに幕府は天文方に「宝暦暦」をつくらせたが、麻田をはじめ民間学者はこの暦のあやまりを指摘した。幕府はこの批判に柔軟で、かえって麻田を幕臣として天文方に任じようとした。が、麻田は老齢を理由としてことわり、代りに二人の高弟を推《お》した。その一人が、忠敬の師になる前記高橋至時である。


五十一歳で天文方高橋至時に入門した伊能忠敬は、最初から数年は修学するつもりであったらしい。

この時代、天文暦数の理論面の研究がさかんであり、いくつかの独創的な業績も見られたが、忠敬は、ただ学ぶのみであった。

かれの頭脳や学問の特徴は、徹底的に学ぶというところにあり、創見をなそうとはしなかった。むしろ学問の研究よりも、学問を技術にしようとし、実測を重んじた。みずから測量技師を志したのは、この時代、忠敬ぐらいのものであったろう。

かれは技術者として、諸器械、諸道具をつかいやすいものにすべく改良した。このころ、江戸の金工に、大野弥五郎、同弥三郎という名工がいて、測量器械をつくることに長じていた。忠敬は、この両人に、さまざまな道具をつくらせた。

忠敬は、日本中の国郡を実測したいと思っていたやさき、寛政十一年、幕府が東蝦夷地を直轄領にしたことをきいた。

(東蝦夷地から測量をしたい)

と思い、幕府に願いを出した。忠敬の志願を幕府に取りついだのは、師の高橋至時であったはずである。

「自費をもって事にあたりたい」

という忠敬の心づもりが、高橋至時の運動を容易にした。つねに予算に苦しんできた幕府にすれば、鴨《かも》がねぎを背負ってとびこんできてくれたようなものであった。

伊能家は、隠居をすると代々勘解由《かげゆ》という名を名乗るしきたりになっていた。このため、忠敬はこの時期、伊能勘解由と称している。

幕府から辞令がおりたのは、寛政十二年閏《うるう》四月十四日で、忠敬は、蝦夷地御用掛の松平信濃守の屋敷でそれをうけとっている。

辞令のなかでのかれの身分は、

「高橋作左衛門(註・至時)弟子」

「下総国香取郡佐原村元百姓」

とある。元百姓とは、すでに隠居したためである。さらにいまの身分として、

「浪人　伊能勘解由」

とされている。辞令の文章を直訳すると、

「そのほう儀、かねがね心願のとおり、測量を蝦夷地に試みるべく、差しつかわされるによって、入念に相勤むべきである。右につき、御用中、お手当として、一日銀七匁《しちもんめ》五分《ごぶ》を下さる」

と、いう。幕府はただで浪人を公用で使うわけにゆかないために、ほんの名目だけの日当をあたえたのである。忠敬の出費は、ばく大なものであった。東蝦夷地の測量だけで、私財八十両をつかった。

後年のことにふれると、蝦夷地測量のあと、七十三歳という死の前年まで全国を歩きつづけ、十七年の歳月をついやして、かれ自身が命名した「大日本沿海輿地《よち》全図」および「輿地実測録」を完成するにいたる。ただしその身辺の者が図面としてこれを完成するのは、七十四歳の死から三年後である。

この間、六十歳のときに軽い身分の幕臣（小普請組《こぶしんぐみ》・天文方手附手伝《てつきてつだい》）にとりたてられている。

本来、百姓身分の商工業者が、貨殖《かしょく》を離れて純粋な好奇心を結実させたということで、伊能忠敬はこの時代の一つの典型だったといっていい。

箱館に入った伊能忠敬は、役所に泊まった。

その翌朝、嘉兵衛が、ぼろを刺子《さしこ》でつづりあわせた仕事着で風をふせぎつつ浜で働い

ていると、高橋三平の従者の五平が使いにきて、

「伊能がきている」

と、高橋のことばを伝えた。

来いとも何ともいっていないのだが、嘉兵衛には意味がわかった。すぐ着更えて五平とともに役所へ行った。

この時期、箱館役所は、嘉兵衛を幕府の定雇船頭《じようやとい》のようにあつかっていて、蝦夷地のなかでの官船の運用については、かれの意見を徴した。

（ちょうど政徳丸が空《あ》いている）

と、嘉兵衛はおもった。

伊能忠敬が測量するについては、徒歩で海岸に沿ってゆく。しかし船をつけておいたほうが便利でもあり、安全でもあった。高橋三平がそこまで言ったわけではないが、嘉兵衛は、おそらくそうだろう、と思ったのである。

ゆくと、伊能忠敬は、役所の長屋門を二室あてがわれていて、嘉兵衛がのぞくと、まず大小の器具類が目に入った。

その部屋に忠敬はいなかったが、江戸からつれてきた助手が三人それぞれに割りふりされた仕事をしていた。

助手の筆頭は、門人門倉隼太《はやた》、同平山宗平、それに伊能秀蔵《ひでぞう》という十五歳の少年である。秀蔵は、忠敬の庶子であった。

ついでながら庶子秀蔵は、のち四国測量にも随行し、忠敬の技術を後継できるほどに才幹があったが、大酒を好み、ときに狂暴であったので、後年、忠敬から勘当《かんどう》された。この時代の勘当はゆゆしいもので、たとえば人別帳からも削られる。いわば、公民としての信用性は半分以下になり、流浪する者が多かった。秀蔵も流浪したらしい。

さらについでながら、長男景敬《かげたか》は平凡な人物であった。佐原で世を終えたが、忠敬はほとんどこれに何の期待もしなかった。

さらに、忠敬は、長女稲の婿景明（盛右衛門）に期待し、江戸での米穀業をまかせていたが、景明は功をあせって空米《からごめ》（投機）をして失敗し、これも勘当し、伊能家とは無縁の者にした。

これらのことを通して忠敬の人柄の一面を想像しうるとともに、江戸期の商家の家政の厳格さということが窺《うかが》えるであろう。

武士や農民の家は、世襲の禄や田地があるために、惣領息子はそれを相続するだけでよかった。封建の世というのは相続の世ということでもある。

商家には、相続させるべき禄も田地もなく、当主になるために必要なのは、無形の才覚というものであった。才覚のほかに、器量という人格も要った。この二つを兼ねていなければ、息子であれ、女婿《じょせい》であれ、勘当して縁切りし、店の無形の信用を守るしかなかった。

忠敬の人柄には、そういう辛《から》さがある。

嘉兵衛もまたのちにそういう辛《つら》さを味わうのだが、それはこの嘉兵衛噺《ばなし》の主題ではない。


長屋門の部屋は、表障子をあけると、小さな土間がある。

嘉兵衛は、この土間に立っていた。

「辰悦丸の船頭の高田屋嘉兵衛という者でございます。伊能先生にお目にかかれましょうか」

といったが、上にいる三人の助手たちには返答の権限がない。ただ、ちょっと出られました、というのみである。

身分の壁というのは、厄介なものであった。

幕臣高橋三平はあれほど嘉兵衛を可愛がっていて、しかも伊能忠敬に会え、といっておきながら、紹介の労をとるべくこの長屋門の部屋にやってきてくれないのである。堂々たる天下の直参《じきさん》が、本来小者《こもの》身分の門番の住むこの長屋のなかに入るなど、あるべきことではなかった。

嘉兵衛がなおも土間に立っていると、忠敬がもどってきて、嘉兵衛を見た。

「このお方は、どなただろう」

と、嘉兵衛のほうは見ず、板敷で作業中の助手門倉隼太にたずねた。

門倉隼太は助手とはいえ、忠敬の門人ではなく、忠敬の師匠高橋至時（作左衛門）の門人兼従者である。忠敬が蝦夷地へゆくにあたって高橋がつけてくれた人物であった。忠敬に対しては臨時ながらも主人として仕えている。

「船頭高田屋嘉兵衛とかいうお人でございます」

「何の御用かな」

と、あくまでも門倉隼太にきいている。伊能忠敬にすれば、自分が一介の船頭より身分が上と踏んでいるのである。

(庄屋のご隠居かと思ったが、わりあい権高《けんだか》なお人だ)

と、嘉兵衛は思った。

ただし嘉兵衛が、

「お初にお目にかかります。手前は兵庫の者で、箱館に店を持ちます嘉兵衛と申す者でございます」

と鄭重《ていちょう》にあいさつすると、

「ほほう、お店を持たれていますか」

忠敬の態度がすこし変わった。嘉兵衛を沖船頭と思っていたのであろう。

「高橋三平様が、伊能様にお会いいたせ、とおおせられましたので、かように参上いたしました」

と、高橋の名を出すと、忠敬はすこし態度を変え、

「あ、これは土間ではどうにもならぬ。どうぞ上へ」

と、いった。

隣室は、忠敬の寝所につかわれているらしい。嘉兵衛はそこに招じられて、話をした。

要するに嘉兵衛の用事は、

「船は要りますか」

ということであった。要るならば、忠敬の陸行《りっこう》にあわせてどのように水行《すいこう》するか、ということなのである。忠敬は、顔に肉がなく、頬骨が高く盛りあがり、その上、鼻が高いために、

(鳥のような顔だ)

と、嘉兵衛は思った。忠敬は、ひどくせっかちに物をいう癖があった。このときも、

「船は要りませぬ。ただネモロ(根室)からクナシリ島に渡るときだけ船に乗りたい」

と、せわしく、しかし的確にいった。嘉兵衛は、よくわかった。要するにネモロに政徳丸をまわしておけばいいということだった。

伊能忠敬は、慎重で周到な性格であった。しかし、この場合、

「船は要らない」

と、即座に嘉兵衛の申し出をことわるなど、その人柄に似合わないことであった。

(この船頭は、金をとる気か)

と、あるいは思ったのかもしれない。たださえ測量はほとんど私費でやっているのに、

その上、この高田屋という廻船問屋に船賃をとられてはたまらなかった。

「嘉兵衛どんは、大公儀の御船手から御指図をうけていなさるのか」

と、忠敬はきいた。嘉兵衛はおどろき、

「左様なお役所がございますのか」

といったために、忠敬はいよいよ興をさました。

（こいつは、とんだ田舎者だ）

と、目の前にいる船頭の値ぶみをさげた。

「御船手」

というのは、幕府の海事役所のことであった。

元来、官船（あるいは御用船）の保管・運用をする職として、幕府には船手頭（別称として、御船大将衆、御船奉行）という職がある。定員は、五、六名である。五つの組があって、それぞれ船手頭を長とする。一組に同心（下級幕臣）三十人が配属されており、その下に、適当な人数の水主《かこ》がいる。徳川水軍というべきものであろう。同心を下士官であるとすれば、五組あわせて百五十人しかいない。推して徳川家の海上能力の小ささを知るべきである。もしこれを徳川海軍であるとすれば、まことに微弱というほかない。

この一事でもわかるように、徳川家は海からみずからを内陸に閉じこめた政権であった。

すでにのべたように、徳川家の祖である家康は、関ケ原の勝利から九年後の慶長十四年（一六〇九年）諸藩がもつ五百石以上の大船を淡路島にあつめ、焼き払わせた。（『徳川実紀』巻一）

このとき焼き払いの責任者を命ぜられたのが、九鬼《くき》長門守《ながとのかみ》守隆《もりたか》であった。九鬼守隆が家康の命で諸藩の船を焼いたとき、家康の手もとから向井《むかい》将監《しょうげん》忠勝という徳川の家士が、目付《めつけ》として現場にきた。

向井は、遠祖が淡路島の出身であったとされている。ある時代、山国の甲斐《かい》の武田氏に仕え、船手大将をつとめたという。武田氏がほろんで、家康につかえた。

徳川家は海を排除したが、三代将軍家光の代になり、ごく小規模ながら船手の必要がおこって、寛永九年（一六三二年）前掲のように組織ができ、海に縁のふかかった向井氏（代々将監を世襲）を起用して六千石の身分にし、船手頭首座にした。

伊能忠敬は、当代の向井将監の屋敷に出入りする身であったから、そういうこともあって、一介の地下船頭《じげせんどう》の嘉兵衛など眼中になかったのかもしれない。

嘉兵衛は、忠敬に粗略にあつかわれても、ふしぎに腹が立たなかった。

（これは、こういうひとだ）

と、忠敬の顔つきや挙措《きょそ》を見て人柄もわかったし、むしろ好意をもった。忠敬には、無駄というものがなかった。

目見てわかるのである。


(だから、仕事ができるのだ)

と、思った。船乗りがそうであった。仕事のできる船頭というのは、嘉兵衛などは一目見てわかるのである。

(わしは、この人にとって無駄なのだ)

嘉兵衛はそう思うと、忠敬からそういうあしらいを受けたことが、わがことながら可笑《おか》しかった。

嘉兵衛はその部屋から出て、忠敬の従者たちが作業をしている間に入り、忠敬にむかい、

「しばらく拝見していてよろしうございますか」

と、許しを乞うた。

「かまわない」

忠敬はうなずき、そのあと、部屋の隅にすわって、旅行用の机に日記帳らしいものをひろげ、なにやら記入しはじめた。嘉兵衛は、黙殺された。

(これが、象限儀《しょうげんぎ》か)

嘉兵衛はむかしから耳学問に長じていた。かれは門倉隼太が手入れしている大きな道具が何であるかについてすぐ見当がついた。

象限儀が、天体の高度を測定する器械であることはいうまでもない。

円の四分の一の形をしているために四分儀などともよばれるが、忠敬はこの器械の運

用や製造に長じていた。

話題がとぶが、大坂の天文学者麻田剛立が、幕府の天文官としてまねかれたとき、これをことわり、門人二人を推して採用された。一人が高橋至時であることは触れた。いまひとりは間重富《はざましげとみ》である。かれは大坂の町人であった。町人から一躍幕臣に抜んでられるというのは、この時代、めずらしい。しかし一面、幕府というものが、諸藩よりも、こういう点でその懐《ふところ》がひろいということでの好例になるかもしれない。

間重富は、町人時代の名を十一屋《じゅういちや》五郎兵衛という。家は、長堀の富田屋《とんだや》橋の北詰にあり、堀川に面して蔵が十一棟もあったからその屋号になった。重富の代になってからさらに四棟ふえたという。

重富は幼時から天文数理に長じ、この数理の能力で家業を栄えさせ、その財力で天文を研究した点、伊能忠敬に似ている。

かれは測量用の器械、器具の製作と工夫に天性の才があった。師の麻田剛立の学問が大いに進んだのも、弟子の間重富のこの面の器具・器械つくりの能力が大いにあずかって力があった。剛立が、幕府に、高橋とともに間を推したのも、その点の実力が、幕府の天文学を大いに伸ばすだろうと見たためである。

間重富は蘭学の必要を感じたが、すでに四十を越えていたため、平素可愛がっていた宗吉《そうきち》（のち橋本姓）という若者に大金をあたえ、長崎で学ばせた。宗吉は傘屋《かさや》の職人であり、のち、大坂蘭学の祖になる。

嘉兵衛が見ている象限儀は、間重富のそれをもとに、忠敬がつくらせたものであった。

嘉兵衛は、部屋じゅうの器械、器具を、感嘆してながめていた。

かれは伊能忠敬に無視されつつも、

（こういう人もいたのか）

と、部屋の一隅で、しきりに小筆を動かしている小柄な忠敬を見ては、溜め息が出た。

忠敬の身分は、百姓で、稼業は商いにすぎない。日本国の国家としての役人である幕臣からみれば地下《じげ》の卑い身分の者が、齢《よわい》五十半ばをすぎて、日本国の海岸線を測量し正確な日本地図をつくろうと思い立つなど、嘉兵衛にすればおどろくべきことであった。

（——百姓・町人が）

日本国の地図を書くのか、嘉兵衛は、くりかえし思った。

嘉兵衛たち地下の者は、土地を測量することを、

「町見《ちょうけん》」

と言いならわし、町見する人のことを町見師とよんでいた。しかし伊能忠敬の場合、この諸道具からみて、もっと高度なものであるらしい。

忠敬の道具は、以下のようである。

象限儀一器。長さ三尺八寸で、主材は頑丈な檜《ひのき》材と真鍮《しんちゅう》である。望遠鏡がついている。たいそう重く、数人で運ばねばならない。

新製の方位盤一器。径二尺四寸、台の高さは一尺三寸、盤面は真鍮製で、望遠鏡がついている。これも二人で運ばねばならない。

垂揺球儀《すいようきゅうぎ》一器。振子時計のことで、間重富の設計になるものを、忠敬が金工に模造させた。

子午線儀《しごせんぎ》一基。一方の柱が高さ七尺、いま一方の柱が高さ三尺五寸である。台ともで運搬には二人必要である。

星鏡《せいきょう》二個。大は長さ七尺五寸、小は長さ五尺である。これで天体を見る。大小とも筒が一閑張《いっかんばり》製であることが、西洋の金属製よりはまさっている。大小とも四段にわかれて、伸縮する。レンズ・筒ともに和泉国貝塚(現・大阪府泉南郡)の人岩橋善兵衛の作で、筒に、

「岩橋」

という銘が入っている。

ほかに長さ三尺の望遠鏡一、長さ二尺四寸の望遠鏡一。

そのほか、長さ二間の測量用の棹二本、同じく測量用の縄で長さ五十間のもの二筋。

方向をはかる指南鍼《しなんしん》が大小四個。

両脚規(コンパス)が大小四個。

小さなものとして、分度器などもある。

これらを運ぶのは、三人の従者、二人の下僕のしごとであったが、むろんそれだけで

は足りない。

幕府は、忠敬のしごとが公用であるため、その荷の運搬は幕臣なみに宿場役人に応援させた。忠敬は蝦夷地へ至る途中、奥州東海岸を測量したが、そのときは、宿場のひとびとの労力に頼った。

蝦夷地には、宿場らしい宿場などない。このため箱館役所は、忠敬のために人足三人、馬一頭をつけてやることになっている。

「アッケシからネモロまでは、とても海ぎわは行けませんよ」

と、嘉兵衛は、問われもしないのに差し出たことと思ったが、言ってみた。しかし忠敬はただうなずくのみで、なにもいわなかった。

（お前などの世話にならない）

ということであったろう。

五月二十九日早朝、伊能忠敬ら一行は、箱館を出発してまずモロラン（室蘭）方向にむかった。

かれらは、海岸線をたどった。歩きながら、間縄《けんじよう》をひっぱって距離をはかってゆくのである。方向を知るのは、杖先に仕込まれている羅鍼《らしん》（磁計）によった。

ところが、間縄をつかうと、操作に時間がかかり、一日にごくわずかしか行けない。

――七月には、クナシリ島につきたい。

という目標のために、道をいそがねばならなかった。このため、二日目からは間縄をやめて、歩数でざっとした距離を出すことにした。この方式は、蝦夷地にくる前、奥州東海岸でとったやりかたであった。

以後、忠敬一行の速度ははやくなった。一日に四、五里から、ときに七、八里歩いた。夜は、会所や番所に泊まり、星を測った。晴天の夜は二、三十個、曇天の夜は五、六個の星の高度をはかることによって、緯度を算定した。昼間は測量し、夜は天測するという作業は、忠敬のように並外れて根気のいい男にしてはじめて出来ることであった。

忠敬の師の高橋至時の次男で、幕府の天文方になった渋川景佑《しぶかわかげすけ》（助左衛門）は、終生忠敬を尊敬していたが、その『渋川景佑見聞録』のなかで、

忠敬根気強く、精力旺盛にして、事に当たりて倦《う》む所を知らず。

といっている。ともかくも、原始そのままの自然のなかで、これだけの大事業をなしえたのは、忠敬のそういう性格と体力による。

かれは、噴火湾の湾岸をめぐってモロランに出、トマコマイ（苫小牧）をすぎ、襟裳《えりも》岬のあるホロイズミ（幌泉）に達し、さらに十勝平野の海岸をすすんで、アッケシに入った。途中、艱難《かんなん》が多く、アッケシに入ったときはすでに七月二十七日で、予定が大幅にくずれていた。

ネモロにすら、いつ達することができるか、予測が立たなかった。第一アッケシから根室半島へは、海岸線をたどれないのである。

このため海岸線をすて、アンネベツ（姉別）へゆき、さらに内陸を北上し、八月七日になってようやくニシベツ（西別）に入った。

そこからネモロを志してみたものの、行路の困難さが、忠敬を断念させた。しかし緯度を測定したり、雄《お》阿《あ》寒岳《かんだけ》、雌《め》阿寒岳の遠望方位をはかったりして、その付近の位置の決定はできた。ネモロとクナシリの岬については、ニシベツから方位を遠測するにとどめた。

蝦夷地の地図については、結局、忠敬は半ばを完成し、あとの半ばはかれから測量術をさずけられた間宮林蔵（倫宗・一七七五〜一八四四）によって補完される。

ついでながら、忠敬の日本地図は後年、シーボルトによって欧州学界に報告され、大きな反響をよんだ。シーボルトは、同じく日本を実測していたロシアの代表的な地理学者クルーゼンシュテルンに見せたところ、その正確さに驚き、

「日本人、われを征服せり」

といって、虚心に推奨したといわれる。

一方、嘉兵衛は、かれの手勢のほとんど総力をあげてエトロフ島にむけようとしている。次弟の嘉蔵はサトニラさんの息子のひとりである文五郎とともに兵庫で荷待ちをし、

第四弟の金兵衛は箱館で采配《さいはい》を振っている。

他の弟たちやサトニラさんの息子の金蔵、それに新宮出身の文治などは、船に乗り、それぞれ船頭、表、知工をつとめていた。

エトロフ場所開発のために、三艘の官船を借り、すでに箱館を出帆させた。

「わしは、辰悦丸であとからゆく」

嘉兵衛は、箱館でやらねばならぬことが多かったために、かれらを先発させたのである。

去年、エトロフ島へ航海したときの顔ぶれを、それぞれの船の船頭にしたり、表を命じたりしたために、嘉兵衛が居なくても航海にはさしつかえがなかった。

さらには、漁撈については、かれらを十分訓練しておいた。嘉兵衛はこれまでのあいだ、かれ自身が配下たちにとって航海学校であり、交易学校であり、さらには水産学校であったが、ほぼこの時期にはその訓練ができあがり、自分の分身として十分に期待できるまでになっていた。

嘉兵衛の辰悦丸が、帆をあげて箱館を発ったのは、伊能忠敬ら一行が出発した翌朝であった。忠敬たちは、磯づたいに測量しながら、沖をゆく辰悦丸の白帆《しらほ》を見たはずであった。辰悦丸が、蝦夷地本土の東端のしっぽの一つである根室半島を離れて千島の海域に入ったとき、

（この海と島をもって、わが故郷《ふるさと》とするのだ）

と、渾身《こんしん》に血が沸きたつような思いとともに、みずからに言いきかせた。

夏とはいえ、千島の海はぎらついた生ぐささが稀薄で、空気までが絹のようにやわらかかった。

ただ、南風に用心しなければならなかった。南風が吹けば、濃霧が海も島も閉ざしてしまうことが多い。

幸い、千島の海は嘉兵衛のために好天と順風をめぐんでくれた。かれはクナシリ島の東北の沖を帆走しつつ、やがてアトイヤ（安渡移矢）岬から針路を一転し、北へのぼった。この嘉兵衛が開発した航法により、先発の三船もそのようにしたはずであった。

やがてエトロフ島のナイホ（内保）湾に入ったとき、浜ではすでに嘉兵衛が指示したやり方で、鱒漁がはじまっていた。

嘉兵衛はすでにエトロフ島という千島第一の巨島が、海鼠《なまこ》が東北に頭をむけて横たわったような形のものであることは心得ていた。

全島が鮭と鱒の宝庫といえるが、とくにナイホ湾などのあるオホーツク海寄りが圧倒的に魚が多く、ヒトカップ（単冠）湾などのある太平洋側が、より少い。

嘉兵衛はナイホの漁場の賑わいを見たあと、図合船に乗り、ふたたび沖へ出、かれが指示しておいた各漁場が十分稼働しているかどうかを見てまわり、東北へすすみ、オエト（老門）に至った。このとき、海霧が、オエト川の河口をつつんで、綱をひく唄声しかきこえなかった。

嘉兵衛は手さぐりで上陸し、にぎわう人の声のなかにまぎれこんだ。

択捉十五万石

嘉兵衛が蝦夷地で知りあった人の数というのは、かれ自身、書きとめている帳面が何冊にもなるほどであった。

幕臣あり、松前の士人あり、地下《じげ》の商人、津軽・南部からの渡人《わたりびと》あり、さらにはあまたの蝦夷人がある。

なかでも、去年、アッケシで知りあった、

「寅吉《とらきち》」

という若い南部出身の漁師は、特異であった。齢は三十すぎで、嘉兵衛とほぼ同年である。

松前領時代、アッケシの運上屋で番人の補助をつとめていたが、蝦夷人に優しすぎるということで、番人や通詞から忌まれていた。

——寅吉は、じつは蝦夷人だ。

と、かれを嫌う者が言っていたが、たしかに色が白く、眼窩《がんか》がくぼみ、眉がふとい。

もっとも嘉兵衛はこの寅吉とはじめてアッケシの砂浜で話しあったとき、

(くにの淡路でいうだいいかぐらの獅子のような顔だ)

と、その英雄的な容貌をながめて、内心おかしかった。

蝦夷人には背のひくい者が多いが、寅吉は軀幹《くかん》長大で、堂々たる肉体を持っており、これに甲冑《かっちゅう》でも着せれば、どうみても元亀《げんき》・天正《てんしょう》の大将武者のようになる。

寅吉は蝦夷地の魚や昆布とりなどにあかるい上に、読み書きと勘定ができた。故郷の修験者《しゅげんじゃ》に習ったというが、その修験者というのが若いころ蝦夷地の山々で修行したという。その師匠が、たえず蝦夷人はうそをつかないこと、友誼《ゆうぎ》を重んずること、夫婦の情がこまやかであることなどを、さまざまな実例をもって語り、つねに、

「蝦夷人は人として和人より上等だ」

と、話していた。その影響が、寅吉には大きかったのであろう。

寅吉のうまれ在所は、こんにちの青森県のうちの旧南部藩領である下北半島にある。半島の北岸の正津《しょうつ》川という川の河口の浜で、川の名が、字《あざ》の名になっている。

背後に、活火山である恐山《おそれざん》がそびえ、ときに噴煙を吐き、風むきによっては寅吉のうまれた海浜まで硫黄のにおいがただよう。南部藩では、この山から硫黄《いおう》や砒石《ひせき》を採掘

し、農業ではとてもまかないきれない藩財政の補いの一つにしている。

噴火で焼けただれた恐山の山中の光景を地獄に擬《ぎ》する信仰伝承があり、寅吉の在所の正津川の河口は、その俗信の景色のなかで「冥土の入口」とされていた。

海には大きな昆布が繁茂し、ときに昆布で屋根を葺《ふ》いた家さえある。

晴れた日には津軽海峡のむこうの蝦夷地の山々が見え、次男、三男の出かせぎの地とされてきた。

寅吉は、嘉兵衛がよほど気に入ったようであった。嘉兵衛が幕府の官船宜温丸でエトロフ島へゆくときも、ぜひつれて行ってくれといって、同乗した。

しかも現地で、越冬を希望した。番小屋をたてたり、島蝦夷と仲よくするためには、越冬が必要であった。嘉兵衛は、ゆるした。

後年、寅吉はエトロフ現場を取りしきる者として幕府の足軽になり、川口という苗字を名乗る。

エトロフ島のオエトなどという浜は、船懸《ふながか》りできるようなところではない。

ただ一筋、細いオエト川が海に流れこんでいる。海で育った鱒が、淡水に産卵すべく群来《くき》をなして川をさかのぼる。そのために嘉兵衛はここを漁場の一つに選んだのである。

波は、しずかに呼吸をするように渚《なぎさ》に寄せては退いていた。

浜の砂浜に、えぞ松が、這うように点々と灰色の砂を彩《いろど》っていた。彩りといえば、草花が美しかった。本州ならば高山に咲くような花がエトロフ島では浜に咲いている。晩春からいそがしく花をつけはじめて、場所によっては一面の花畑のようであった。

「寅吉は、いるかな」

霧の中でつぶやきながら、嘉兵衛は図合船から渚にとびおりた。まだ波の中だった。歩くうち、何度目かに寄せてきた波が思いもかけず高い波で、嘉兵衛の背後から襲って、腰どころか、背までずぶぬれになった。

「わあっ」

嘉兵衛は、おのれのへまに悲鳴のような笑い声をたてたとき、渚にならんでいた蝦夷びとが、嘉兵衛のその陽気な笑い声に触発されたのか、いっせいに、拍子をとって、

「タカタヤ・タイショウ」

と、叫びはじめた。嘉兵衛は最初おどろいたが、すぐ自分を歓迎しているのだということを知った。高田屋大将といっているのであろう。

嘉兵衛は、波に追われながら、着ているものをぬぎはじめた。ここまで濡れてしまえば、裸になるほうがましだと思ったのである。結局は、北前船の船乗りの制服ともいうべき緋縮緬《ひぢりめん》の褌《まわし》一本になって陸《おか》にあがった。

さきに、嘉兵衛がオエトの浜に上陸したことについて、

「手さぐりで上陸し、にぎわう人の声のなかにまぎれこんだ」

と書いたが、くわしくは、右のようであった。さらにこの情景を詳細にいえば、裸の

嘉兵衛は、いつのまにか蝦夷人たちによって胴あげされており、浜の砂に足をまみれさせることなく、番小屋の前まで運ばれて行ったのである。

その間、蝦夷人たちは、

「タカタヤ・タイショウ」

ということばを、かけ声のようにリズムをつけて囃《はや》しつづけた。

（寅吉は、蝦夷人たちとうまくやっているのだ）

ともおもった。まさか寅吉が嘉兵衛におもねるために蝦夷人たちにそういうことをやらせたはずはなかった。寅吉という、実《じつ》のかたまりのような南部男がそんな小細工をするはずがなかった。

その証拠に、浜のさわぎをきいて番小屋から出てきた寅吉が、裸でかつがれてやってきた嘉兵衛を見て、一瞬口をあけてぼう然としたあと、

「大将」

とよび、自分の着物をぬいで、嘉兵衛に着せた。

孤島苦ということばが、二十世紀になって、日本列島のべつの島々での経済・文化の歴史的窮状をあらわすことばとして用いられるようになった。

エトロフ島は、測り知れぬほどの太古このかた孤島苦でありつづけてきた。

たとえば、となりのクナシリ島は、蝦夷本島（北海道）に近いためまだしも条件がよ

く、蝦夷びとたちの暮らしも比較的よかった。エトロフ島は、クナシリ島とのあいだに難潮がうずまいているために蝦夷本島やクナシリ島の経済や生活文化を受けることがきわめて薄かった。

「エトロフ島の蝦夷人は、ひどい暮らしをしています」

というのは、去年からこの両島の行政と生産と撫育を担当する幕臣近藤重蔵と同山田鯉兵衛《りへえ》の報告するところであった。

かれらの上司である羽太正養《はぶとまさやす》（のちの箱館奉行）がその著『休明光記《きゆうめいこうき》』に、

「広々たる孤嶋に蝦夷人男女老少を合せて七百に過《すぎ》ず」

と、書いている。

この島が千島第一の魚の宝庫でありながら、棒に釘を打ちつけたヤス以外の漁具をもたないために食糧がつねに不足していて、人口がふえないのである。以下、そのくだりを摘訳する。

「住まいは、小屋などあるかなきかのありさまで、穴居同然である」

「衣類は、酋長がやっと獣皮を着ている程度である。他の者の着衣は鳥の羽をつづったもので、ひどい者は草をあつめてひっかぶっている。赤裸の者もいる。十五、六歳より以下の小児は、極寒の時といえどもすべて赤裸である」

というが、極寒時の赤裸というのは、ちょっと信じがたい。ただ、海獣や野獣の毛皮を一般に用いないというのは、極端に生産が未開ということであろう。

食べることについていえば、まず椀《わん》がなかった。

椀のことを蝦夷語では、

「ツキ」

という。古い和語である。

おそらく室町期あたりに和人との交渉を通して蝦夷語に移入されたのであろう。エトロフ蝦夷は、そのツキすら持っていない。

蝦夷人にとって鉄鍋は、元来移入品であった。島ではそれが稀少であるため、魚をとっても煮ることをせず、焼くか、なまで食った。

近藤重蔵がまっさきにやるべき仕事は、島の生活文化を充足させることであった。このため、嘉兵衛が指図するすべてのエトロフゆきの船には、漁具のほかに、着物、鍋、椀などを積み、無料であたえた。

オエトの島蝦夷たちが、嘉兵衛が渚から浜にあがるや、大歓迎のふるまいをしたのは、ひとつにはそのことによる。

嘉兵衛の思想は、蝦夷びとを松前時代のように奴隷労働させず、船乗り同様、賃銀労働者としてしごとの仲間に繰り入れることであった。

このため数年後には、他の島々からもエトロフの繁栄をきいて蝦夷びとが集まり、当初の七百人からわずか三年のあいだに千二百人にふえるにいたる。

嘉兵衛が去年に発見したことだが、エトロフ島は鰊《にしん》よりも鱒と鮭の島であった。

とくに鱒は季節になれば川という川にあふれた。

鱒の川のぼりというのは、おなじ蝦夷地一帯でも川によって季節がちがう。エトロフ島におけるその季節は、旧暦五、六月から七月末ごろまでで、そのときばかりは世界中の鱒がこの小さな島にやってきたかと思えるほど、川という川にあふれた。あとで嘉兵衛も知るにいたるのだが、蝦夷地一帯の鱒の八割はこの島一つでとれた。

島の川はどれも小さなものであった。それらの川へ鱒の群来《くき》がやってくるとき、水流がとまるほどであった。たしかに水量《みずかさ》より群来の量《かさ》のほうが大きく、水面がこのため盛りあがり、うねりつつさかのぼってくる。

「水、為《た》めに混濁、流れざるに至る」

という報告が、のちに書かれている。

いわゆる本鱒というのは一尺余寸ほどある。背が青紺色で、腹が銀色をなしている。かれらは川上の清水の湧くところまでさかのぼって雌が産卵し、雄が身をふるわせて精液をそそぐ。そのあと砂をもって卵をおおうのだが、これらの作業を了《お》えると、雌も雄もたちまち体が灰色になり、ほどなく白くなって腐爛する。川は死魚で満ち、白濁して異臭が甚だしくなる。

嘉兵衛がもたらした建網というのは、魚がやってくる河口付近に定置するもので、袖《そで》網《あみ》が大きく魚道にむかってひらいている。魚群がそれに沿って入ってきて、やがて誘導された袋網の中に入る。

その建網やそれと併用される小舌網の張り方や使い方、あるいは作業方法については、寅吉とその配下の南部・津軽・松前の漁師たちが、季節以前に漁場々々をまわって蝦夷びとたちに伝授した。

「もはや松前様のころとはちがい、蝦夷村は、本土同様に村方・浦方になったのだ。蝦夷びとを兄弟と思い、親切といたわりを忘れるな」

と、嘉兵衛はくりかえしかれらに言いきかせておいた。さらには司政官ともいうべき近藤重蔵が、

「蝦夷びとに不埒《ふらち》を働く者は、容赦なく罰する」

と、執拗にかれらの耳にたたきこんだ。重蔵は江戸の与力あがりだけに、こういう場合、若いくせに変にどすのきいた言い方をした。ともかくも松前時代の蝦夷びとに対する苛酷なあつかいは、不心得者の和人の一人や二人を打首にしても断ち切ろうという意気込みが、重蔵だけでなくどの幕吏にもあった。

嘉兵衛がこのオエトにやってきたときは、大規模な群来がやってきてその漁撈と加工がおわったばかりで、一同が一息ついているところであった。

嘉兵衛は、作業能力よりも、蝦夷びとたちの暮らしむきを見てまわることに重点を置いた。

「人の一生は、息災《そくさい》に働くことにあるのだ」

ということを、通詞を通して話してまわり、ついには、嘉兵衛自身がなまの蝦夷語でいうようになった。

「息災のためには、住む場所、着るもの、食べるものが大切だ。エトロフ島を蝦夷第一等のよい処にしよう」

ということも、蝦夷語で言えるようになった。

嘉兵衛は、寅吉を図合船にのせて、かれがひらいた十七カ所の漁場を見てまわった。ナイホの漁場などは群来の真っ最中で、たれも嘉兵衛などにかまっているゆとりがなく、戦場のように、和人も蝦夷びとも、気ぐるいしたように働いていた。

「いいぞ、いいぞ」

嘉兵衛は、蝦夷びとのあいだを縫ってまわって、ひとりひとり励ました。不器用な男には、

「こうするのだ」

と、手を貸して模範を示してやった。

「今年の冬は、ひもじくないぞ」

嘉兵衛は、通詞に習ったその蝦夷語を、くりかえしひとびとに言った。

「腹いっぱい食べて、温かい寝床に寝て、丈夫な子を生むのだ」

そんな蝦夷語も、通詞のことばの口うつしで喋《しゃべ》った。

なにしろ、一つの浜で群来のときは、日に何万尾という鰊を水揚げするのである。一度の群来で、蝦夷びとの身ごなしが変わり、腰つきや手ぶりまでが、上方でいう労働者《はたらきんど》のすがたになってしまった。

浜には、鋳物《いもの》の大鍋が、何十となく据えられていて、どれもが煮えたぎっている。そこへ鰊をほうりこんでは小型のすくい網で揚げてゆく。この作業は、蝦夷女がうけもった。

鍋から揚げられた鰊は、木製の圧搾機にかけられて、つよく搾《しぼ》られる。汁は、鍋の中に落ちる。そこで油が分離される。その油は、灯明につかわれる。

搾り粕《かす》が、肥料になる。

粕こそ、この生産の主眼であった。粕はむしろの上にひろげられて、天日で乾かされる。これも、女のしごとであった。やがてほとんど粉末同様になったものが、むしろの袋に詰められ、はるかに日本海の波濤をこえて上方の肥料問屋へ運ばれるのである。

近藤重蔵の下役《したやく》である山田鯉兵衛は、行政にあかるく、それに物事を数量的に把握することに長《た》けていた。

かれは嘉兵衛とすれちがうことが多かった。島内を歩きまわり、本州の制にならい、島内を七郷二十五村にわかち、それぞれ名主（乙名《おとな》）を任命した。

かれは嘉兵衛がとりあえず決めた十七カ所の漁場のほかに、人手さえあればあと数十カ所も漁場を開設できることを知った。

この山田鯉兵衛は、のちに上司に報告するとき、エトロフ島がいかに幕府にとって重要かと説くのに、独特の換算法をおこなっている。

肥料としての魚粕の肥効は大きい。

たとえば水田に用いるとき、倍も米がとれるというのである。たとえば一反の穫《と》れ高が一石二斗ぐらいとし、これに魚肥八貫目を施すとすれば二石五斗はとれるという。日本中の幕府直轄領に魚肥をたっぷり施すとすれば十五万石の増収になる。このことは日本国に十五万石の土地一つが湧出《ゆうしゅつ》したということになり、天下のためにこれほどめでたいことはないというのである。

嘉兵衛は、こういう計算には与《くみ》しなかった。農家は棉という換金性の高い作物にこそ魚肥という金肥《きんぴ》はやるが、領主に公収される分の多い米作にわざわざ金肥を使うはずがないと思っていた。もっとも鯉兵衛の場合、米経済思想に徹した上司を説くのに米を例にあげるのがいいと思ったのであろう。

嘉兵衛は、さらに島内の海岸線のことごとくを千五百石積みの辰悦丸でまわった。

幕府の御用船の船印である日ノ丸の吹流しをなびかせたこの大船を見て、浦々の蝦夷びとはよほどおどろいたらしい。やがてかれらはこれが日本船であることを知ると、

「日本にもこういう大船があるのか」

と、よろこぶ者もいたという。かれらの船といえば樹皮をつなぎあわせた木ノ葉のよ

うな蝦夷舟であったし、和船を見ることがあっても、島づたいに航海する四挺櫓の図合船しか知らなかった。

それに対し、赤蝦夷の船が巨大であることを知っており、そのことに畏怖していた。ついでながら、ロシアは、千島略取をするにあたって、船の大きさと、船に積まれた鉄砲の威力を見せることによって、島蝦夷たちをおどし、次いでかれらに、ロシアの国教であるギリシア正教の洗礼をうけさせることで「国民」とした。

そのあとが、拙劣であった。

シベリアのイルクーツクあたりの毛皮商人が、冒険的な出稼人を大船に乗せて島蝦夷をおどして毛皮税をとりたてたり、あるいはかれらを酷使したために、心服させるまでにはいたらなかった。

のちにこの海域にやってくるロシア帝国のすぐれた海軍士官であるゴローニンも、その著『日本幽囚記』のなかで、千島にくるロシア人の質のわるさについてふれている。

「……概して酒呑みで乱暴な連中であるから、自分の行状からも、また原住民に対する惨虐な態度からも、自分の宗教について余りよい考えをこの半開の土人たちに植えつけていないのである」

ロシアの千島調査と、なしうればこれを領有したいということは、国策ともいえるものであったが、しかし善良な官吏とよく選んだ商人、あるいは神父を送らなかったのは、失敗といえるのではなかったか。

蝦夷びとたちが、ロシア船からみればごく貧弱な船にすぎない辰悦丸を見ただけで、心強さを感じたらしいのは、ロシア側の失敗の裏返しでもあったかと思える。

その上、ロシア人たちは、蝦夷びとに授産の道を教えることを怠った。

そのことについて、小さな例がある。嘉兵衛たちが、冷たい夏の陽ざしのなかで操業していたとき、千島列島のなかですでにロシア化していたラサワ島から、蝦夷びとが脱出してきて仲間にくわえてほしいと頼んだ。

ラサワ島は、一七六六年以後、数年にわたって千島で暴威をふるったコサックの百人長イワン・チェルヌイという男の被害が甚だしかった島の一つである。このチェルヌイの横暴ぶりについては、ロシア側の資料であるA・S・ポロンスキーの著作にくわしい。ラサワ島からやってきた島蝦夷の頭《かしら》は、イチャン・ケムシで、近藤重蔵にあうと胸の十字架をすて、やがて月代《さかやき》を剃った。十字架と月代が、島蝦夷にとってロシアと日本の象徴であった。近藤重蔵はかれに「市助」という日本名をあたえた。

原住民である市助にとって十字架でも月代でもどちらでもよく、要するに暮らしの立つエトロフ島の漁場が魅力だったのであろう。

千島列島に対するロシア人と日本人の産業上の価値意識がまったくちがっていた。

たとえば、ロシア人は魚には見むきもしなかった。

それよりも、ラッコその他の動物の毛皮に固執した。かれらがシベリアを欲したのもその森林に棲《す》む貂《てん》の毛皮が直接の目的であったように、カムチャツカ半島を得てもそのことに変わりがなく、さらに千島列島に南下したのも、その欲望の延長線上にあった。ところが、日本人は、魚を欲した。食用のためというよりも、のちにゴローニンがふしぎな情景でも見るような驚きで指摘したように、木棉栽培のためであった。

その点で、嘉兵衛が、その運命の潮流に乗せられることによって取りついたエトロフ島は、たしかに魚の宝庫であった。

この島が、湧水や火口湖が多く、そこから海へ流れてゆく多くの川が鱒などの故郷であったことにもよるが、なんといってもこの海域の魚が、太古以来、網というものを知らないこともあったであろう。このため、網を装置するごとに山のように魚がとれた。

この島が、本鱒の島であったことはすでにふれた。本鱒というのは食用としては美味ではない。

食用として珍重されるのは、紅鱒《べにます》であった。紅鱒は肉が赤く、一見、鮭に似ている。本鱒とはちがい、脂肪が多くはなはだ美味で、蝦夷地一帯ではこのエトロフ島が主産地であることを嘉兵衛はこの島にきてから知った。

当然ながら嘉兵衛は紅鱒を食品として浜で加工し、輸送した。

加工は、塩を施すことである。魚に塩をすることを、この当時、塩切《しおぎり》とか塩引とかといった。

嘉兵衛は浜でそれをやってみて、

「紅鱒が、これほど塩を食うとは」

とおどろいてしまった。塩の使用量は塩鮭をつくる比ではなかった。本鱒や鮭を塩引にする量の五割増し以上が必要であった。おそらく紅鱒には脂肪が多いためであろう。紅鱒は二日もすれば腐ってしまう。獲れるとすぐ加工せねばならなかった。忙しくもあり、人手も要った。

浜での作業は腹を割《さ》いてはらわたをとりすてる。そのあと、作業小屋へ運ぶ。

作業小屋では腹と頭へたっぷり塩を詰め、魚体を縦横に積みかさねる。一積みごとに塩を撒《ま》く。一定の高さまで積みおわると、もう一度大量に塩をふりかけ、一荷の荷にするのである。

それだけでもなお足りない。一荷ごとに敦賀で積んだ莚《むしろ》をかぶせ、通気をふせぎ、七、八日経って塩がやや溶けはじめたとき「手返し」と称して荷をさかさまにする。このときもう一度、塩を加える。さらに十日以上をへてふたたび「手返し」をし、しかるのちに船積みするのである。

この時代、塩は安いものではなかった。

広域へゆきわたってゆく商品としての塩は播州赤穂の塩を筆頭に限られた地方でしか製造されない。それを買いこんではるかに蝦夷地まで持ってくるのである。塩引された紅鱒が、決して安い蛋白質食品ではなかったことが、以上の加工や運賃からみて十分想像がつく。ただし、嘉兵衛たちが捕って加工して運んだエトロフの紅鱒の出現によって、以前よりもずいぶん安いものになった。

嘉兵衛たちの漁業は、島蝦夷たちの協力がなければなりたちにくかった。

商品（貨幣）経済はそれ自体に毒性を持っている。数百年の時間をかけて徐々に発達するときは毒性が多分に薬効になるが、短兵急《たんぺいきゆう》にそれが処女地的な純農地帯に殺到するとき、元禄期の南部藩領に凄惨な貧富の差をつくったように、むしろ悪害であった。

しかし千島は、そうではなかった。

島蝦夷たちは釣針をつくるほどの鉄器も生産しないほどに生産的には未開で、むろん農耕さえ知らなかった。

かれらはヤスを用いたり、手づかみしたりして魚を獲ってはいたが、冬の食糧備蓄まではできなかった。ただこの当時、北海道の噴火湾や千島方面には鯨が多かった。鯨がなにかの拍子で陸《おか》へ突進して打ちあげられるときのみ、その肉を冬の食べものにした。鯨がとれないときは、冬季に餓死する者が多かったといわれる。

これほどに生産的未開の段階においては、大漁業方式をもちこんだ嘉兵衛は、島蝦夷たちにとって、食べものをもたらしてくれる救いぬしになった。

ある時期の嘉兵衛のエトロフ漁場は、幕府におさめた運上金だけで千五百両以上になり、漁獲高は一万五千石を越えた。産物は鱒や紅鱒だけでなく、鰊、鱈《たら》、鰯《いわし》、鯨、布海苔《ふのり》のほか、ラッコ皮、狐皮、縞鼠《しまねずみ》（シマリスのこと）、鷲の羽などまでふくまれていた。

漁獲高のうち、数百石は地元に分配し、食糧とした。さらに一年にこの島に運んだ米は三千五百俵で、これによって島蝦夷が米食をするようになった。

さらに嘉兵衛は、かれが漁場をひらいた最初から島蝦夷に農業を教え、適地をえらんで、豆類や蔬菜《そさい》を植えさせた。気候条件のわるい土地だけにどうかと思われたが、種子をまいてみると、さほどの手間をかけたわけではなかったのに、思ったより大きな収穫があった。

「土が初心《うぶ》なのだ」

と、嘉兵衛は大いによろこんだ。それ以上に、島蝦夷たちはよろこび、まだ三十そこそこの嘉兵衛を父親のように慕った。

嘉兵衛がエトロフ島でやったことどもをあげれば、きりがない。島蝦夷たちに衣類をあたえ、米、塩、酒をあたえた。

その上、

「蝦夷舟もいいが、図合船のほうが安全だ」

として、その操法を教えた。

それらはむろん労働力の確保のためということでもあったが、この男の気持も、かれがやることとも、そういう功利性をはるかに越えていた。

「わしの故郷《くに》も、島だ」

と、かれらにいった。

「気候こそこの島よりはいいが、人間が多く、そのわりには田畑がすくなく、四面が海でありながら、この島の五十分の一も魚がとれない。それから思うと、エトロフ島は神仏の恵みの深い島だ。みな元気を出せ」

――みな元気を出せ。

というのが、蝦夷びとたちへの口ぐせになった。

この寛政十二年から数年のあいだこそ、嘉兵衛の生涯でもっとも張りつめた時期であったろう。

（人の一生に、そういうときがあるらしい）

と、嘉兵衛自身、その流れの真っ只中で抜き手を切って力泳している自分を、体中の節々の手ごたえで感じていた。

齢三十二であった。

体力も充実していた。気が張っているために、わずかな睡眠で日々の疲労をとることができた。酒は飲んだ。ただ嘉兵衛はごく少量の酒で酔うたちで、酔えば筋肉《すじ》が豆腐になったようにやわらかくなる。瞼《まぶた》が垂れて居ながらに眠ってしまうこともあったし、ときに、

「章魚《たこ》おどり」

と称して、章魚の泳ぐさま、岩につかまるさま、えものをとらえるさまなどを実演し

てみせた。最後はたこつぼに入るさまを演じて、そのままでねむってしまうこともあった。

陸《おか》の小屋にいるときもそうであったし、船上にいるときもそうだった。

小屋では、たえず蝦夷びとと酒をのんだ。

酒についていえば、嘉兵衛が蝦夷びとに与えてきた酒は、江戸の大名が飲むような下《くだ》り酒（灘の酒）であった。

元来、松前藩の上乗役《うわのり》（蝦夷地へ定期的にゆく藩の下級役人）が蝦夷びとに勿体《もったい》をつけてさしくだす酒というのは、すのように古い酒で、それも水で割られていた。酒そのものも津軽あたりでつくった悪酒であった。

灘の酒は嘉兵衛からすれば商売物で、たいしたものではなかったが、蝦夷びとにとっては、

「こんなうまい酒があったのか」

と、たれもが声をあげて驚くほどのものであった。嘉兵衛の配下のなかには、

「かえって、蝦夷の不仕合せになるのではありますまいか」

という者もいた。口が奢《おご》って、のちのちの不為《ふため》になるというのである。嘉兵衛は、ばかをいうな、と叱った。日本中にゆくゆく灘の酒を飲ませるようにするのがわれら船乗りの冥加ではないか、というのである。さらには、よいものを飲めばよい魚をつくるようになるのだ、ともいった。よい魚をつくるとは紅鱒の塩引をつくることを指している。

製品がよくなる、という意味である。

製品といえば、紅鱒の塩引をつくるのに大量に塩が使われることはさきにのべた。その塩は安い塩を使えばいいのだが、嘉兵衛は値の高い赤穂塩をつかわせた。赤穂塩というのは他の産地の塩とはちがい、俵に印がつけられていた。経木《きょうぎ》に焼印で問屋印がおされていて、一目でわかる。赤穂塩で塩引をつくれば、製品の味がどこかちがう。酒といい塩といい、一流のものを好むというのは嘉兵衛の商法というより、性格もしくは哲学によるものらしかった。

このことは、自然、のちのち高田屋の品物の信用につながった。俵に、

「高田屋」

という経木がついているかぎり、買い手が、俵の中身の検査をせずに買う。このことは、諸国のどの湊のどの問屋でもそのようにするようになったが、そういう高田屋の風《ふう》は、エトロフの島で嘉兵衛が島人《しまびと》と飲む酒の種類からしてそうであったということになる。

エトロフ島の漁期がおわると、嘉兵衛はひとまず箱館に帰った。

むろん、寅吉以下番人や大工などをのこした。そのなかには越冬組もいれば、冬がはじまる前にひきあげさせる組もある。

越冬組のために箱館から食糧、酒、塩、たばこなどを運んだし、多くの建物や小屋を

つくるための材料も、夏のあいだに間断なく運んでいた。

かつて穴居していた島人たちには、小屋をつくらせた。そのためには、木挽《こびき》のための大鋸《おおが》から釘《くぎ》まで運ばねばならなかった。

船が、足りなかった。これらのための建設はむろん嘉兵衛の本来のしごとではない。

幕府がやるべきことであった。この方面を担当する幕吏近藤重蔵・山田鯉兵衛はよく心得ていて、

「嘉兵衛、費用をつけたして出せ」

と、たえずいってくれた。嘉兵衛も金が十分でないために、むろんそうして貰わねばならなかった。

「運賃もつけたせ」

ともいってくれた。船頭として運賃をもらうのは当然のことであった。

それにしても、船が足りなかった。さしあたって箱館・エトロフ間を往来する船が何艘か要る。そのことは、近藤重蔵にもよくわかっていて、かれは嘉兵衛の意見を基礎にしてその旨上申《むねじようしん》していた。

近藤重蔵は功名心もつよく、性格として倨傲《きよごう》でもあり、人との折れあいの下手な男ではあったが、この夏の期間、嘉兵衛の手をとって、

「そのほうがもし居なければ、上《かみ》がわれらにエトロフ島をひらけとおおせられた事のうち十に三つも出来なかったろう」

といった。実情は十に三つどころか、嘉兵衛がいなければおそらく何もできなかったろうと思われる。

嘉兵衛が箱館にもどったとき、おもわぬことが待ちうけていた。

蝦夷地御用の二人の長官――松平信濃守忠明、羽太庄左衛門正養が江戸からきていて、嘉兵衛に来い、という。

「明朝五ツ半（九時）だ」

と、嘉兵衛に直接伝えたのは、高橋三平である。三平の顔はいつもとちがい、ひどく緊張していた。

「どういう御用でございましょう」

「島についてのおたずねがある」

といってから、小声で、

「昼の弁当を持参せよ」

と、いった。

ということは半日はかかるということであろう。

「とくに洩らすのだが、他言はするな」

三平が、いう。

「蝦夷地開拓のことは緒《ちよ》についたばかりだ。であるのに大公儀の御金蔵から途方もなく莫大《ばくだい》な金が流れ出てこの山河に吸いこまれた。このさき、この調子でゆけばどれだけの金が要るか」

おそらく幕府の財政は、蝦夷地のために傾いてしまうであろう。

「そこで、ごく御内密のことながら、蝦夷地の富をもって蝦夷地を拓《ひら》けぬか、という御検討がなされている」

独立採算制をとるというのである。

「おそらくそうなるであろう」

その可能性につき、信濃守様、羽太様が、内々ながら、そのほうに御諮問《ごしもん》なさるのだ、と三平はいった。

蝦夷地御用掛という重職にある羽太庄左衛門正養は、小心なほどきまじめな性格である。

幕閣は、蝦夷地開拓というしごとが、内政的にも対外関係においても凡庸な者にはとてもつとまらないことを知りぬいている。このため人材を厳選したのだが、羽太正養などはその尤《ゆう》たる者であろう。

肚の大きな人間ではなかったが、責任感がつよく、職務に熱心で、なによりも聡明であった。その上、上司の松平忠明ににおっているような自意識のつよさが見られない。

嘉兵衛はいままで羽太正養に接触する機会がなかっただけに、対面した日、ひと目みて、ってていい。

（なんと、品《しな》のいいお人だ）

と、内心感心してしまった。

羽太家は、代々五、六百石の家で、中程度の旗本だが、しかしそのなかでは名門といってていい。

幕臣の筋目には、身分や禄高の上下とかかわりなく「三河以来」という家筋が誇りとされる。羽太家は、三河以来の家である。

この家の祖の羽太庄左衛門正次《まさつぐ》というのは三河国額田《ぬかだ》郡大門《だいもん》村の人で、早くから家康に仕えた。あまたの合戦に参加したが、べつだんの功名はなかった。豊臣政権のころ、家康が関東に移されたとき、病いを得て在所の大門村に土着した。

その孫の正成は祖父正次に養われて大門村にあったが、家康が大坂ノ陣に出陣するとき、村を出て家康の輿《こし》を迎えた。家康が祖父と父の名をたずね、

――ああ、そちの祖父も父も憶えている。

といって、ただちに側ちかくにつかえさせた。以後、羽太家は歴世大過なく幕府の吏僚としてつとめつづけてきている。

この時期の羽太正養は単に「庄左衛門」であったが、この翌年、松平忠明がこの職から交代させられたときに、従五位下の安芸守《あきのかみ》に叙任する。幕府がいかにこの羽太正養を買っていたかがわかる。ただし、後年、ロシア人によるエトロフ島来襲事件があり、正養はその責任をとらされて免職されるのだが。

嘉兵衛は命じられた時刻に箱館役所に出頭すると、三橋藤右衛門が待っていて、二人の高官の前まで案内した。

そのあと二人の高官は部屋を変え、身分上のかたくるしい形式を外《はず》し、

「船頭、ぞんぶんに存念をのべよ。天領である東蝦夷地（千島をふくむ）はどれほどの利があるか。さらには、やり方によってはどれほどまでに利があがるか」

と、羽太正養が問うた。

「嘉兵衛めは、船頭にすぎませぬ」

といったんは遠慮したが、さらに促《うなが》されて、すこしずつのべた。

昼にいったん休憩し、午後になってひきつづきのべた。

問題は船でございます、と嘉兵衛は幾度ものべ、それが結論になった。漁業用の資材、食糧その他を運び、働く条件と環境を日本国のどこよりもよくすること、次いで、産物を運ぶ官船を大いに造り、すきまなく運用なさること、などを述べた。

羽太正養が、嘉兵衛によびかけるとき、屋号も名もよばない。

「船頭」

とだけいう。

その言い方がいかにもやさしく、さらには嘉兵衛の存在を、町人、商人などという階級としてとらえず、職種・職能においてのみ規定しきっているようでもあり、嘉兵衛に

とって耳にこころよかった。

それにしても、

「船頭」

というふしぎなことばが、いつから日本語に組み入れられたのだろうか。

上代は、ふつうは船長《ふなおさ》といった。水主《かこ》のことを船子《ふなこ》という。ふなおさのほかに、船人《ふなびと》とも言い、遣唐船のような大型の官船の場合、船司《ふねのつかさ》などともいったが、船頭ということばは上代日本語にはなかった。

船頭は、どうやら、宋・元・明のころの中国語であったらしい。鎌倉・室町のころ、中国とのあいだの官私両面の貿易がさかんで、中国商船の来航も頻繁であった。かの国のひとびとが商船の長のことを船頭といっているのにならって、このことばが帰化したらしく思える。もっとももとの中国のほうでは、この言葉は消えてしまって、こんにち存在しない。

ともかくも中国では、船頭は航洋用の大型の商船の長で、積荷の取引の責任までもっている者のことをいうのだが、日本では、嘉兵衛の時代、すでに川の渡しの一人漕ぎの船子までを船頭とよぶようになっており、きらびやかな語感はうしなわれているだけでなく、使われ方によっては侮蔑語にもなった。

しかし、気のせいか、羽太正養のような品のいい男が、好意に満ちた表情で嘉兵衛の顔をのぞきこんで、

「船頭」

とよぶたびに、なにやら嘉兵衛は、自分の存在を格別に認めてもらったような気がしないでもなかった。

「船頭は、船を造ることも巧みであるそうな」

と、羽太正養がいった。名船ともいうべき辰悦丸の世間の評判が、嘉兵衛の船舶設計での異能とも結びつけられているのである。たしかに嘉兵衛は、船大工の棟梁にいい船を造らせる上では、なみな男ではなかった。

「蝦夷地御用の官船をとりあえず何艘かつくりたい。そのほう、お手伝いができるか」

「よろこんで」

嘉兵衛は、とびあがるような思いで、いった。船をつくることは、なによりも好きであった。

羽太正養のいうのは、まず蝦夷地御用の高官たちが巡視につかう船を二艘ほしい。

「いかほどの大きさがよいか」

「三百石積み、艫立《ともだて》の御船がよろしうございましょう」

嘉兵衛が答えると、羽太正養は、

「いそぐとして、いかほどの日数でできる」

という。嘉兵衛はちょっと考え、

「二カ月もございますれば」

と、答えた。

羽太正養は、さらに、荷積みをする官船が三艘ほしい、その大きさはどれほどがよいか、ときいた。

「七百石積みなら水主の手もすくなく、動きまわりもよろしいかと存じまする」

「船頭。それも、二カ月でできるか」

「できるかと存じ奉りまする」

と、答えた。


「船大工のことであるが」

と、上座にすわっている松平忠明が、この件についてはじめて口をひらいた。

「どこの地で、船をつくる」

嘉兵衛はこの話題が出たときからそのことについて考えている。

理想的にいえば箱館で造船できればいいのだが、嘉兵衛が船大工をあつめたり、設備をつくったりしているとはいえ、その能力は船の修理か、造るにしてもせいぜい四挺櫓の図合船ぐらいのもので、とても大船はむりであった。

蝦夷地に近い土地といえば、津軽・南部に造船能力があるとはいえ、上方の技術の模倣が精一杯で、新工夫をこなすまでには至らない。

その点、出羽は、先進的であった。

酒田や土崎の船大工は技術的にはまかせるに足る。とくに嘉兵衛が提示する要求をことごとくこなして辰悦丸を造ってくれた出羽土崎の棟梁与茂平《よもへい》にまかせてやりたいところであった。

しかし、出羽では材があつまりにくい。

一個の大船の材は複雑多様で、そのまま日本国の森林用材地理を見る観がある。たとえば帆柱は紀州熊野の北山川に産する杉を最上とし、大和十津川《とつかわ》の杉がこれに次ぐ。舵《かじ》の材も、薩摩・大隅《おおすみ》（現・鹿児島県）の白樫《しらがし》が最上で、堅いだけでなく粘りがちがうのである。それが手に入らねば、日向《ひゅうが》（現・宮崎県）の赤樫がこれに次ぐ。もっともおなじ日向でもとくに美々津《みみつ》（いまの都農《つの》町の北方の耳川の河口）産がいい。

嘉兵衛は辰悦丸を出羽土崎でつくったときは、そういう材料あつめで苦労した。あのときは出羽の労働力の安さが魅力だったのだが、しかしもう一度あの苦労をくりかえすと、幕府が要求する日数を越えてしまう。

この当時、造船は圧倒的に大坂（安治川・木津川尻）が進んでいた。業者も多く、自然、諸材料が、すべて大坂にむけて集まってきており、最良の材を自由につかうことができた。

それに、船具や諸道具がそろっていた。たとえば最良の遠めがねや船磁石などを、店に入っただけでその場で手に入れることができるのは、大坂しかない。

嘉兵衛は、大坂の棟梁を幾人か知っていたが、しかしかれらは職人の数がすくなく、五艘の大船をいっせいに期日までに造れるかどうか。

「船をつくるのは、大坂がよろしかろうと存じ奉ります」

と、嘉兵衛が答えた。

「左様、わしも大坂でつくらせようと思っていた。それには大公儀の御船奉行に声をかけねばならない」

それによって決まる、という。

松平忠明がいうには、嘉兵衛が兵庫に帰るころに大坂の奉行所からよび出しがあるだろう、そこで棟梁の名が達せられる、ということであった。悠長なことではあったが、役所仕事というのはそうしたものであるらしい。

ここで、嘉兵衛は質問せざるをえなかった。幕府が指名した棟梁に対し、嘉兵衛が造船上の指揮権を持ちうるかどうかである。それがなければ嘉兵衛にとって自分の構想による船ができない。それができないというなら、五艘の船の建造をひきうけることを辞退するほうが無難だった。

嘉兵衛は、

（おそらく大坂の寺島《てらしま》に作事場をもつ尼崎《あまがさき》屋吉左衛門に御下命がくだるだろう）

と、見当をつけていた。尼崎屋吉左衛門なら、幕府の官船の保管、修理、あるいは建造を手がけてきたことで知られている。

尼崎屋は養子相続で、当代の吉左衛門は三代目だが、人物もたしかで腕のいい職人を多数かかえているということを嘉兵衛もきいている。

しかし尼崎屋吉左衛門が、代々の大公儀御用を鼻にかけて嘉兵衛のいうことをきかなかったなら、この一件はどうにもならない。

「船頭」

と、羽太正養は、辞色をあらためて嘉兵衛をよんだ。

「そのほう、もし——もしであるぞ——大公儀の御内意でもって、定御雇船頭《じようおやとい》になさるとあらば、おひきうけ致すか」

これをきいたとき、嘉兵衛は、目がくらむ思いがした。

(深入りしすぎた)

という後悔と、突如断崖のふちに立たされたようなおびえとが、こもごも胸に湧いた。

「ためらう気持は、わかっておる」

羽太正養は、やさしくいった。

「摂津の大坂や兵庫にあって海の商いをなす者どもの間では、武家方から苗字《みようじ》や扶持《ふち》をもらうなどして深入りすることをきらう気風があるやにきくが、まことか」

「おそれながら」

嘉兵衛は、正直にいわざるをえない。

「まことでございます」

「そちは、どうじゃ」

と、羽太はやわらかく追いつめた。

嘉兵衛としても、そういう立場になることだけは避けたかった。幕府や藩が立脚している原理と町人が立っている原理とはちがうのである。一時的に町人を利用することがあっても、その事情が去れば捨ててしまう。捨てられて店が潰れる例が多いし、第一、事情が去らずとも、役人の交代によって方針や人脈が変わることがあり、そういう場合もしばしば店が潰れる。

(えい、高田屋など潰れてもよいわい)

と、嘉兵衛は、肚のなかに石でも嚥《の》みこんだような苦痛とともに決心した。

(自分だけが、他の岸に遁《のが》れられない)

という気分が、嘉兵衛を右の決心にむかって突き飛ばすようにして駆《か》ったのである。自分だけというのは、幕臣高橋三平やその従者五平、あるいは幕臣近藤重蔵や同最上徳内、さらには山田鯉兵衛といった連中のことをさし、嘉兵衛もその仲間に入っているつもりなのである。かれらは妻子を忘れ、身命をかえりみずに蝦夷地にいる。蝦夷地という広大な未開の地は、えたいの知れぬばけものに似ており、かれらはそれぞれの分野でそのばけものと組み打ちしている。

嘉兵衛はその連中から愛され、分不相応なことながら、敬せられもしてきた。であるのに、町人くさい利益の計算から、利益だけを得て義務からのがれるということを、いまとなっては為しがたく思えてきたのである。

ともかくも、幕府の定御雇船頭になれば、船大工の棟梁も嘉兵衛の命令に一から十まで従うであろう。

嘉兵衛はあらたな活動を開始した。兵庫に帰ると、荷のことはサトニラさんの息子たちにまかせ、渡海船で大坂へ出むいた。

かれの留守中に、大坂の町奉行所から差紙がきていた。出頭すると、嘉兵衛が想像したとおり、幕府が指名した船大工は尼崎屋吉左衛門であった。

嘉兵衛は、市中の水路をつたって、尼崎屋の根拠地の寺島（寺嶋）にむかった。

「寺島」

という地名は、明治元年十二月十五日に消えて、松島町に改名された。ほどなくここに松島遊廓ができる。むろん嘉兵衛のころには存在しない。

嘉兵衛は、奉行所のそばから舟に乗り、大川（淀川）をへて土佐堀川に入り、いくつもの橋をくぐってくだった。

大坂の市街地は海ちかくになると、大川が幾股《いくまた》にも岐《わか》れ、多くの中洲をつくっている。

土佐堀川の最後の橋が、湊橋である。目の前に御番所があらわれるが、右へゆけば安治川であり、左へゆけば尻無《しりなし》川である。安治川と尻無川のあいだにある広大な中洲が、九条島（九条村）であり、そのなかに市岡新田などもある。

嘉兵衛は、左へとった。

尻無川と木津川が挟んでいる小さな中洲が、寺島である。寺島は、行政区劃は、となりの大きな洲の九条村に属している。

大坂は諸国の船が入り、入船千艘、出船千艘といわれた土地だけに、その混雑を避けるために国によって船着場がきまっていた。たとえばおなじ四国でも讃岐《さぬき》丸亀の船は立売堀《いたちぼり》の西岸、伊予松山の船は淀屋橋の左岸・右岸、土佐の船は長堀である。讃岐高松の船は北浜の大川町か安治川二丁目、九州では薩摩の船は勘助島（勘助町の中洲）、中国では広島の船は越中橋付近といったぐあいである。寺島の岸に着けられるのはすべて尾張の船であった。

寺島には、姿のいい松があって、川を往きかうどの舟もその松をめあてにした。寺島という中洲の尖端を「松ケ鼻」というのは、この松があるためであり、以下は余談になるが、明治元年にこのあたりが「松島」と改称されるのは、この松と寺島の島を組み合わせて新地名をつくったものらしい。

松のあたり一帯は頑丈な石垣が組まれていて、水の浸蝕をふせいでいる。水面までの石段もある。嘉兵衛は、そこで舟を降りた。

川から石段をのぼれば、漁民の神であるえびす神をまつった社《やしろ》があり、通りぬけてしばらくゆくと、船大工の作事場がつづいていた。

その最大のものが尼崎屋吉左衛門の作事場で、吉左衛門はたまたま岸にしゃがんで道具を洗っていた。

「兵庫の嘉兵衛です」

というと、この額に精気のある小男はうろん臭げに顔をむけたが、やがて幕府の定御雇船頭である嘉兵衛であることを知って、慇懃《いんぎん》な礼をとった。

大船をつくる船大工の棟梁というのは、商人とも工人ともつかぬ存在ながら、たいそう豪勢なものであった。

なにしろ、一艘の大船を建造するのに、千両、二千両という、庶民の暮らしの規模からいえば想像すら容易でない大金が、注文主から渡されるのである。

が、本性《ほんしょう》がねじけ、金銭にきたなく、注文主を侮《あなど》ったり、あるいは甘いとみればむさぼったりして、一筋縄でゆかぬ者が多い。

(尼崎屋吉左衛門といえども、油断はならぬ)

と、嘉兵衛はおもっている。

大坂が日本第一の造船の町であることはすでにのべた。造船だけでなく、廻船問屋、海産物問屋など、海に関係のある海業仲間の規模の大きさ、軒数の多さが、諸国の町々とくらべものにならない。

それらの技術、商習慣の伝統も古かった。

（古いからいいというものではない）

と、兵庫者の嘉兵衛は大坂には批判的であった。

（古いがために溜っている澱《おり》も多いのだ）

と思っていた。

大坂の商人のなかには、造船や海運、海産物の中心地だという誇りが、ときに傲《おご》りになっている。たとえば諸国の廻船が荷を積んで大坂でおろすとき、大坂の問屋が積荷の値をむごいほど買いたたくことが多い。

このため諸国の持船船頭のなかでは、

「大坂で荷をおろすのはいやだ」

といって、兵庫で荷をおろす者が多い。兵庫という、いわば新興の海商の町の商道徳の伝統は、北風家がつくったようなものである。北風は公正に市をたて、決して積荷をむごく買いたたくことがない。兵庫の他の海商も、北風家の風《ふう》にならっており、嘉兵衛もまたかれの商業思想は多分に独自とはいえ、根は兵庫風であったということがいえるだろう。

造船のほうも、大坂には油断のならぬ棟梁が多い。

船の値段には、相場がある。その相場を規準としつつ、使う材料によって上下するのだが、むろんそのことはあらかじめ誂《あつらえぬし》主と棟梁とのあいだで決める。そのあと、

「建上《たちあげ》祝いだから」

といって、多額の祝儀金を要求する。建上というのは、船の構造用語で、船底から矢倉まで一本直立している材である。帆柱を支える構造の一つで、建上祝いというのは、家大工でいう棟上《むねあげ》の祝いのようなものであった。

船ができあがると、後世の進水式に似たようなものをする。

「船おろし」

といった。そのときまた祝儀金をとる。

「海商や船大工たちにそういう不心得な悪習があるのは、結局は大坂の商業を衰微させるもとだ。とくに船大工の棟梁は、諸国から船を誂えにくると田舎者だとあなどり、さまざまの理由をつけて金をとる。この弊風をあらためよ」

という意味の御触《おふれ》が、何度町奉行から出たかわからない。

「繁栄を兵庫にとられるぞ」

と、露骨に書いた文書もある。この種の御触は奉行から惣町年寄《そうまちどしより》に下達され、惣町年寄から、関係各町の「家持」の町人に達せられ、家持町人はそれに「承知印形《しょうちいんぎょう》」を捺《お》して、写しを自家で保存する。

嘉兵衛は、そういうことをよく知っていた。

嘉兵衛は、吉左衛門が、尼崎屋ほどの老舗《しにせ》の船造《ふなづくり》棟梁であるのに、法被《はっぴ》を着て、小さな樫材の道具を洗っているのを見て、

（これは商人《あきんど》というよりも職頭《しょくがしら》だ）

と、好意をもった。

吉左衛門は鼻に礫《つぶて》でも入れたように膨《ふく》み、二つの鼻孔が目玉のように正面をむいている。ふりむいたとき、いかつい男だと嘉兵衛は思ったが、立ちあがると、拍子ぬけするほどに小男だった。これほどのぶ男が婿養子として尼崎屋の老舗を継いだというのは、よほど人物もよく腕も立つのにちがいないとも思った。

小男は、当然ながら、嘉兵衛をまず自分の家に案内して茶でもふるまおうとしたが、嘉兵衛はなおも油断しなかった。

「大公儀の御用は、すでにご存じでしょう」

「概略は」

と、吉左衛門はうなずいた。

「それならまず作事場を見せて下さいませんか」

「しかし、茶なりとも」

「川舟で参りましたので、のどは渇《かわ》いていないのです」

嘉兵衛は、厚い肉の顔いっぱいで笑っているために、この言い方も、そっけなくきこえない。嘉兵衛は、自分の目的は良い船をあなたに造ってもらうにある、そのため、あらかじめ作事場を見せてもらい、その上でお茶を頂戴すると、船造りについての話の材料《たね》もできます、いますぐお茶をいただいてもお話しすることがない、という意味のことをいった。

「さよか」

これは職人などがつかう大坂弁の簡易敬語で、吉左衛門も、嘉兵衛の流儀に驚き、つい鄭重な態度をうしなってしまったらしい。

尼崎屋の作事場は、さすがに堂々たるものであった。

川の水面《みずも》にのぞんで、五艘の大型船が、建造中であった。嘉兵衛はまず五艘のまわりを一巡し、次いで一艘ずつ内部に入って仔細に造りや材などを見た。

（たいしたものだ）

と、その仕事のよさに感心しはしたが、しかし嘉兵衛自身が考えている船とはすこしちがっていた。嘉兵衛は吉左衛門にせねばならぬ要求が多かった。

第一、こんどの船は、北海を専門水域として走りまわるのである。そのために耐浪性が高くなければならなかった。

嘉兵衛は、一艘の船のまわりで、吉左衛門に「あなたがもし蝦夷地の海を乗りまわすとすればどういう船をつくるか」という意味の質問をし、意見をもとめた。

吉左衛門は、嘉兵衛が辰悦丸をつくったことを知っているだけに、容易に口をひらかなかった。やがて語りはじめたが、嘉兵衛は終始おだやかな表情でうなずくのみだった。

最後に、

「尼崎屋さんは、蝦夷地の海をご存じないから」

といって、こまかくその海について語りはじめた。船にとって永遠の課題は波であったが、蝦夷地の波は、巨岩が船にあたるようで、なんとも厄介なものだということを、こまかく語った。そのあと、ふたたび実物の船の部分々々を叩きながら、自分の要求のかずかずを語った。

やがて陽が傾きはじめた。その間、吉左衛門は立ちっぱなしだった。やがて疲れと嘉兵衛の話の内容を理解するための焦《あせ》りやらで、顔色まで青くなった。嘉兵衛はその背を、弟に対するような態度でどやしつけた。

「日本一いい船をつくるんだ。吉左衛門さん」

吉左衛門は、泣いているような顔で、笑った。

嘉兵衛は、十数日、尼崎屋に泊まった。

その間、多忙であった。町奉行所に出頭したり、川奉行に会ったり、船番所に行ったりした。このような役人たちとの接触を通じ、

「蝦夷地定御雇船頭」

という肩書は、神符《おふだ》のようなききめを発揮した。東町奉行所では、信じがたいほどのことだが、嘉兵衛を役所の座敷にあげ、奉行みずからが対面した。

「支障があらば、何事であれ、申し出でよ」

と、「御奉行様」という大坂の総督が、じきじきの言葉でいってくれた。

むろん、

「定御雇船頭」

などというのは、幕府の官制上の身分でいえば、いうもおろかだが、『武鑑』という大公儀の職員録には載らない。旗本・御家人ではないのである。定御雇船頭は、一代かぎりであった。そのことでいえば、一代抱《かかえ》の地役人の下役程度のものであろうか。似たものとして例をあげれば、地方の幕府直轄領における郡代・代官の下の手代に相当するかとおもわれる。


幕府の官制（もしくは行政制度）というのは、封建制という点では、ヨーロッパのそれよりうまくできているところがあった。

前掲の郡代・代官は、直轄領の長官であるため、幕府の中央から赴任し、数年で転任する。たいてい、後代の大蔵省にあたる勘定所の役人が任命された。民心を得るように、行政能力のほか、人格の審査がきびしく、徳のある心やさしい者がえらばれることが多かった。


郡代・代官の役所には、実務の責任者として「手附」という者がいる。身分は上級職で、幕臣からえらばれる。もっとも、旗本よりも御家人であることが多い。明治憲法下の官制でいえば書記官であろう。

「手附」

までが「官」であった。その下に、

「手代」

という「吏《り》」がいる。これが、地役人である。手附までの給与は幕府から出るが、手代の給与は、郡代・代官の経費内でまかなわれる。つまりは「御雇」である。雇員《こいん》である以上、幕府の職制に氏名が登録されることは、決してない。

吏員である手代は、現地々々の農民身分の者のなかから、学識・処理能力の卓越した者を選抜して採用されるのである。

以上の制度を見れば、基本型としてこれが明治政府に継承され、こんにちも、官公衙《かんこうが》や会社においても型として継続していることを知るべきであろう。

手附のような幕臣は、「譜代席」という。これに対し、手代のような一代抱の地役人は、「抱席《かかえせき》」とよばれた。嘉兵衛は「抱席」に相当する。

嘉兵衛が呼吸していた時代を窺うために、いますこし、

「蝦夷地定御雇船頭」

としてのかれの身分について、ふれておく。

郡代・代官所の行政事務をとる「手附・手代」は、職務内容には変わりがないのである。むしろ手代はその個人的能力によって抜擢された者だけに、幕臣である手附よりも事務に長じ、土地の事情にあかるい。

手代は農民あがりながら、大小を帯び、侍の姿をとる（もっとも、江戸幕府の初期は、

手代は大小を帯びなかった。野差《のざし》とよばれる長脇差《ながわきざし》を一本だけ帯びていたが、やがてけじめがみだれ、いつのほどか両刀を帯び、武士と寸分変わらぬ姿をするようになった)。

ただし、手代は、郡代・代官あるいは奉行という高官の前に出るときは、役所の玄関に両刀を置き、丸腰で出た。これに対し幕臣である手附は、小刀を帯び、大刀は右に置いて儀礼をしたり、御用をうけたまわった。両者は似たような職務をとりつつも、新任の代官などは、丸腰で前に出てくる者を見て、

——ああ、この男は手代か。

と、合点《がってん》した。

ついでながら、諸藩の藩士という者も、なにかの公務のために幕臣の前に出るときは、いかに家老身分であっても、丸腰になった。大名と旗本だけが、将軍の直々の臣なのである。大名の家来は、大名がいわば勝手に——私的に——召しかかえている者であるために、将軍という頂点からみれば、

「陪臣《ばいしん》(又者《またもの》)」

になる。本来、身分価値を数式的に捨象《しやしよう》してゆけば、将軍の座という絶対値から見ると、陪臣は百姓とかわらないのである。

封建身分制社会にあっては、つねにこのような数式的な比例が微妙に上下左右に自他によって操作されている。この数式からいえば、代官所の手代は諸藩の士と同格であった。

嘉兵衛の場合にもどる。

かれの正式の辞令は、かれが大坂にもどったあくるとし（寛政十二年の翌年である享和元年・一八〇一年）の四月に出る。

大坂寺島の尼崎屋吉左衛門を訪ねたときは辞令が出る前だが、幕臣の御用船を造る役をするというので、すでに、

「取扱《とりあつかい》」

という身分になっている。正規の「蝦夷地定御雇船頭」であることとすこしもかわりがない。

このあとに出たかれの辞令は、

「蝦夷地御用金の内より三人扶持、手当金二十七両宛被下置《ずつくだしおかれ》、苗字帯刀御免」

というものであった。このことは、諸地方の幕府直轄領の代官所の雇身分（抱席）の地役人「手代」とかわらない。並み手代の場合の辞令も、やはり「代官所御用金の内より、五人扶持、手当金二十両、苗字帯刀御免」というものなのである。

嘉兵衛が地役人なみで、さらには諸藩の士と身分比例的に同格ということが、このことでもわかる。このため、嘉兵衛は平素は町人の姿でいるが、奉行所に出頭したときはにわかに紋服を着け、町人まげのまま大小を帯び、その大小は玄関に置き、丸腰で奉行の前に出る。

このときもそういう姿であった。

この間《かん》、嘉兵衛は、大坂と兵庫をかけまわっていた。ほとんどは、海と川を利用した。兵庫から大坂までは、

「兵庫船」

という渡海船が往復している。せいぜい五十石までの船で、客船である。江戸期も末になると、人の動きがいよいよ繁くなって、兵庫船は織るような頻繁さで出ていたが、嘉兵衛のころは日に一便ぐらいであった。往来には、ほとんどこの兵庫船を利用した。

兵庫での商いは、うまく行っていた。蝦夷地で荷を積んだ嘉兵衛の店の持船は嘉兵衛が上方に帰るより前につぎつぎに帰港して荷さばきし、利をあげていた。江戸期の末などは、荷のほうが需要を上廻る場合が多く、北前稼業も、濡れ手に粟《あわ》というほどでもなくなったが、嘉兵衛のころは、一度帰ってくると、五百石ぐらいの船が新造できるほどの利があった。五百石の船の船価は、ざっといって五、六百両といっていい。

もっともこれは単純計算で、荷を積んだ船が海没すれば店がつぶれてしまうほどの損失をうける。ついでながらすでにふれたように、嘉兵衛の一代、かれの持船は一度も破船・難船しなかった。このことは幸運のほかに、航海術のよさ、それに造船の段階で堅牢だったということなどによる。いま一ついえば船の補修をたえずしていたということであろう。

その上、船というものは、新造以後十年目には、台から上をぜんぶとりかえねばなら

ない。この大修理は、船関係の術語で「上廻《うわまわり》」とよばれていた。上廻には六、七百石の船を一艘新造するくらいの金が要った。

それらの計算からいえば、実際にはさほどの利もないが、もし多くの船を保有し、それを効率よく出し入れすれば新造船をつぎつぎに造るということも不可能ではなかった。嘉兵衛は、このさい、自分の船も三艘同時に造ろうと思っていた。このことも、尼崎屋吉左衛門にたのんだ。

すでに、吉左衛門に、

三百五十石（新造後の船名・柔遠《じゅうえん》丸）
三百五十石（同・瑞穂《みずほ》丸）
七百石（同・寧済《ねいさい》丸）
七百石（同・福祉《ふくし》丸）
七百石（同・安焉《あんえん》丸）

という五艘の官船を造らせている。

それと材質・技術上同思想のものを同じ棟梁につくらせるというのは、嘉兵衛の思いどおりの船を得る上で便利であり、かつ材料集めの上で安価にもなる。

尼崎屋の作事場で、以上の官船とおなじく建造がはじめられているのが、

辰吉丸《しんきつ》（千七百石）
貞宝丸（千四百石）
辰運丸（七百石）

の三艘であった。これらは蝦夷地から上方までの長距離航海につかう。嘉兵衛の持船ながら、かれが蝦夷地御用のためにつかう以上、船には　の高田屋印のほかに幕府の船印である日ノ丸の幟がかかげられるはずであり、さらには八艘がいっせいに兵庫を出て蝦夷地へむかいたいという旨を、尼崎屋吉左衛門に申しわたしてある。

兵庫を基地として海で働く嘉兵衛たちにとって北風家が宗家《そうけ》のようなものでありつづけている。

この時期も兵庫に着くと、藩地にもどった侍がお城に登るようにすぐさま北風家を訪ねた。

北風家では、嘉兵衛のようなもともと同家の沖船頭（雇われ船頭）あがりの男は、扱いは番頭よりも低い。

「ただいま蝦夷地よりもどりました。よろしいように、御伝えくださいますように」

と、店頭であいさつをした。

「それはまあ、お達者なご様子で」

と、あいさつをうけた番頭は鷹揚《おうよう》な態度でかるく腰をかがめたが、しかし店の空気としては、嘉兵衛という、かつて北風家の支配下にありながらいまは逆に競争相手になってしまっている者に、相変わらず冷ややかであった。

嘉兵衛は、このことに堪《た》えている。

(腹をたてても仕方のないことだ)

と、この元来、喧嘩っ早かった男が、自分に言いきかせつづけていた。べつに北風家に何をしてもらおうという商利の上での配慮や利用意図は嘉兵衛にはまったくなかった。むしろ、逆になにか北風家のために役に立ちたいという気持があった。

ともかくもそういうことより、帰港してもあいさつにも来ないなどということは、角の立つことであった。とりあえずはそういう儀礼のために兵庫に帰るつど、顔を見せる。

(これが浮世だ)

と思っている。

やがて番頭が、奥からもどってきて、

「上へ」

とだけいった。大旦那である北風荘右衛門貞幹（浄入）がお会いなさるという意味を、そんな短いことばでいうのである。

座敷に通されてみると、荘右衛門がひどく小さくなっていることに驚いた。顔が黒ずんでいるうえに、どこか、往年の英気のようなものが失《う》せていた。

ただ、無用なほどに目だけがするどくなっているのは、どういうわけだろう。

「嘉兵衛どん、このたび、大公儀の御用をおおせつかったそうじゃな」

と、たかだかとした調子で、いった。まだ正式に辞令が出ていないために、嘉兵衛がどう返事していいかためらっていると、

「うれしいか」

と、たたみこむようにいった。

「まさか、御威光をかさにきて、蝦夷地の利をひとり占めする気でもあるまい」

嘉兵衛は、返答をするよりも、あきれて口をあけてしまった。

(なにか、お体でもわるいのではないか)

と、おもった。体にわるい病いが巣食うと怒りっぽくなるという話をきいたことがある。

「善事にはげめ」

(どういう意味だろう)

と、頭をさげているうちに、むこうのほうが、口速にいった。

「わしは生涯をかけて、この世で善をなすことについやした」

という。

おそらく湊町としての兵庫の繁栄のために尽しにつくした、ということであろうし、

まことにそのとおりでもあった。

天明飢饉《ききん》のときには、窮民をあつめ、かれらに賃銀をあたえて湊川の川尻の荒地をひらいて美田にし、毎年、冬になると、貧窮者にその田の米を施米した。またそれより以前、安永年間の兵庫の不況期に同業者が倒れはじめると合力《ごうりき》の金を出してこれを救うこと二十九軒におよんだ。まことに荘右衛門がいうように、大商才に器量人を兼ねたかれの人柄と生涯は、みごとなものであった。

北風荘右衛門貞幹は、江戸期の商業史上、きっての大器量人であったであろう。

しかし、このときの様子は、たえず尻のあたりを火であぶられているようにいらだっていた。

この対面のあいだに、嘉兵衛に対し、嘉兵衛どんとよんだり、さん付けをしたり、ときに呼びすてでよんだりして、かれの気分をあらわすように一定しなかった。もっとも一面、荘右衛門にとって、嘉兵衛という男のほうにも問題があったであろう。荘右衛門は、当初、船乗りの名手としてしか嘉兵衛をとらえていなかった。

が、意外にも商才があった。そのことを知ったときは、遅かった。嘉兵衛に商才があるとはじめに見ぬいておけばそれを取りこんで北風家に無害なようにうまく伸ばしてゆくという手もあったのだが、なにしろ気づいたときは嘉兵衛は地虫に羽がついて、さらに小鳥になり、みるみる鷹《たか》にでも変化したように急成長し、兵庫における北風家の体制からはみ出てしまい、やることがいちいち目ざわりになってきた。

たとえば、嘉兵衛が、蝦夷地の魚肥を北風家の市に出さず、大坂の靭《うつぼ》の肥料問屋におろしてしまっていることなども、荘右衛門にとってつよい不満であった。

不満どころか、そのことは、荘右衛門が一代かかって兵庫のために育て、確保してきた兵庫の商権を足もとからくずしてゆくという結果になりかねない。

「嘉兵衛、わしをどう見るか」

返事を求めず、

「このところ、体がわるいのだ」

と、いった。さらに、こうしてすわっているだけでも大儀になっている、ともいう。去年の春ごろは風邪だとおもった。それがいつまでもぬけず、食が細くなり、気根が衰えた。

「わしが、医書を読んでおることを知っているか」

荘右衛門は、返事を求めているわけではない。読書と好学は北風家歴代の風であった。たとえば、荘右衛門貞幹の先々代の好村《よしむら》は、商家を主宰しつつも医学を好み、玄竜《げんりゅう》という医号まで持ち、ひとびとに無料で施療し、ついには家業をかえりみなくなってそのために一時家が傾いた。

その好村が遺した医書が、この家には多い。荘右衛門貞幹はそれを読んでなまなかな医者よりもその方面にあかるかった。

「どうやら死病をかかえこんだかとわしは自分で自分を診《み》ている。このため、家の者、店の者、出入りの者、ひとの顔を見るたびに遺言のつもりで物を言う。その物言いも、まことにとげとげしい」

自分で、わかっているのである。

「兵庫の湊は、むかし、尼崎の藩領であったころが極楽であった」

尼崎藩は、その藩領である酒造地の灘や、積み出し港の西宮・兵庫を保護し、それらからあがる運上金を藩の重要な財源にしてきたが、嘉兵衛がうまれた年（明和六年・一七六九年）、幕府がそれらをとりあげ、大坂町奉行の支配下に置いた。

幕府の体制的思想として、直轄領である大坂の商権を育て、かつまもるということが入っている。このため藩政時代に自由闊達に躍動した兵庫の海商は抑圧された。

北風荘右衛門貞幹の一代の偉業は、大坂の商権を守ろうとする大坂町奉行所との隠微なたたかいであり、晩年になって兵庫の商権がなんとか確立した。それを嘉兵衛が崩そうとしていることが、荘右衛門の腹立ちの一つであった。

「嘉兵衛、わしの遺言のつもりで聴け」

と、北風荘右衛門貞幹はいう。

「大坂とはつきあうな」

つい、嬌激《きょうげき》なほどのことばが出てしまうのは、荘右衛門自身が認めているように、病気のせいであろう。

（しかし）

と、嘉兵衛は思う。大坂は諸式（諸種の商品）の市《いち》である。米を筆頭に、すべての商品が大坂で集散し、値が立つ。そのように豊臣のころからきまり、徳川の世もそれを継承した。大坂の商人《あきんど》は、口にこそ出さないが、心の奥底では、前時代の太閤の恩を思い、その名を神名のように崇《あが》めている。

たしかに秀吉は天下経済を成立させるために大坂をもって天下の市とし、諸国の物産をあつめて値を立てさせた。が、徳川の祖である家康がそれを継承し、その形態を発達させなければ、大坂などいまごろはもとの葦《あし》の原になっているにちがいない。

集散のためには、湊と船が要る。幕府が、ともすれば浅くなる大坂の河口港を保全するために注いできた努力は、測り知れない。また河口に入った大船から、荷を川船に移させる。その川船の往来のために、幕府の理解のもとに町人どもがたえず浚渫《しゅんせつ》し、舟入りの掘割をつくり、また荷揚げのための石造の船着場を築いてきた。

幕府はまた川船の往来を便利にするために川奉行を置いている。川奉行は河岸々々《はまはま》に碇泊する船の位置をきめ、船往来の交通が渋滞せぬよう、諸法規をつくり、番所々々で見張ってそれらが遵法《じゅんぽう》されるように督励してきた。まことに荷をあつかう者にとって、これほどよい場所はなかった。

さらには、諸問屋の経済力のけたが、他の港市とはちがうのである。嘉兵衛が、蝦夷地からいかに大量の品物を持ちかえっても、一挙に呑みこんでくれるのは、大坂であった。

造船については、さきにふれた。大坂ならば材料はすぐさまそろい、このたびのように、一時に八艘もつくり、しかも短時日でいっせいに仕上げるということもこなせる。

「わしは、兵庫であたらしい商いを育てようとしてきた。そのつど、大坂の町奉行所から妨げられてきた」

嘉兵衛は、そのことをよく知っていた。

「これは、一北風家の私利のためではなかった。嘉兵衛、北風家がいつからこの兵庫の浦に住んできたか知っているか。神代のころからだ」

という言い方はすこし大げさすぎるとしても、北風家伝承としては、伝説の神功《じんぐう》皇后のころにはすでにその祖がこの浦にいたということになっている。

「北風家が自家の利だけを思えばそれほどには永くつづかなかった。土地を利し、その照り映えでやっと自家を利するという行き方をとってきたためにここまで続いたのだ。嘉兵衛、お前はなるほどすこしは気はしがきく」

と言ってから、

「ただ、それだけの男だ」

といい、嘉兵衛を見た目が、さきほどとは打ってかわって優しかった。荘右衛門にすれば、わしの思想を継承しろ、ということであろう。

（わしは、蝦夷地でそれをやっている）

と、嘉兵衛は思ったが、口には出さなかった。

嘉兵衛は、大坂の尼崎屋吉左衛門の船作事場へ何度も足を運んだ。

八艘の船の作事は順調にすすんでいた。

「辰悦丸の嘉兵衛が船を造っている」

という評判が立って、作事場を見せてほしいとたのみにくる者が多かった。船大工の棟梁もあれば、廻船問屋の主人もいた。作事場は船大工にとって秘法があるなどと言い、よしずを張りめぐらして、余人には見せない。むろん、秘法などあるはずがなかったが、そのようにするのが日本の職仕事の伝統というべきものであった。たとえば、諸大名が幕府に「お手伝い」を命ぜられて、大きな川の堤防の普請をするときなども、持場々々の大名ごとに幔幕《まんまく》を張って、それぞれの石積みの秘法を他藩に盗まれまいとする場合もあった。

「見たいという者が多うございます」

と、尼崎屋吉左衛門が、雑談のつもりで嘉兵衛にいったが、むろん見せるつもりはなかった。

「見たいというお人には、見せてもかまいませんよ」

嘉兵衛が、いった。

「それは、いかがなものでしょう」

吉左衛門は、賛成しなかった。

「何事にも、門外不出ということがあります」

医者なども、家伝の秘薬というもので患者をあつめている者が多い。そういう場合、薬研《やげん》を磨《す》る姿を門人にも見せないのである。

嘉兵衛は、自分の船が風浪に対して堅牢であるという自信を持っている。さらには、どの船もそうあるべきだと思っているし、そうでなければ船乗りがたまらない。

「よい船をつくるのは、水主のためです」

ただし、大公儀から注文された官船ばかりは見せるわけにゆかない。

「お言葉ですが、見せるのは、やはり、やめましょう」

尼崎屋は、いった。見せるのは、嘉兵衛の私船にかぎるといったところで、噂というのはまがりがちなものです、と尼崎屋はいう。

――尼崎屋は、大公儀船の作事場をひとに見せている。

ということになりましょう、というのである。

「大公儀船ともなれば、御城も同然です。お城のご普請を見せることはありますまい」

(冗談じゃない)

嘉兵衛は、おもった。

城と船とはちがう。城は軍兵《ぐんぴょう》が籠って敵と戦い、陥されることを避けるべくつくられた構造である。船は、水主たちの命と荷をまもって目的地につくだけのもので、敵に知られるとまずいような構造などなにもない。

「しかし、噂というものはかならずまがるものでございます」

尼崎屋は、頑固にくりかえした。

このあと尼崎屋吉左衛門は、作事場の簀囲《すがこい》をいよいよ厳重にし、夜は二人の夜番を立て、巡回させた。

このことで、かえってひとびとは、

「辰悦丸以上の船ができるのだ」

と想像し、とくに船大工仲間の評判がやかましくなった。

この船作事が終ろうとするころ、ちょっとした事件があった。

船には、

「船玉《ふなだま》」

というものがまつられている。船魂、船霊などとも書く。

古来、船玉の多くは摂津の住吉明神から分霊をもらってくることになっている。神名はこの時代、流行した神道家たちがさまざまに説き、住吉大明神、綿津見神《わたつみのかみ》、猿田彦《さるたひこ》であるといったりした。しかし、船乗りたちは単に、

「住吉様」

とよぶ。ときに仏教の薬師如来、勢至《せいし》菩薩などがまつられる場合もあったが、神名・仏名が何であれ、船乗りにとって、要するに、

「ふなだまさま」

であった。

船乗りは、信心ぶかかった。

かれらは船そのものが神聖なものであると思っており、けがれを忌み、決して汚物でけがしたりすることはなかった。しかしそれだけでは不安であったのか、遠い中世のむかしから、船玉をおさめ、船玉の守護によって航海が安全にゆくと信じてきた。

むしろ、しかるべき神仏を、神社仏閣から分霊、勧請《かんじよう》してもらってそれを安置するというのは、存外あたらしいことかもしれない。

以下の事柄には、多少の矛盾がある。船玉は、神社仏閣からやってくることではあったが、しかし実際に船玉を造り、船の核心的な部分（帆柱を立てる根元の構造の一部）をくりぬいてそれをおさめるのは、神主でも僧でもなく、船大工であった。船玉は大船の場合は棟梁が入れ、小舟の場合は、それを造った船大工が入れる。

しかも、大工がその穴におさめるのはもっともらしい御神体や護符《おふだ》ではないのである。船大工自身がつくった稚拙な形代《かたしろ》のような男女一対の人形なのである。

それに一文銭が十二枚。

サイコロが二個。

以上が、御神体であった。サイコロは木製で、これも大工自身がつくる。

このような船玉は、さすがに神とも仏ともいわず、船大工たちは、

「ゴシン」

とよんでいる。船大工はゴシンとよぶが、船乗りはそれを船玉とよぶ。

この船大工が船の魂として入れる「ゴシン」とか「船玉」のほかに、歴とした神仏の分霊がかさなって、一種融合されて船玉とよばれるのだが、そういう正式(?)の神仏の分霊を併祀してなくても船玉は成立する。ということは、もともと船大工が入れる船の魂の信仰のほうが、歴史的にさきで、神仏があとから——多分に神社仏閣の営業のために——つけ加えられたものであろう。

このことからみて、船玉信仰は、上代以来、国家によって整頓されてきた神道でもなく、また仏教でもなく、研究の対象としては、民俗学に属する。この研究には、白梅女子短期大学の桜田勝徳氏に「船霊の信仰」という好論文(須藤利一編『船』)がある。

むろん、八艘の船についてはは船玉は尼崎屋吉左衛門が入れるのだが、ちょっとした事件とは、そのことにからんでいる。

あるとき、嘉兵衛が大坂の船作事場にゆくと、尼崎屋吉左衛門が、ひどい鼻風邪をひいていた。それでも船尾《とも》の矢倉の上にいて指揮をしていたが、嘉兵衛の顔を見て、すぐ降りてきた。

「めでたいことがございます」

といったが、顔の色は腐ったみかんのように冴《さ》えなかった。皮の腐ったあたりから、汁が流れ出ているように、赤くなっている鼻からはなみずが流れっぱなしだった。

（めでたい？　おそらく逆のことをいいたいのだろう）

と、嘉兵衛はおもった。

船作事をしているときは、忌みことばが多い。吉左衛門の顔は当惑している。こまったといえずに、めでたい、といっているのにちがいなかった。

二人は、簀囲のそとへ出た。日本の固有信仰には「場」の清浄ということがある。神のにわは清浄であればそれでよく、そこから外へ出れば、清浄の禁忌《きんき》から解放される。

「風邪をひいてなさるのか」

吉左衛門は、そんなことはどうでもよいというような顔つきで、いらだたしく、

「京の聖護院門跡《しょうごいんもんぜき》さまから、お船玉を授けるというおふれが、お奉行所から参っているのでございます」

それが、こまったということになるのである。

聖護院は十一世紀から栄えた寺で、その性格は、寺といえるのか、御所の一部といえるのか、さだかでない。

江戸期では山伏《やまぶし》（修験）の本山であった。諸国の山伏を統轄し、正しくは「修験道本山法頭」ということになっている。

平安時代、京の公家のあいだで、遠い紀州の熊野へ行って三所権現《さんしよごんげん》を拝むという信仰が流行した。天皇が上皇になって隠居すると、待ちかねたように「熊野御幸《くまのごこう》」をする。源平争乱のころの後白河上皇（一一二七〜九二）などは、三十四度も熊野へ行った。半ばは、よき来世を祈るということもあったが、半ばは娯楽であったろう。

その熊野信仰を統轄するのが、聖護院門跡であった。このためここは後白河上皇以来、皇子が法親王・門跡となって住持する伝統になり、建物なども、御所に似た公家屋敷造りになった。御所の機能の一部とも考えられる。

近ごろ、その建物が焼けたり、朽ちたりして再建しなければならなくなった。聖護院は寺領が千四百三十石もあるが、それでは経常費しかまかなえない。不時の場合は、幕府に泣きつくのである。

京都の公家を監督する幕府機関として京都所司代がある。そこがこれを受理し、江戸の老中に上申し、老中が勘定奉行と寺社奉行に下達し、両奉行が、連署の上、大坂の町奉行に命ずる。

「大坂にて新造される船の船玉は、ここ当分、聖護院から勧請される」

と、惣町年寄におふれが出され、尼崎屋吉左衛門のもとにもきたのである。

（そいつは、こまったな）

船玉など、どの神仏のものでもいいが、聖護院の場合、僧や寺侍などがきて、それを接待する入費が大変であった。

（聖護院の御門跡が、船玉さまを。――）

嘉兵衛は、ため息が出た。

まったく幕府とか藩とかというものは、いろんな手をつくして百姓・町人から金をまきあげるものである。有力社寺までが、幕府にぶらさがって似たようなことをする。町奉行という大坂・兵庫を支配しているおそろしい存在の名でそのおふれがきている以上、ことわれない。

「私は、金を吝《お》しむわけではありません」

と、嘉兵衛は語気荒くいった。おふれは船大工の棟梁あてにきているとはいえ、この種の入費は慣例として棟梁の懐ろから出ず、注文主《あつらえぬし》が出さねばならない。

「それに私は水主です」

稼業柄《がら》、迷信ぶかいほどに神仏への崇敬心がつよい、という意味のことをいっている。

「私は、船玉は金毘羅《こんぴら》様ときめておりました。御縁あって熊野三所権現をお迎えするということでもかまわないのですが、しかし権柄《けんぺい》ずくでくるのが気に入らない」

嘉兵衛は、顔色を変えていた。

「――それでは」

尼崎屋吉左衛門も、唇がふるえている。

「貴方《あん》さんは、お奉行さまにたてをおつきなさるおつもりでございますか」

「ばかな。お奉行さまに私ども町人がたてなどつけますか」

嘉兵衛は、そうはいったものの、肛門から錐《きり》でも突きのぼってくるような腹立ちを感じた。


「蝦夷千島の海に、命をまとに、さらには船の板子《いたご》一枚を頼りに乗りだすのは、聖護院の御門跡さまでなく、私ども水主です。船が覆《くつがえ》りそうになったときは、水主一同、もとどりを切って、頭をまるめたつもりになって、船玉さまの御加護をねがうのです」

「わかっております」

「それほど水主に大切な船玉さまを売りつけにくるとは、どういう性根だ」

「これは、はげしい」

と、尼崎屋吉左衛門は、おびえてしまった。

「尼崎屋さん、私はさきに何神でもいいと申しましたが、気持が変わりました。やはり、以前どおり、金毘羅様を勧請いたします」

「しかしそれでは、お奉行さまに」

「わかっております。お金を工面《くめん》してお支払いして、聖護院御門跡から熊野三所権現の御分霊をお受けいたしはしますが、それは尼崎屋さんがおあずかりください。ついては、京まで尼崎屋さんが、お受けに上《のぼ》ってくださいませんか」

「それは、ご慣例として、御僧侶、お坊官、修験のお歴々が大坂までにぎにぎしく下られるそうでございます」

「それだから、こまるのです」

その連中は、施主のご馳走をあてにしてくだってくる。その接待費は大変なもので、そんなことに金をつかうくらいなら、船体の強化のほうにつかうべきであった。嘉兵衛は、尼崎屋に、京へゆけ、といった。


春がきた。

嘉兵衛はいまごろ北前の海（日本海）に雪解風《ゆきげかぜ》が吹いているだろうと想像した。摂津あたりではどの野にも畦《あぜ》を焼く白い煙があがっており、麦畑には麦踏みをする人の影が見られた。

大坂の河口の寺島の尼崎屋の船作事場では、嘉兵衛が注文した八艘の船が、木の香りにつつまれて竣工の日も近かった。

ときどき奉行所から、与力衆が、

「その辺まできたついでに」

といって、入れかわりたちかわり見学してゆく。たれもが、船の出来映えに目をみはった。

「軍船《いくさぶね》ではないか」

と、おどろいた者もいた。

見る者が見れば、わかるのである。

船型は、ベザイ船《せん》といわれる北前船型だから、素人がみれば、その程度の模様変わりには気付かないかもしれないが、まず船尾《とも》がちがっている。

船尾に甲板が張られている。この甲板張りの場所を和船用語で矢倉という。そこで戦闘員が矢戦さや鉄砲操作をしやすいように、広い床になっている。このため、楼《ろう》が組まれているわけではないのに、とくに矢倉とよばれてきた。辰悦丸の船尾も、矢倉型式であった。

この新造船では、矢倉の部分に厚い囲いがあって、しかも銃眼（鉄砲狭間《はざま》）がいくつか穿《うが》たれている。

——軍船ではないか。

と、目のある与力がいったのは、まずそのことに気づいたためであった。

軍船というのは大げさで、江戸期にそういう攻撃用の船などは存在しない。正しくは、関船《せきぶね》とよばれるものであった。関船とは、防禦用の戦闘船ともいうべきものである。関船という言葉と実体は、南北朝ごろに出現した。語源はよくわからないが、下ノ関でつくられたためという説と、関所の船という二説がある。船乗りたちは単に、

「関」

ともよぶ。

海賊ふせぎのためにつくられたもので、矢倉があり、船尾が高く、船首がひくい。帆のみで進退せず、櫓もつかう。櫓は、ふつう四十挺以上も備えられている。

嘉兵衛が設計したこれらの船の場合、蝦夷地御用の高官の巡視用の船である柔遠丸（三百五十石）と瑞穂丸（同上）のみ多数の櫓をつけ、完全な関船とした。北海にロシアの大船が出没するため、万一かれらに攻撃されたとき、日本政府の高官の座乗船が無抵抗のまま撃沈されたり捕獲されたりするような不名誉の事態に至らぬように、かれらがとくに、この型式の船を造るよう嘉兵衛に要求したのである。

銃眼は、矢倉だけではなかった。

船腹にも、いくつか穿たれていた。

ただし、使用する武器は、火縄銃である。わずか有効射程一五〇メートル程度にすぎないこの旧式の小銃が海戦に役立つことなどありうべきはずもなかったが、しかし敵の大船が巨砲を射ちながら近づいてきたとき、武士の作法としてせめて小火器ながら火を吐かせ、いざとなれば自焼せねばならない。この船の右の型式はいわば名誉を守るについての「儀式」のためのものであった。

高官座乗用の柔遠丸と瑞穂丸とが、関船の型式をとっているだけでなく、荷積み用の他の三艘の官船も、和戦ともに使えるように折衷《せっちゅう》型式をとっていた。

荷船にも使え、戦いにも参加できるという型式で、関船に似ているということで、こういう船のことは、

「似たり船」

とよばれたり、

「荷関船」

とよばれたりしていた。

関船との大きなちがいは、櫓がなく、帆でしか進退できないことであった。

戦闘用の船は小まわりがきき、にわかに方向を転じたりせねばならないため、多数の櫓が要る。四十挺櫓の場合は、四十人の漕ぎ手を必要とするために、それらを乗せ、かつ糧食などを積むと、荷を積む空間などはなくなってしまう。が、

「荷関船」

は、ありようは、ただのベザイ型なのである。ただその船尾が矢倉構造になっていることと、両方の舷側にそれぞれ四、五カ所の銃眼がうがたれていることだけが、防戦に相応できる機能であるにすぎなかった。

江戸中期に大完成したベザイ型の大型和船の特徴の一つは、七、八人から十人以内という小人数で操船できるところにあった（嘉兵衛の時代、まだ多少生きていた北国型の大型和船などは、十数人の人手を要した）。

ベザイ型は、小人数が乗り組んでいるだけのために、あとの空間のほとんどに荷を詰めこむことができる。

そのかわり櫓がなく、帆のみで動き、港内に入ったときに小まわりがきかない。きかないままに、銃眼をうがってあるのが、荷関船である。

嘉兵衛が、箱館で幕府の高官たちから造船を命ぜられたとき、

「不測の異変に備えねばならない」

と、いわれた。

すでにロシア船の姿の大きさと、載せている火砲の多さについては、常識になっている。それに対する備えが必要であった。このため、関船二艘のほかに、荷積み用の官船寧済丸（七百石）、福祉丸（同上）、安焉丸（同上）も、いざというときに防戦できるよう荷関船の型式にのせよ、と命ぜられたのである。

「すでに先例がある」

と、いわれた、老中田沼意次の時代の蝦夷地調査用に新造された二艘の官船も、荷関船であった。

嘉兵衛はこのとき、自分の私船も、いざという場合、幕府の御用に供しうるように荷関船の型式にしておきましょう、といった。

このため、同時に竣工する予定のかれの辰吉丸（千七百石）、貞宝丸（千四百石）、辰運丸（七百石）も、船尾を矢倉構造にし、舷側に銃眼をうがった。

「こんなものが役に立つことなど、まさかあるまいが」

と、八艘の船のまわりを歩きつつ、嘉兵衛はつぶやいた。


（第四巻　おわり）

あとがき

昭和四十二、三年ごろ、青森県の太平洋岸の古い港まちである八戸《はちのへ》市に行ったとき、ある宿をたずねた。宿の主人は古い時代の慶応の出で、大変博識のひとだったが、昆布の主たる目的がだしをとることであるというごく当然なことをご存じなくて、昆布なんてものは仕様がないもんだ、と罵りつつ、

「京・大阪の人間は、なぜあんなものをたべるのかね」

と、小気味いい口調でいわれた。

日本は存外広大なものらしく、昆布でだしをとるという慣習は、大坂湾から蝦夷地へゆく北前船の往来航路である日本海岸では、おなじ東北地方でも、秋田、酒田、鶴岡などにおいてふるくから定着していたが、太平洋岸の八戸ではその慣習と縁が薄かったようでもあり、目をみはるおもいがした。

江戸と八戸をむすぶ太平洋航路は元禄時代からである。八戸では、当時、前の海で多

少の昆布が採れてはいつつも、昆布をだしにするという利用法は、日本海沿岸のようには定着しなかったということになる。

八戸は、元禄以前は孤立した漁港（鮫村《さめむら》）で、広域商品経済のなかにわずかしか参加していなかった。いわば貨幣経済の処女地にちかかったために、太平洋航路がひらかれるとともに、八戸領の農民に深刻な不幸がおこった。

当時、古着は古手《ふるて》とよばれ、京の女たちがきているものを、大坂の古手問屋があつめて、全国にくばっていた。この業種の商人には、近江人が多かった。江戸にもかれらの支店ができていたが、元禄期、太平洋航路がひらかれるとともに、その商人たちが海路八戸に入り、八戸藩の御家中《ごかちゆう》や富裕層の婦人に売りつけた。かれらはたちまち産をなし、高利貸資本兼地主になった。貨幣――商品――経済は緩慢にやってくれば社会的な体力は順応できるのだが、急速だと住民を凄惨な状態にたたきおとしてしまう。かれらは田畑を抵当にして金を借り、やがて流してしまい、高利貸・地主の小作になってしまうのである。

藩はこの急変した社会の症状に施すべきどういう処置も講ぜず、かえって高利貸兼地主の上に乗っかり、かれらから税金をとることによって財政を運営した。藩と高利貸兼地主が一体となって、農民をいよいよ零落させたことになる。水田をうしなったひとびとは、山を焼くしかなかった。焼いてそばをうえ、一定の連作をへて、またつぎの山に移ってゆく。かつて自分のものであった山も、地主のものになっていたために、地主のゆるしを得ねばならない。稲作民が、古代の焼畑農業にまで退化せざるをえなかったのである。

このような現象は、八戸への太平洋航路が成立してからほんの数十年のあいだにおこった。八戸の経済が他に類をみないほどに純粋な農業段階にあったところへ、貨幣経済が突然襲来し、かつそのにない手が、複式簿記に似たものさえもつといわれた近江商人であったために、八戸農民の伝統基盤が洪水のように押し流された。この間の社会の変動現象を見ていたのが、安藤昌益《あんどうしょうえき》（一七〇三〜六二）であった。

昌益は、孔子など聖人や君子は道を盗む大泥棒であるとし、大名も士族も盗人であり、農民がじかに耕してたれも支配者をもたない社会を理想社会（自然世）であるとした。かれは、大工や船大工など手工業の徒を否定した。無益の家をつくったり、大船を作って万国の珍物を集めたりすることは人の世の費《つい》えを多くするもので、大乱のもとをなすものであるとし、商人にいたってはみずから耕すことなく、美衣美食し、互いに他をたぶらかすものであるとした。すべて当時の八戸において、現前《げんぜん》になまなましく見ることができる病的現象であり、観察者に昌益のような鋭敏な感受性と憤りさえあれば、十分に納得させる考え方だった。しかし昌益が、緩慢に近世社会ができあがって行った瀬戸内海沿岸にうまれたなら、べつな思想を形成させたにちがいない。

昌益に従ってよくよく考えてゆくと、昆布などは無用のものである。北海の海底でできるこの海藻を、わざわざ採取し、大船にのせてはるかな上方の地に運んで、たかが汁や惣菜、料理のだしにするなど、世の費えもはなはだしいことであり、大乱のもとになるものだともいえる。

いまでも、京阪神のうどんやさんでは、北海道の利尻《りしり》か羅臼《らうす》の昆布をだしにつかう。どちらの味が濃いのかわすれたが、濃いほうを大阪のうどんやがつかい、淡泊なほうを京都のうどんやがつかう。昌益の自然世の流儀ならうどんのなまの玉に海水でもぶっかけて食うべきで、できれば陶磁器の容器も用いてはならない。陶磁器は、江戸期、瀬戸から四方へ運ばれるものと、唐津《からつ》から運ばれるものなどがあり、水甕《みずがめ》など大型のものは、越前や備前の窯場《かまば》からほうぼうに運ばれたりした。職人、薪とり、土とり、商人あるいは船乗りなど無数の人間が、それらの容器を需要者にとどけるのである。

このような人と商品の動きは、世の中を、元来ひとびとがそこで自給自足してきた村落のレベルからはるかに広域なものにしてしまう。それらは社会の仕組みを複雑にし、結局は昌益のいうところの大乱をまねくもとになるのかもしれない。しかしそれでも昌益先生に従っていれば、私情でいうと、私は散歩の途中、うどんを食う楽しみをうしなう。強いてうどんを食えば、それだけで天下に大乱をひきおこしてしまうことになる。人の世というものをどう見るかということは、まことにむずかしい。

日本人は、古代から、海藻を食ってきた。食用海藻のことを「め」といった（わかめ、あらめ、みるめ、などの言葉をおもいだせばいい)。たとえば下関の海峡に面した門司《もじ》側の岸に和布刈《めかり》神社という古社があり、潮流そのものが神としてまつられてきた。この古社の行事に、和布刈の神事というのがあって、大晦日《おおみそか》の除夜、神官が衣冠束帯して海に入り、鎌で「め」を刈りとり、神にそなえる。

日本人が食用にしてきたあらゆる「め」のなかで、昆布がもっとも食生活にかかわりがふかい。そのくせ、昆布ということばには、本来の日本語である「め」がついていない。昆布のことを「ひろめ(広布)」とよんだこともあるというが、頻度は高くなかった。

『続日本紀《しょくにほんぎ》』(七九七年に成立)の霊亀元年(七一五年)の記述に、蝦夷の須賀君古麻比《すがのきみこまひ》留《る》らがやってきて、昆布を献上した、とある。「先祖以来貢㆓献昆布㆒」というから、霊亀元年以前から献じてきたものにちがいない。そのことはともかく「昆布」ということばが、すでに七九七年成立の本につかわれていたことをみると、日本語としてもふるい。ここでは『続日本紀』の筆者が「広布」といわず、とくに「昆布」といったところに注目したい。昆布は漢語でなさそうに思えるから、あるいは蝦夷語(蝦夷はかならずしもその後のアイヌではない)だったのではないか。

嘉兵衛は、蝦夷地から昆布を運んだが、鰊《にしん》や鮭《さけ》なども運んだ。いずれも、アイヌ語かと思う。

鰊は、ふるい和語で「カド」といったということは、この作品のなかでもふれた。いまでは、カドということばは、ニシンの子を「カヅ（カド）ノコ」とよぶ場合にのみ生きている。シャケ・サケについては、その語源がはっきりせず、アイヌ語であるとはきめつけがたいが（アイヌ語の鮭《スケ》に通うという説もある）、ともかくも、古代の東国で成立したことばであることにはまちがいない。

ニシンは、日本海広域海上交易の確立とともに使われたように思える。遠くから遠くへ運ぶ商品になってしまった「カド」は、もはや自然に游《およ》いでいる「カド」という魚ではなく、外来語をもとにした商品語としての「ニシン」というものなのである。

このことは、もめんについてもいえる。嘉兵衛が属していた江戸期日本社会であれほど重要な作物であり商品であったもめんは、明治後、英国綿によって席巻《せっけん》され、やがて壊滅同然になった。私ども子供のころは、和服の針仕事につかう糸をむかしどおりにもめん糸といい、あらたに登場したミシンにつかう糸は、おなじもめん糸でも、カタン糸（カタンは cotton）とよばれた。

ニシンは、嘉兵衛たちが蝦夷地から棉畑《わたばたけ》の魚肥として運んでくる商品であればこそ「ニシン」であり、秋田あたりの入江でとれて、土地でそのまま夕食の膳にのぼる自給経済的な場合ならば「カド」でいいのである。

昆布も、奥州あたりの磯の底にはえているぶんなら、和語の広布《ひろめ》でよく、広域経済圏をめぐっている商品としての場合は、昆布でなければならない。昆布が、なんとなくアイヌ語であろうと想像するのは、そういう結果から帰納してのことである。

江戸期、鰊を運んできた北前船は、その多くを敦賀に揚げて、海浜にならぶ倉庫に入れた。いまでも、敦賀の鰊倉《にしんぐら》というのは——幕末、天狗党事件の終末の現場になったためでもあるが——文化財として保存されている。

敦賀は、京都の外港のようなものであった。京都人は、敦賀からくる昆布や椎茸、かつお、雑魚などでだしをとって、うどん・そばの汁をつくったが、その汁に甘煮処理をした身欠《みが》きニシンを入れ、ニシンそばを考案した。サンマは目黒にかぎるという落語があるが、ニシンは汁そばに入れるかぎり、京都にかぎるようである。

幕の内弁当に入っている昆布巻も、江戸期の蝦夷地との交易が生んだふしぎな食品である。だしをとって無用のものになった昆布にさらに味をしみこませ、ニシンの細片を巻きこみ、干瓢《かんぴょう》で締めるというこの食品を箸でつまむたびに、私はかつて日本海の沖を走っていた嘉兵衛たちの白帆をおもってしまう。

昭和五十七年八月

文春文庫

菜《な》の花《はな》の沖《おき》（四）

定価はカバーに表示してあります

2000年9月1日　新装版第1刷
2011年9月25日　第10刷

著　者　司《し》馬《ば》遼《りよう》太《た》郎《ろう》
発行者　村上和宏
発行所　株式会社 文藝春秋

東京都千代田区紀尾井町3-23　〒102-8008
TEL 03・3265・1211
文藝春秋ホームページ　http://www.bunshun.co.jp

落丁、乱丁本は、お手数ですが小社製作部宛お送り下さい。送料小社負担でお取替致します。

印刷・凸版印刷　製本・加藤製本

Printed in Japan
ISBN978-4-16-710589-1

（　）内は解説者。品切の節はご容赦下さい。

司馬遼太郎
日本人を考える
司馬遼太郎対談集

梅棹忠夫、犬養道子、梅原猛、向坊隆、高坂正堯、辻悟、陳舜臣、富士正晴、桑原武夫、貝塚茂樹、山口瞳、今西錦司を相手に、日本と日本人について興味深い話は尽きない。

し-1-36

司馬遼太郎
余話として

アメリカの剣客、策士と暗号、武士と言葉、幻術、ある会津人のこと、『太平記』とその影響、日本的権力についてなど、歴史小説の大家がおりにふれて披露した興味深い、歴史こぼれ話。

し-1-38

司馬遼太郎
木曜島の夜会

オーストラリア北端の木曜島で、明治初期から白蝶貝採集に従事する日本人ダイバーたちがいた。彼らの哀歓を描いた表題作他「有隣は悪形にて」「大楽源太郎の生死」「小室某覚書」収録。

し-1-49

司馬遼太郎
歴史を考える
司馬遼太郎対談集

日本人をつらぬく原理とは何か。千数百年におよぶわが国の内政・外交をふまえながら、三人の識者、萩原延壽、山崎正和、綱淵謙錠各氏とともに、日本の未来を模索し推理する対談集。

し-1-50

司馬遼太郎・陳舜臣
対談 中国を考える

日本と密接な関係を保ちつづけてきた中国をわれわれは的確に理解しているだろうか。両国の歴史に造詣の深い両大家が、長い過去をふまえながら思索した滋味あふれる中国論を展開。

し-1-51

司馬遼太郎
ロシアについて
北方の原形

日本とロシアが出合ってから二百年ばかり、この間不幸な誤解を積み重ねた。ロシアについて深い関心を持ち続けてきた著者が、歴史を踏まえたうえで、未来を模索した秀逸なロシア論。

し-1-58

司馬遼太郎
手掘り日本史

私の書斎には友人たちがいっぱいいる——史料の中から数々の人物を現代に甦らせたベストセラー作家が、独自の史観と発想の核心について語り下ろした白眉のエッセイ。（江藤文夫）

し-1-59

（　）内は解説者。品切の節はご容赦下さい。

司馬遼太郎
この国のかたち
（全六冊）
長年の間、日本の歴史からテーマを掘り起こし、香り高く豊かな作品群を書き続けてきた著者が、この国の成り立ちについて、独自の史観と明快な論理で解きあかした注目の評論。
し-1-60

司馬遼太郎
八人との対話
山本七平、大江健三郎、安岡章太郎、丸谷才一、永井路子、立花隆、西澤潤一、A・デーケンといった各界の錚々たる人びとと文化、教育、戦争、歴史等々を語りあう奥深い内容の対談集。
し-1-63

司馬遼太郎
最後の将軍
徳川慶喜
すぐれた行動力と明晰な頭脳を持ち、敵味方から怖れと期待を一身に集めながら、ついに自ら幕府を葬り去らなければならなかった最後の将軍徳川慶喜の悲劇の一生を描く。（向井　敏）
し-1-65

井上　靖・司馬遼太郎
西域をゆく
少年の頃からの憧れの地へ同行した二大作家が、興奮も覚めやらぬままに語った、それぞれの「西域」。東洋の古い歴史から民族、そしてその運命へと熱論はてしなく続く。（平山郁夫）
し-1-66

司馬遼太郎
竜馬がゆく
（全八冊）
土佐の郷士の次男坊に生まれながら、ついには維新回天の立役者となった坂本竜馬の奇跡の生涯を、激動期に生きた多数の青春群像とともに大きなスケールで描く永遠の傑作青春小説。
し-1-67

司馬遼太郎
歴史と風土
「関ヶ原の戦い」と「清教徒革命」の相似点、『竜馬がゆく』執筆に到るいきさつなど、司馬さんの肉声が聞こえてくるような談話集。全集第一期の月報のために語られたものを中心に収録。
し-1-75

司馬遼太郎
坂の上の雲
（全八冊）
松山出身の歌人正岡子規と軍人の秋山好古・真之兄弟の三人を中心に、維新を経て懸命に近代国家を目指し、日露戦争の勝利に至る勃興期の明治をあざやかに描く大河小説。（島田謹二）
し-1-76

（　）内は解説者。品切の節はご容赦下さい。

司馬遼太郎
菜の花の沖
（全六冊）

江戸時代後期、ロシア船の出没する北辺の島々の開発に邁進し、日露関係のはざまで数奇な運命をたどった北海の快男児、高田屋嘉兵衛の生涯を克明に描いた雄大なロマン。（谷沢永一）

し-1-86

司馬遼太郎
ペルシャの幻術師

十三世紀、ユーラシア大陸を席巻する蒙古の若き将軍の命を狙うペルシャの幻術師の闘いの行方は……幻のデビュー作を含む、直木賞受賞前後に書かれた八つの異色短篇集。（磯貝勝太郎）

し-1-92

司馬遼太郎
幕末

歴史はときに血を欲する。若い命をたぎらせて凶刃をふるった者も、それによって非業の死をとげた者も、共に歴史的遺産といえるだろう。幕末に暗躍した暗殺者たちの列伝。（桶谷秀昭）

し-1-93

司馬遼太郎
翔ぶが如く
（全十冊）

明治新政府にはその発足時からさまざまな危機が内在外在していた。征韓論から西南戦争に至るまでの日本の近代をダイナミックかつ劇的にとらえた大長篇小説。（平川祐弘・関川夏央）

し-1-94

司馬遼太郎
大盗禅師

妖しの力を操る怪僧と浪人たちが、徳川幕府の転覆と明帝国の再興を策して闇に暗躍する。夢か現か——全集未収録の幻の伝奇ロマンが、三十年ぶりに文庫で復活。（高橋克彦・磯貝勝太郎）

し-1-104

司馬遼太郎
世に棲む日日
（全四冊）

幕末、ある時点から長州藩は突如倒幕へと暴走した。その原点に立つ吉田松陰と、師の思想を行動化したその弟子高杉晋作を中心に変革期の人物群を生き生きとあざやかに描き出す長篇。

し-1-105

司馬遼太郎
酔って候

土佐の山内容堂を描く「酔って候」、薩摩の島津久光の「きつね馬」、宇和島の伊達宗城の「伊達の黒船」、鍋島閑叟の「肥前の妖怪」と、四人の賢侯たちを材料に幕末を探る短篇集。（芳賀　徹）

し-1-109

司馬遼太郎
義経（上下）
源氏の棟梁の子に生まれながら寺に預けられ、不遇だった少年時代。義経となって華やかに歴史に登場、英雄に昇りつめながらも非業の最期を遂げた天才の数奇な生涯を描いた長篇小説。
し-1-110

司馬遼太郎
以下、無用のことながら
単行本未収録の膨大なエッセイの中から厳選された71篇。森羅万象への深い知見、知人の著書への序文や跋文に光るユーモア、エスプリ。改めて司馬さんの大きさに酔う一冊。（山野博史）
し-1-112

司馬遼太郎
故郷忘じがたく候
朝鮮の役で薩摩に連れてこられた陶工たちが、帰化しても姓をあらためず、故国の神をまつりながら生きつづけて来た姿を描く表題作のほかに、「斬殺」「胡桃に酒」を収録。（山内昌之）
し-1-113

司馬遼太郎
功名が辻（全四冊）
戦国時代、戦闘も世渡りもからきし下手な夫・山内一豊を、三代の覇者交代の間を巧みに泳がせて、ついには土佐の太守に仕立て上げたその夫人のさわやかな内助ぶりを描く。（永井路子）
し-1-114

司馬遼太郎
夏草の賦（上下）
戦国時代に四国の覇者となった長曾我部元親。ぬかりなく布石し、攻めるべき時に攻めて成功した深慮遠謀ぶりと、政治に生きる人間としての人生を、妻との交流を通して描く。（山本一力）
し-1-118

司馬遼太郎
司馬遼太郎対話選集　全10巻
歴史、戦争、宗教、アジア、言葉……。幅広いテーマをめぐって、司馬遼太郎が各界の第一人者六十名と縦横に語り合った対談の集大成。「日本の今」を考える上での刺激的な視点が満載。
し-1-120

（　）内は解説者。品切の節はご容赦下さい。

司馬遼太郎
十一番目の志士（上下）
天堂晋助は長州人にはめずらしい剣のスーパーマン。高杉晋作は、旅の道すがら見た彼の剣技に惚れこみ、刺客として活用する。型破りの剣客の魅力がほとばしる長篇。（奈良本辰也）
し-1-130

司馬遼太郎
花妖譚
黒牡丹・白椿・睡蓮など、花にまつわる妖しくて物悲しい十篇の幻想小説。国民的作家になる前の新聞記者時代に書かれ、人間の性《さが》の不思議さを見つめる若々しい視線が印象的。（菅野昭正）
し-1-132

司馬遼太郎
殉死
日露戦争で苦闘した第三軍司令官、陸軍大将・乃木希典。戦後は数々の栄誉をうけ神様と崇められた彼は、なぜ明治帝の崩御に殉じて、命を断ったのか？　軍神の人間像に迫る。（山内昌之）
し-1-133

司馬遼太郎
歴史を紀行する
高知、会津若松、鹿児島、大阪など、日本史上に名を留める十二の土地を訪れ、風土と人物との関わり合い、歴史との交差部分をつぶさに見直す。司馬史観を駆使して語る歴史紀行の決定版。

し-1-134

文藝春秋　編
司馬遼太郎の世界
国民作家と親しまれ、混迷の時代に生きる日本人に勇気と自信を与え続けている文明批評家にして小説家、司馬遼太郎への鎮魂歌。作家、政治家、実業家など多彩な執筆陣。待望の文庫化。

編-2-27

文藝春秋　編
「坂の上の雲」人物読本
登場人物二百五十人を厳選した「人物事典」には作中の登場ページも掲載。子孫が語る逸話、著名人が選んだ好きな登場人物と言葉など、作品を何度も再読したくなるファン必携の副読本。

編-2-43

（　）内は解説者。品切の節はご容赦下さい。

北原亞以子
東京駅物語
それぞれの時代の夢が行き交う煉瓦の駅舎・東京駅。明治の建設当時から昭和の激動期まで、この駅が紡いできた年月と、そこで交錯した人生を丹念に描く、男と女の九つの物語。（酒井順子）
き-16-7

北　重人
夏の椿
柏木屋が怪しい。田沼意次から松平定信へ替わる頃、甥の定次郎が殺された原因を探る周乃介の周囲で不穏な動きが——。確かな時代考証で江戸の長屋の人々を巧みに描く。（池上冬樹）
き-27-1

北　重人
蒼火《あおび》
江戸で相次ぐ商人殺し。彼らは皆、死の直前にまもなく大きな商いが出来そうだと話していた。何かに取り憑かれたように人を殺《あや》め続ける下手人とは。大藪春彦賞受賞作。（縄田一男）
き-27-2

北　重人
白疾風《しろはやち》
金鉱脈に、埋蔵金？　武蔵野の谷にひっそりと暮らす村をめぐって、風魔などが跳梁する。昔、伊賀の忍びとして活躍した三郎は、自分の村を守るため村人と共に闘う。（池上冬樹）
き-27-3

北　重人
月芝居
天保の御改革のために江戸屋敷を取り壊され、分家に居候中の留守居役。国許からは早く屋敷を探せと催促され、江戸中を駆け回るうちに失踪事件に巻き込まれるのだが……。（島内景二）
き-27-4

黒岩重吾
落日の王子　蘇我入鹿（上下）
政治的支配者・皇帝と、祭祀の支配者・大王の権威を併せもつ地位への野望に燃える蘇我入鹿が、大化の改新のクーデターに敗れ去るまでを克明に活写する著者会心の大作。（尾崎秀樹）
く-1-19

黒岩重吾
鬼道《きどう》**の女王　卑弥呼**（上下）
中国から帰還した倭人の首長の娘ヒミコは、神託を受け乱世の倭国の統一に乗り出した。「鬼道《きどう》に事《つか》え、能《よ》く衆《たみ》を惑わす」謎の女王の生涯を通して、古代史を鮮やかに描きだす。（清原康正）
く-1-33

（　）内は解説者。品切の節はご容赦下さい。

久世光彦
逃げ水半次無用帖
幻の母よ、何処？　過去を引きずり、色気と憂いに満ちた絵馬師・逃げ水半次が、岡っ引きの娘のお小夜と挑む難事件はどれも哀しく、美しい。江戸情緒あふれる傑作捕物帖！　（皆川博子）
く-17-3

五味康祐
剣法奥儀
剣豪小説傑作選
武芸の各流派には、それぞれ奥儀の太刀がある。美貌の女剣士、僧門の剣客などが激突。太刀合せ知恵比べが展開された各流剣の秘術創始にかかわる戦慄のドラマを流麗に描破。（荒山　徹）
こ-9-12

五味康祐
柳生武芸帳
（上下）
散逸した三巻からなる「柳生武芸帳」の行方を巡り、柳生但馬守宗矩たちと、長年敵対関係にある陰流・山田浮月斎一派が繰り広げる死闘、激闘。これぞ剣豪小説の醍醐味！　（秋山　駿）
こ-9-13

堺屋太一
豊臣秀長
ある補佐役の生涯　（上下）
豊臣秀吉の弟秀長は常に脇役に徹したまれにみる有能な補佐役であった。激動の戦国時代にあって天下人にのし上がる秀吉を支えた男の生涯を描いた異色の歴史長篇。　（小林陽太郎）
さ-1-14

佐木隆三
小説　大逆事件
明治四十三年、明治天皇の暗殺を企てたとして政府は大量の社会主義者を検挙、翌年幸徳秋水を含む十二名を「大逆罪」で処刑した。新資料を駆使し著者が事件の闇に鋭く迫る。　（朝倉喬司）
さ-4-15

佐藤雅美
八州廻り桑山十兵衛
関八州の悪党者を取り締まる八州廻りの桑山十兵衛は男やもめ。事件を追って奔走するなか、十兵衛が行きついた、亡き妻の意外な密通相手、娘の真の父親とは――。　（寺田　博）
さ-28-1

佐藤雅美
官僚川路《かわじ》聖謨《としあきら》の生涯
幕末――時代はこの男を必要とした。御家人の養子という底辺から勘定奉行にまで昇りつめ、幕末外交史上に燦然とその名を残した男の厳しい自律と波瀾の人生を描いた渾身の歴史長篇。
さ-28-2

（　）内は解説者。品切の節はご容赦下さい。

白石一郎
風雲児（上下）
シャムに渡ってアユタヤの日本人町の頭領となった山田長政は内戦の鎮圧が国王に認められて宮廷の武将としての頂点に立った。異国で波瀾の生涯を送った男の夢と冒険を描く。（縄田一男）
し-5-18

白石一郎
航海者 三浦按針の生涯（上下）
過酷な航海の果て、一六〇〇年日本に漂着したイギリス人の航海長ウイリアム・アダムスは、家康に目をかけられ、関ケ原の合戦に貢献、三浦按針を拝名する。その数奇な生涯。（古川　薫）
し-5-25

城野《じょうの》　隆
一枚摺屋《いちまいずりや》
たった一枚の一枚摺のために親父が町奉行所で殺された！　何故、一体誰が？　浮かんできたのは大塩の乱。幕末の大坂の町を疾走する異色の時代小説。第十二回松本清張賞受賞作。
し-46-1

杉本苑子
一夜の客
東大寺近くの村を通りがかった若者が語る渡唐の意志。無垢な情熱は重税の世に圧せられた人々の心に灯をともす。奈良から平安、御仏と律令の時代を生きた庶民の哀歓を活写した短篇集。
す-1-26

杉本章子
おすず 信太郎人情始末帖
おすずという許嫁がありながら、子持ちの後家と深みにはまり呉服太物店を勘当された信太郎。その後賊に辱められ自害したおすずの無念を晴らすため、信太郎は賊を追う。（細谷正充）
す-6-7

杉本章子
銀河祭りのふたり 信太郎人情始末帖
大地震の被害を乗り越えた信太郎は、美濃屋の総領として、父の過去をめぐっての大きな問題に突き当たった。夫婦の情愛、家族の絆を描く好評シリーズ、感涙の完結篇。（縄田一男）
す-6-15

田辺聖子
王朝《おうちょう》懶《らん》夢《む》譚《たん》
内大臣の姫君・月冴に恋と冒険の季節が訪れた。小天狗の外道丸の助けを借り、医師の麻刈と語らい、東国男の晴季を誘惑し、美貌の弾正宮にときめき……ついに姫が手にした恋の結末は？
た-3-39

（　）内は解説者。品切の節はご容赦下さい。

高橋克彦
だましゑ歌麿
江戸を高波が襲った夜、当代きっての絵師・歌麿の女房が殺された。事件の真相を追う同心・仙波の前に明らかとなる黒幕の正体と、あまりに意外な歌麿のもう一つの顔とは？（寺田　博）
た-26-7

高橋克彦
おこう紅《べに》絵《え》暦《ごよみ》
筆頭与力の妻にして元柳橋芸者のおこうが、嫁に優しい舅の左門とコンビを組んで、江戸を騒がす難事件に挑む。巧みなプロットと心あたたまる読後感は、これぞ捕物帖の真骨頂。（諸田玲子）
た-26-9

高橋克彦
京伝怪異帖
稀代の人気戯作者、山東京伝が、風来山人、平賀源内、安兵衛、蘭陽らの仲間とともに、江戸の怪異を解き明かす。多彩なキャラクターが縦横無尽に活躍する痛快時代ミステリー。（ペリー荻野）
た-26-11

高橋克彦
火《か》城《じょう》
幕末廻天の鬼才・佐野常民
行動力と「涙」の力で藩政を動かした男——。のちに日本赤十字社の生みの親となる佐野常民は、いかにして佐賀を雄藩へと仕立て上げたか。鬼才の半生を綴った傑作歴史小説。（相川　司）
た-26-12

高橋三千綱
剣聖一心斎
千葉周作が、二宮尊徳が、遠山金四郎までが、ことごとく心服したという驚くべき剣客、中村一心斎。しかし、本人は剣の道など何処吹く風と、今日も武田信玄の埋蔵金探しに、東奔西走!?
た-34-2

高橋三千綱
暗闇一心斎
「あい、あむ、はっぴい」この言葉を毎日唱えるのだぞ。日本一強い剣豪・一心斎が帰ってきた!?　勝小吉が呆れ、男谷精一郎が憧れ、鼠小僧を顎で使う一心斎、今度の企みは一体何だ。
た-34-3

高橋義夫
狼奉行
出羽の雪深き山里に赴任した青年は深い失意の日々を送るが、策略をかわし苦難に耐え、逞しい武士に変貌を遂げていく。感動と共感の直木賞作品。「厦門《アモイ》心中」「小姓町の噂」併録。（赤木駿介）
た-36-1

（　）内は解説者。品切の節はご容赦下さい。

高橋義夫
海賊奉行
関ヶ原で敗れ、南海に逃がれた西軍の残党たちが、国内のキリシタンや、フィリピンのエスパニア勢を糾合して、打倒徳川を企てた。陰謀粉砕の密命を受け一人の剣士が海へ飛び出した。
た-36-8

高橋義夫
雪猫
鬼悠市　風信帖
松ヶ岡藩内きっての実力者、奏者番の加納を毒殺しようとしたのは誰か？　竹林で暮らす足軽にして藩の隠密・鬼悠市が真相に迫る。薫り高い文章にますます磨きがかかるシリーズ第五弾。
た-36-12

高橋直樹
戦国繚乱
黒田如水の陰謀に散った宇都宮家。キリシタン大名大友宗麟、父との壮絶な抗争。生涯不犯を通した上杉謙信亡き後の、壮絶な跡目争い……。乱世の波間に沈んだ男たちの物語。（寺田　博）
た-43-4

高橋直樹
霊鬼頼朝
平治の乱、壇ノ浦、平泉、鶴岡八幡宮の悲劇は四代にわたる源氏の血のなせる業なのか。なぜ鎌倉幕府は三代にして絶え、北条氏が権力を握るのか。武士の棟梁としての源氏の宿命を描く。
た-43-5

高橋直樹
曾我兄弟の密命
天皇の刺客《しかく》
日本三大仇討ちのひとつ、曾我兄弟の仇討ちの裏には、壮絶な策略が隠されていた。頼朝と兄弟の知られざる因縁と、勝者によって闇に葬られた敗者の無念を描く長篇小説。（井家上隆幸）
た-43-6

陳　舜　臣
秘本三国志
（全六冊）
群雄並び立つ乱世を描く『三国志』を語るに著者に優る人なし。前漢、後漢あわせて四百年、巨木も倒れんとする時代に、天下制覇を夢みる梟雄謀将が壮大な戦国ドラマを展開する。
ち-1-6

陳　舜　臣
秦の始皇帝
中国を理解しようと思えば、始皇帝を知らなければならない。何故ならば彼が中国で初めて天下を統一したからだ。統一中国の生みの親である始皇帝は二十一世紀の中国に今も生きている。
ち-1-17

（　）内は解説者。品切の節はご容赦下さい。

津本　陽
草笛の剣
秀吉に滅ぼされた鉄砲傭兵集団・紀伊雑賀衆。肉親を殺された孫二郎は逞しい若者に成長、剣術修行の旅に出る。京、そして南蛮の海を舞台に繰り広げられる剣豪ロマン。（薗田香融）
つ-4-47

津本　陽
柳生十兵衛　七番勝負（上下）
徳川将軍家の兵法師範、柳生宗矩の嫡子である十兵衛は、家光の密命を受け、諸国を巡り徳川家に仇なす者を討つ隠密の旅に出る。新陰流・剣の真髄と名勝負を描く全七話。（多田容子）
つ-4-57

津本　陽
剣のいのち
時は幕末激動期。紀州藩を脱藩した東使左馬之助は京都に降り立ち、おのれの剣技に磨きをかけ、勤皇・佐幕が激突する混迷の時代の中、新選組や坂本龍馬たちと交流を深める。（安西水丸）
つ-4-60

津本　陽
獅子の系譜
勇猛果敢にして智謀にもすぐれ、徳川四天王最強の武将とうたわれた「赤備え」をまとう井伊直政の生涯を描くとともに、徳川家康の天下取りを内側から描いた歴史小説の傑作。
つ-4-61

東郷　隆
戦国名刀伝
無類の刀剣好きだった太閤秀吉は、権力にあかせて国中の名刀を手中にした。なかに「にっかり」という奇妙な名で呼ばれた一腰があった……。戦国名将と名刀をめぐる奇譚八篇を収録。
と-13-3

東郷　隆
黒髪の太刀　戦国姫武者列伝
戦いは男たちの専売特許で、女たちは弱者と信じられていた昔々。女だてらに、甲冑を着込み、兵たちを叱咤し、城を守り、敵と切り結んだ姫君がいた。六人の姫武者見参！（細谷正充）
と-13-4

東郷　隆
洛中の露　金森宗和《かなもりそうわ》覚え書
大坂冬の陣の頃、京の片隅に庵を結び、静かに暮らす茶人がいた。飛騨高山城主の座をなげうち、茶道に突き進む金森宗和がめぐり合う、人の世の不思議の数々。連作歴史短篇集。
と-13-5

（　）内は解説者。品切の節はご容赦下さい。

永井路子
炎環
辺境であった東国にひとつの灯がともった。源頼朝の挙兵、それはまたたくまに関東の野をおおい、鎌倉幕府が成立した。武士たちの情熱と野望。直木賞受賞の記念碑的名作。（進藤純孝）
な-2-3

永井路子
美貌の女帝
その身を犠牲にしてまで元正女帝を政治につき動かしたものは何か。壬申の乱から平城京へと都が遷る激動の時代、皇位を巡る骨肉の争いにかくされた謎に挑む長篇。（磯貝勝太郎）
な-2-17

永井路子
北条政子
伊豆の豪族北条時政の娘に生まれ、流人源頼朝に遅い恋をした政子。やがて夫は平家への反旗を翻す。歴史の激流にもまれつつ乱世を生きた女の人生の哀歓。歴史長篇の名作。（清原康正）
な-2-21

永井路子
流星　お市の方（上下）
生き抜くためには親子兄弟でさえ争わねばならなかった戦国の世。天下を狙う兄・信長と最愛の夫・浅井長政との日々加速する抗争のはざまに立ち、お市の方は激しく厳しい運命を生きた。
な-2-43

永井路子
乱紋（上下）
信長の妹・お市と浅井長政の末娘・おごう。三姉妹で最も地味でぼんやりしていた彼女の波乱の人生とは。二代将軍・徳川秀忠の正室となった彼女の運命をあざやかに映し出す長篇歴史小説。
な-2-46

南條範夫
おのれ筑前、我敗れたり
斎藤道三、滝川一益、石田三成まで総勢十二将、いずれ乱世に天下を逃した者たち。彼らを敗者となした判断、明暗を分けた瞬間とは？　該博な筆が看破する戦国「敗北の記録」。（水口義朗）
な-6-19

南條範夫
暁の群像
豪商　岩崎弥太郎の生涯（上下）
土佐藩の郷士であった岩崎弥太郎は、いかにして維新の動乱期に政商としてのしあがり三菱財閥の基礎を築いたのか。経済学者でもある著者の本領が発揮された本格時代小説。（加藤　廣）
な-6-22

（　）内は解説者。品切の節はご容赦下さい。

南條範夫
武家盛衰記
乱世を生きた戦国武将に欠かせぬ能力とは何か。浅井長政、柴田勝家、明智光秀、直江兼続、真田幸村ら二十四人の武将を冷静な視線で描く、現代にも教訓を残す戦国武将評伝の傑作。
な-6-24

中村彰彦
二つの山河
大正初め、徳島のドイツ人俘虜収容所で例のない寛容な処遇がなされ、日本人市民と俘虜との交歓が実現した。所長こそサムライと称えられた会津人の生涯を描く直木賞受賞作。（山内昌之）
な-29-3

中村彰彦
新選組秘帖
寡黙な巨漢・島田魁、近藤勇を撃った男・富山弥兵衛、最後の新選組隊長・相馬主殿など、隊士の生死に宿る光と影を描いた傑作小説集。東京大学教授・山内昌之氏との対談を収録。
な-29-9

中村彰彦
知恵伊豆に聞け
徳川安泰の基礎を固めた家光の陰には、機知に富んだひとりの老中がいた。徳川家に持ち込まれる無理難題を持ち前の知恵と行動力で次々に解決した男の「逆転の発想」に学べ！（岡田　徹）
な-29-11

中村彰彦
東に名臣あり　家老列伝
会津藩の財政立て直しに成功した田中玄宰《はるなか》をはじめ、直江兼続、河井継之助など、戦国期から幕末にかけて、家中の舵取りを任されることになった家老たちの姿を描く歴史短篇集。（山内昌之）
な-29-12

新田次郎
富士に死す
民衆の中から生まれ、江戸時代に全盛を極めた宗教・富士講。中興の祖と称された行者・身禄の、岩穴で入定（宗教的自殺）するまでの感動的な生涯を通して、霊峰富士への思いを描く。
に-1-29

新田次郎
武田信玄　（全四冊）
父・信虎を追放し、甲斐の国主となった信玄は天下統一を夢みる（風の巻）。信州に出た信玄は上杉謙信と川中島で戦う（林の巻）。長男・義信の離反（火の巻）。上洛の途上に死す（山の巻）。
に-1-30

（　）内は解説者。品切の節はご容赦下さい。

新田次郎
剱岳〈点の記〉
日露戦争直後、前人未踏といわれた北アルプス、立山連峰の剱岳山頂に、三角点埋設の命を受けた測量官・柴崎芳太郎。幾多の困難を乗り越えて山頂に挑んだ苦戦の軌跡を描く山岳小説。
に-1-34

新田次郎
槍ヶ岳開山
妻殺しの罪を償うため国を捨て、厳しい修行を自らに科した修行僧・播隆。前人未踏の岩峰・槍ヶ岳の初登攀に成功した男の苛烈な生き様を描いた長篇伝記小説。「取材ノートより」を併録。
に-1-38

半村　良
暗殺春秋
研ぎ師・勝蔵は剣の師匠・奥山孫右衛門に見込まれて暗殺者の裏稼業を持つようになる。愛用の匕首で次々に悪党を殺すうち次第に幕府の暗闘に巻き込まれ……痛快時代小説。（井家上隆幸）
は-2-15

林　真理子
本朝《ほんちょう》金瓶梅《きんぺいばい》
江戸の札差、西門屋慶左衛門は金持ちの上に女好き。ようじ屋の看板おきんを見初め、妻妾同居を始めるが……。悪女おきん登場！　エロティックで痛快な著者初の時代小説。（島内景二）
は-3-32

林　真理子
本朝金瓶梅　お伊勢篇
慶左衛門は江戸で評判の女好き。噂の強壮剤を手に入れるため、お伊勢参りにかこつけて二人の妾と共に旅に出たが……。色欲全開、豪華絢爛時代小説シリーズ第二弾登場。（川西政明）
は-3-34

蜂谷　涼
螢火
染み抜き屋のつるの元に、今日も訳ありの染みが舞い込む。明治から大正に移り変わる北の街で、消せない過去を抱えた人々が織りなす人間模様。心に染みる連作短篇全五篇。（宇江佐真理）
は-35-1

蜂谷　涼
へび女房
明治維新でふぬけになった元旗本の亭主の代わりに奮闘する女房、金髪の子を産み落とした明治政府高官の妻。激動の時代の女の心模様を繊細に描ききった情感あふれる四篇。（縄田一男）
は-35-2

「司馬遼太郎記念館」への招待

司馬遼太郎記念館は自宅と隣接地に建てられた安藤忠雄氏設計の建物で構成されている。広さは、約2300平方メートル。2001年11月に開館した。

数々の作品が生まれた自宅の書斎、四季の変化を見せる雑木林風の自宅の庭、高さ11メートル、地下1階から地上2階までの三層吹き抜けの壁面に、資料本や自著本など2万余冊が収納されている大書架、……などから一人の作家の精神を感じ取っていただく構成になっている。展示中心の見る記念館というより、感じる記念館ということを意図した。この空間で、わずかでもいい、ゆとりの時間をもっていただき、来館者ご自身が思い思いにしばし考える時間をもっていただきたい、という願いを込めている。　（館長　上村洋行）

利用案内

所 在 地　大阪府東大阪市下小阪3丁目11番18号　〒577-0803
T E L　06-6726-3860 , 06-6726-3859（友の会）
H P　http://www.shibazaidan.or.jp
開館時間　10:00～17:00（入館受付は16:30まで）
休 館 日　毎週月曜日（祝日・振替休日の場合は翌日が休館）
特別資料整理期間（9/1～10）、年末・年始（12/28～1/4）
※その他臨時に休館することがあります。

入館料

	一 般	団 体
大人	500円	400円
高・中学生	300円	240円
小学生	200円	160円

※団体は20名以上
※障害者手帳を持参の方は無料

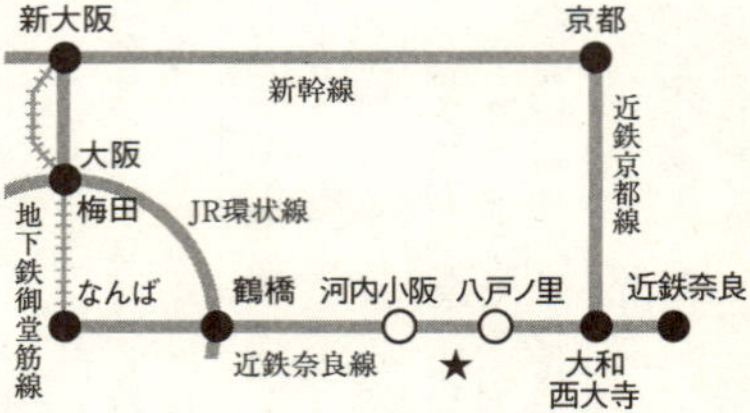

アクセス　近鉄奈良線「河内小阪駅」下車、徒歩12分。「八戸ノ里駅」下車、徒歩8分。
Ⓟ5台　大型バスは近くに無料一時駐車場あり。但し事前にご連絡ください。

記念館友の会　ご案内

友の会は司馬作品を愛し、記念館を支えてくださる会員の皆さんとのコミュニケーションの場です。会員になると、会誌「遼」（年4回発行）をお届けします。また、講演会、交流会、ツアーなど、館の行事に会員価格で参加できるなどの特典があります。

年会費　一般会員3000円　サポート会員1万円　企業サポート会員5万円
お申し込み、お問い合わせは友の会事務局まで
TEL 06-6726-3859　FAX 06-6726-3856